FRANÇOISE BOURDIN

Françoise Bourdin a le goût des personnages hauts en couleur et de la musique des mots. Très jeune, Françoise Bourdin écrit des nouvelles ; son premier roman est publié chez Julliard avant même sa majorité. L'écriture est alors au cœur de sa vie. Son univers romanesque prend racine dans les histoires de famille, les secrets et les passions qui les traversent. Elle a publié une trentaine de romans chez Belfond depuis 1994 – dont quatre ont été portés à l'écran –, rassemblant à chaque parution davantage de lecteurs. Françoise Bourdin vit aujourd'hui dans une grande maison en Normandie.

Retrouvez toute l'actualité de Françoise Bourdin sur www.françoise-bourdin.com

DANS LES PAS D'ARIANE

FRANÇOISE BOURDIN

DANS LES PAS
D'ARIANE

belfond

© 2011, Belfond, un département de place des éditeurs

978-2-266-22706-3

Pour Laurent,
qui, comme moi, apprécie
les maisons de famille,
pleines des rires de tous
les enfants à venir.

1

L'automne conservait encore un peu des couleurs et des senteurs de l'été, cependant les jours raccourcissaient vite et, dès le coucher du soleil, le vent venu de l'océan faisait frissonner. Anne voyait approcher la saison froide avec une sourde angoisse qui ne la lâchait pas mais qu'elle avait appris à ignorer. Âprement, elle poursuivait sa route, décidée à ne pas dévier de son objectif. La bastide que lui avait léguée sa tante représentait désormais son avenir, son foyer, même si cet héritage inattendu avait précipité son divorce.

Précipité ou provoqué ? Dès l'ouverture du testament, toute la famille s'était liguée contre elle, criant à l'injustice. Pourtant, le choix de la tante Ariane n'était pas arbitraire, seule sa nièce Anne lui avait semblé digne de confiance et apte à reprendre le flambeau. Car la bastide Nogaro n'était pas qu'une maison, c'était le combat de toute une vie. Malheureusement, Paul n'avait pas voulu ou su le comprendre. Indifférent au charme envoûtant de la vieille bâtisse, il était tombé des nues lorsque sa femme avait émis l'idée de venir habiter là. De jour en jour, leur conflit s'était envenimé, jusqu'à cette improbable rupture qui aujourd'hui les dressait l'un contre l'autre.

Une pile de courrier dans une main, Anne releva de l'autre le col de son blouson et parcourut la fin du sentier à grandes enjambées pour se réchauffer. Derrière elle Goliath, un énorme chien noir hérité avec la maison, trottinait la truffe au ras du sol. Dépassant les derniers arbres, la jeune femme marqua un temps d'arrêt pour contempler la façade très blanche qui se dressait au beau milieu de la clairière. Celui de ses ancêtres qui avait fait construire la bastide ne s'était pas trompé en l'édifiant là, au centre d'une forêt de pins dont les Nogaro avaient tiré profit durant des générations, avant de sombrer dans la ruine. L'arrêt brutal de l'exploitation de la résine les ayant conduits à la faillite, ils avaient d'abord vendu des centaines d'hectares, puis la maison, et s'étaient réfugiés dans une modeste villa à Biarritz pour y cacher leur déchéance. Ariane avait mal accepté la chute sociale, vécue à l'époque comme une infamie, mais surtout elle n'avait pas supporté la perte de cette superbe bastide où elle était née et venait d'y fêter ses dix-huit ans. Par la suite, toute son existence avait été consacrée à récupérer l'endroit afin de retrouver le paradis perdu. Après presque trente ans de lutte et trois mariages décevants, elle était enfin redevenue propriétaire de ce qu'elle n'avait cessé de considérer comme *son* domaine. Mais la maison, passée de main en main et mal entretenue, commençait à se délabrer. Ariane s'y était enfermée et y avait vécu chichement jusqu'à sa mort, heureuse envers et contre tout d'être rentrée chez elle.

Anne traversa la clairière, le chien sur ses talons, et alla se réfugier dans la cuisine où ronflait le vieux poêle Godin. Comme presque chaque jour, le courrier apportait de nouvelles factures, des devis. L'aménagement du deuxième étage en chambres d'hôtes était un projet pharaonique qui donnait le vertige à Anne. Beaucoup d'investissements, et sans doute peu de rapport à en attendre. Il faudrait de nombreuses années avant d'amortir les travaux, mais au moins la maison vivrait pendant ce temps-là. Et chaque couche de plâtre, chaque tuyau ou câble électrique posé lui redonnait un peu de son lustre d'antan. Juste un peu, car pour bien faire il aurait fallu tout reprendre, des fondations jusqu'au toit, ce qui était impossible.

D'un geste résigné, Anne éparpilla le courrier sur la table. Elle tendait la main vers la cafetière lorsqu'elle repéra parmi d'autres une lettre de son avocate. L'enveloppe était reconnaissable, avec le tampon du cabinet en évidence, et chaque fois qu'Anne en ouvrait une elle éprouvait le même sentiment de colère et d'impuissance. Elle déplia la feuille, sauta directement à la conclusion : un rendez-vous devant le juge, au tribunal, dans quatre semaines. Paul et son avocat, Anne et la sienne, avec un magistrat pour prononcer le divorce, et tout serait consommé en quelques minutes.

— Oh, Paul…

Elle dut s'asseoir pour reprendre son souffle. Ainsi, elle allait vraiment divorcer ? Paul et elle s'aimaient toujours, ce prétendu *consentement mutuel* pour se séparer était absurde. Comment Paul, qui était son mari, son ami, son amant, le père de son fils, l'homme avec qui elle croyait avoir construit sa vie, avait-il pu se transformer en ennemi ?

Entamer une procédure leur avait fait prendre conscience de la gravité du conflit qui les opposait et ils s'étaient mis à se regarder autrement, à s'interroger, à douter. De là à tout casser…

— Tu viens d'apprendre un décès ? lui lança son frère en entrant dans la cuisine. Si c'est ça, j'espère que tu vas faire un autre héritage !

— Très drôle, soupira-t-elle.

Jérôme l'agaçait souvent mais, contrairement à ses craintes, il se révélait utile pour la maison, il n'était pas qu'un pique-assiette, ainsi qu'il en traînait la réputation. Et dès le début, il avait été le seul de la famille à ne pas lui donner tort dans cette histoire d'héritage. Le seul à ne pas montrer d'aigreur, à ne pas saisir l'occasion pour régler d'anciens contentieux.

— Tu verrais ta tête…, insista-t-il.

Baissant les yeux sur le courrier, il se tut deux secondes puis lui tapota gentiment le dos en marmonnant :

— Allez, tu vas reprendre ta liberté, tu n'as rien à regretter.

— Qu'en sais-tu ?

— Paul est un emmerdeur, je l'ai toujours dit, et il t'en a donné la preuve. Tu le prenais pour un type idéal, d'ailleurs tout le monde le croyait parfait, mais ce n'est qu'un égoïste et un macho.

Anne haussa les épaules sans répondre. Paul n'avait pas voulu bouleverser son existence, il avait refusé de suivre sa femme dans l'aventure de la bastide, il s'était persuadé qu'il s'agissait d'un caprice et qu'il n'avait pas à céder. Certain qu'elle s'inclinerait une fois de plus, il avait posé un ultimatum : « Ce sera sans moi ! » En effet, il n'était pas là, il vivait désormais en célibataire dans sa petite maison de Castets et il avait été le premier à contacter un avocat.

— Ah, mon catalogue de carrelages ! s'extasia Jérôme.

Parce qu'il avait mené jusqu'ici une existence de nomade, voyageant au gré de ses envies et multipliant les petits boulots sans intérêt, toute la famille Nogaro tenait Jérôme pour un incapable, un raté. Pourtant, l'idée des chambres d'hôtes venait de lui, et depuis le début du chantier il mettait vraiment la main à la pâte, dévoilant de surprenantes qualités de bricoleur. Bien sûr, chez sa sœur il avait trouvé un refuge qui offrait un gîte confortable ainsi qu'un couvert copieux, et où on ne lui infligeait pas de discours moralisateur. Anne s'était même débrouillée pour le libérer des dettes qu'il avait laissées derrière lui à Londres et qui lui créaient des ennuis. Elle ne s'offusquait pas du fait qu'il aime autant les filles que les garçons, le laissait conduire sa voiture lorsqu'il s'offrait une virée à Dax, ne lui posait jamais de questions indiscrètes. En conséquence, il se sentait bien dans la bastide et son envie d'y rester l'avait surpris lui-même.

— Rose ou bleu, c'est mièvre, énuméra-t-il en tournant les pages. Celui-ci est trop cher… Celui-là affreux… Tiens, en voilà un qui me plaît !

Il lui mit le catalogue sous le nez, ce qui fit disparaître la lettre de l'avocate.

— Prix abordable, et on reste bien dans l'esprit landais, insista-t-il.

— Si tu continues comme ça, tu finiras par accrocher des échasses aux murs du salon.

— Mais oui ! Et j'expliquerai aux touristes que les bergers s'en servaient autrefois parce que la lande était un véritable marécage insalubre avant qu'on fixe les dunes du littoral, avant les plans de drainage et avant un ensemencement forestier massif sur près d'un million d'hectares.

Bouche bée, elle le dévisagea.

— Tu prends des cours ou quoi ?

— Je m'apprête à répondre aux questions de nos futurs clients.

— Ne dis pas de bêtises. Je sais que l'histoire de la région ne t'intéresse absolument pas.

— Pourtant, je me documente ! Que tu le croies ou non, je suis investi dans notre projet jusqu'au cou.

Était-il sincère ? Le connaissant, Anne avait encore des doutes car il n'entreprenait jamais rien qui ne serve son propre intérêt. Or il n'était pas officiellement son associé, il ne faisait que donner un coup de main et pouvait très bien disparaître du jour au lendemain.

— Ouvre cette paperasserie et étudie-la, suggéra-t-il, c'est toi la comptable.

Un métier qu'elle n'exerçait qu'à mi-temps mais qui lui plaisait, ce que personne ne comprenait. D'un caractère gai et fantaisiste, on lui aurait volontiers prêté un travail moins austère, pourtant manier des chiffres la passionnait.

— Je monte dans mon bureau, annonça-t-elle en ramassant le courrier épars.

Avec un petit sourire de connivence, Jérôme la regarda sortir, toujours flanquée du gros chien. Il savait qu'elle allait détailler attentivement les devis avant de les accepter ou les refuser. Les yeux rivés sur un dossier, elle devenait soudain quelqu'un de sérieux. Et pour tout ce qui concernait la bastide, elle se montrait pointilleuse, comme si elle avait peur de commettre une erreur. Mais aussi, la famille entière avait essayé de la culpabiliser, la dissuader, la faire rentrer dans le rang. Qu'elle veuille garder cette propriété les avait tous rendus enragés, Paul compris, et malgré tout elle avait trouvé assez de force de caractère pour leur résister. Bravo ! À sa manière, Jérôme l'avait aidée en jetant de l'huile sur le feu. Il ne s'en repentait nullement, au contraire il se félicitait d'avoir poussé Paul à bout, ce qui avait permis à Anne de le découvrir sous un autre jour que Paul-le-parfait. Bien entendu, la séparation du couple arrangeait Jérôme, ainsi il n'avait pas son beau-frère sur le dos et pouvait s'amuser avec sa sœur dans ce grand terrain de jeu que représentait pour lui la bastide. Ce n'était pas lui qui en avait hérité, mais au moins il en profitait pleinement.

« Profiter » avait été l'essentiel de son existence jusqu'ici, il en avait fait un sport, un credo. Pour jouir de la vie sans trop d'efforts il saisissait la moindre opportunité, manipulant avec habileté sa famille comme ses amis. Néanmoins, à trente-cinq ans, il commençait à se lasser de son errance et de la vacuité de son existence. De tous les Nogaro, Anne étant celle qu'il préférait, partager un projet avec elle n'était pas un pensum, il envisageait même, pour une fois, de mener les choses à bien. D'ailleurs, se retrouver dans le camp de la « rebelle » était assez distrayant. Lorsqu'il était enfant, il adorait déjà les frasques d'Anne et jugeait les deux aînés, Lily et Valère, mortellement ennuyeux. Tout comme leurs parents, figés dans leurs rôles austères d'instituteurs, même à la maison. Et en guise de maison, les appartements de fonction d'un directeur d'école primaire n'étaient pas gais non plus. Dès sa majorité, Jérôme avait fui pour aller s'amuser ailleurs. Il séjournait en Afrique lors du mariage d'Anne et de Paul, mais en apprenant la nouvelle il s'était étonné du choix de sa sœur. Il connaissait Paul, qui à l'époque avait fait partie de la bande de copains de son frère Valère, et il le trouvait déjà trop sérieux, trop branché sur ses études de vétérinaire qu'il ne voulait pas seulement réussir mais *brillamment* réussir. À réception du faire-part, Jérôme aurait pu prédire tout ce qui allait suivre : l'installation professionnelle de Paul passant en priorité, puis assez vite un bébé, enfin une petite maison moderne et pratique qui ferait d'Anne une femme au foyer. Tout ça était arrivé, bien entendu. Si Anne avait conservé son travail de comptable, c'était chez elle et à mi-temps pour mieux s'occuper de leur fils unique, Léo, jusqu'à ce qu'il parte en pension et qu'elle commence à s'ennuyer. L'héritage d'Ariane était vraiment tombé à point, Anne avait pu saisir l'occasion pour ruer enfin dans les brancards. Adieu les habitudes, les conventions et la routine, à elle l'aventure !

Bon, ce qui intéressait Anne était plutôt le passé de la famille, les attaches et les racines, savoir qui étaient ses ancêtres et d'où elle venait. En gardant la maison, elle s'appropriait l'histoire des Nogaro et s'y inscrivait. De son côté, Jérôme s'en moquait, il voyait surtout l'intérêt d'avoir déniché un toit et un but. Mais leurs deux états d'esprit n'avaient rien d'incompatible puisque chacun y trouvait son compte.

De nouveau, il se pencha sur le catalogue. Poser du carrelage ne le rebutait pas, il se rendrait utile en s'amusant et ferait économiser beaucoup de main-d'œuvre au chantier. D'ici peu, Anne s'apercevrait qu'elle ne pouvait vraiment plus se passer de lui.

**

Installée derrière le vieux bureau massif qui avait été celui d'Ariane, Anne venait de valider le devis de l'électricien. Pas question que Jérôme s'occupe de ça, sinon la maison flamberait. Elle vérifia une dernière fois les comptes, ferma le dossier, puis se leva pour aller jeter un coup d'œil par la fenêtre. Les quatre hectares de pins de la propriété se fondaient dans l'immense forêt alentour sans qu'on discerne le grillage qui les clôturait. Autrefois, par cette même fenêtre, les Nogaro forestiers avaient dû contempler fièrement leur empire, tous ces « arbres d'or », ainsi qu'on surnommait alors les pins grâce aux récoltes annuelles de résine. Pour sa part, Anne se contentait de savourer le paysage, avec l'impression d'être seule au centre du monde. Certains soirs, à l'heure où les oiseaux cessaient de chanter, en prêtant l'oreille elle pouvait entendre l'océan proche.

Un fracas, au-dessus de sa tête, la fit sursauter et lui rappela que des ouvriers travaillaient au second. Ils montaient une cloison, maniant brutalement des carreaux de plâtre, et ils n'allaient pas tarder à brancher leur radio à fond. Avec un soupir agacé, Anne décida de redescendre. En passant près du bureau, elle effleura le gros cahier de moleskine rouge qu'elle avait tant cherché quelques semaines plus tôt. La couverture portait la trace des crocs de Goliath car c'était au fond de son panier, mâchouillé et aplati sous le coussin, qu'elle avait fini par le dénicher. Toutes les pages étaient remplies de l'écriture nerveuse d'Ariane, et Anne se réjouissait d'apprendre la suite de l'histoire. La lecture d'un premier cahier, rédigé comme un journal et laissé en évidence parmi les affaires de sa tante, lui avait appris un certain nombre de choses sur sa famille. Des découvertes parfois décevantes, mais très instructives. Quelques détails oubliés de sa propre enfance y étaient racontés par Ariane de façon lucide, détachée, et non sans humour. Sur le même ton caustique, elle décrivait ses trois mariages soldés par deux divorces et un veuvage, son entêtement obsessionnel pour racheter sa bastide, mais aussi ses souvenirs de jeunesse à l'époque des gemmeurs et de la splendeur des Nogaro. Hélas, ce premier récit s'interrompait abruptement au beau milieu d'une phrase, faute de place disponible, car Ariane n'avait pas voulu perdre une seule ligne sur la dernière page. Frustrée, Anne avait fouillé partout pour trouver la suite, certaine qu'un second cahier existait. Finalement, c'était par hasard qu'elle avait mis la main dessus, un jour de grand ménage. En le feuilletant, elle avait constaté qu'il n'était pas entièrement rempli. Le dernier mot se prolongeait d'un long trait de stylo qui avait déchiré le papier et qui devait correspondre à la mort de la vieille dame, emportée par un infarctus massif. Sans doute tombé à ce moment-là, le cahier n'avait attiré l'attention de personne. Mais comme il portait l'odeur de sa maîtresse, le chien s'en était emparé et l'avait traîné jusqu'à son panier.

Anne faillit l'ouvrir mais y renonça et ôta sa main. Elle le gardait comme une gourmandise qu'on met de côté pour plus tard, sachant qu'il n'y en aurait pas d'autre. Elle avait pourtant projeté de le lire sans attendre mais quelque chose l'arrêtait. Certes, différer son plaisir l'amusait, et surtout le chantier des chambres d'hôtes était assez prenant pour qu'elle s'écroule de fatigue le soir. Mais n'y avait-il pas, en plus, une sorte de crainte quant à ce qu'elle allait découvrir sous la plume acide d'Ariane ? Ses jugements à l'emporte-pièce faisaient mouche, ses révélations éclairaient les gens de la famille d'une lumière peu flatteuse. Ce qu'Anne avait lu jusqu'ici sur son père et sa mère était glaçant.

Alors qu'elle dévalait l'imposant escalier, elle sentit vibrer son téléphone dans la poche de son jean. En voyant s'afficher le nom de Paul, elle hésita puis s'assit sur une marche pour répondre.

— Désolé de te déranger, commença-t-il sans préambule, mais j'ai un problème pour samedi. Julien est malade, je serai seul à la clinique et je ne pourrai pas m'occuper de Léo. Si tu n'y vois pas d'inconvénient, on intervertit nos week-ends ?

— Aucun problème, j'irai le chercher vendredi soir à la pension.

Leurs rares conversations semblaient systématiquement laborieuses car pour éviter une dispute supplémentaire ils se parlaient avec précaution, évitant tout autre sujet que leur fils.

— Julien n'a rien de grave ? voulut-elle savoir malgré tout.

— Non, juste une gastro. Bon, je te laisse, la salle d'attente est pleine.

Sa clinique vétérinaire connaissait un gros succès, et ils n'étaient pas trop de deux avec Julien, son associé, pour soigner tous les animaux domestiques de la région. Pourtant, au début de son installation, Paul avait pris un pari en choisissant le village de Castets. Une implantation risquée, à l'écart de Dax, mais qui avait vite drainé les environs.

— J'ai reçu un courrier de mon avocate, murmura-t-elle.

— Oui, moi aussi.

Il y eut un court silence puis Paul lança, d'un ton de défi :

— Allez, je t'embrasse, à bientôt !

Pour surmonter son émotion, il préférait se draper dans sa dignité, une attitude qu'Anne exécrait. Si seulement il s'était laissé aller, en criant ou en pleurant, elle l'aurait trouvé attendrissant, alors que sa pseudo-froideur la rendait folle de rage et d'impuissance.

— Je t'aime, dit-elle au téléphone éteint.

Sentant un souffle dans sa nuque, elle se retourna et découvrit Goliath, assis deux marches plus haut, qui tendait sa truffe vers elle. Lui ne dissimulait pas, comme tous les chiens il offrait son affection d'un bloc et ne connaissait pas la rancune.

— Est-ce qu'on mange bientôt ? cria Jérôme depuis le hall. Si tu veux que je travaille, il faut me nourrir !

— J'arrive, soupira-t-elle.

Au moins, son frère était gai, et d'une certaine manière il l'obligeait à aller de l'avant. Avec lui, impossible de s'isoler longtemps pour ruminer ses problèmes, il semblait occuper tout l'espace en arpentant la maison de la cave aux combles. Anne le rejoignit et lui annonça que Léo serait là pour le week-end, ce qui parut le réjouir car il aimait bien son neveu. Puis elle le précéda vers la cuisine, vaguement préoccupée de savoir Julien malade. Devait-elle l'appeler pour prendre de ses nouvelles ? Elle ne s'en sentait pas le courage, il existait trop d'ambiguïté entre eux.

⁎

Brigitte, la secrétaire de la clinique vétérinaire, prit le temps de faire un détour chez Julien avant d'aller déjeuner. Elle lui apportait des médicaments, de la part de Paul, et un paquet de riz complet qu'elle venait d'acheter à l'épicerie du village.

— Vous avez une mine affreuse ! s'exclama-t-elle quand il lui ouvrit la porte, emmitouflé dans une robe de chambre. Votre confrère vous envoie ça, vous pouvez en prendre jusqu'à six par jour, et je vous conseille de manger du riz à l'eau plutôt que de rester le ventre vide.

— Vous entrez ? proposa-t-il sans enthousiasme.

Il avait passé une nuit atroce, secoué de spasmes qui l'obligeaient à se précipiter dans les toilettes, et la douche qu'il venait de prendre pour faire baisser la fièvre le laissait transi.

— Non, vous êtes un grand garçon, vous allez vous soigner tout seul. Mais si vous avez besoin de quoi que ce soit, appelez-moi sur mon portable. De toute façon, je repasserai ce soir.

— Merci, Brigitte, vous êtes une mère pour moi.

Ce n'était qu'une plaisanterie, mais il la vit se crisper.

— Je suis plus jeune que vous, rappela-t-elle d'un ton agacé.

— Bien sûr. Jeune et très jolie. Je plaisantais.

Elle hocha la tête et lui tourna le dos pour regagner sa voiture, le laissant perplexe. Paul et lui avaient fini par ne voir en elle que l'assistante, la secrétaire, ou même la bonne copine, mais en effet elle était plutôt mignonne. D'ailleurs, ces derniers temps, elle avait abandonné ses jeans et ses pulls informes, accomplissant un effort vestimentaire dont on ne s'apercevait que lorsqu'elle ôtait sa blouse. Julien devinait que ce changement était destiné à Paul. Depuis sa séparation d'avec Anne, Brigitte le regardait autrement, même s'il ne s'en rendait pas compte. Et ce n'était pas qu'un besoin de le consoler, car lorsque Julien lui-même avait divorcé, deux ans auparavant, Brigitte n'avait rien changé à son attitude. Donc, Paul lui plaisait, peut-être même depuis longtemps, mais elle s'était bien gardée de le lui montrer tant qu'il avait été un homme marié.

Julien retourna se coucher, remonta la couette sous son menton. Il se sentait un peu moins mal que la veille et espérait pouvoir travailler dès le lendemain. Leur arrangement avec Paul était simple, chaque fois que l'un d'eux avait besoin ou envie d'un jour de congé, l'autre assumait alors la totalité des rendez-vous. Ils s'entendaient bien et s'estimaient, travailler ensemble ne leur posait jamais aucun problème. Pour les opérations, ils s'assistaient mutuellement, et en cas de doute sur un diagnostic ils n'hésitaient pas à se concerter, en toute humilité. Au fil du temps, ce qui n'avait été au début que l'association professionnelle de deux anciens élèves de l'école vétérinaire de Toulouse s'était transformé en une véritable amitié.

Il tendit la main vers la boîte de médicaments apportée par Brigitte, négligea la notice et prit deux comprimés qu'il avala sans eau. Après le départ de sa femme, tombée amoureuse d'un négociant en vins, il avait traversé une période sombre dont il avait eu du mal à se remettre. Aujourd'hui elle ne lui manquait plus, seule l'absence de leurs fils, d'adorables jumeaux de six ans, créait un manque. Il ne s'était marié qu'à trente-deux ans, sur un coup de cœur, et très vite sa femme avait exprimé son malaise à vivre dans un village éloigné de tout. Elle ne travaillait pas, passait son temps à Dax ou Mont-de-Marsan pour y trouver un peu d'animation, et quand les jumeaux étaient nés elle s'était sentie tout à fait coincée. Pour se distraire, elle les avait emmenés très tôt jouer sur les plages d'Hossegor ou de Capbreton, espérant sans doute une rencontre qu'elle avait fini par faire. Son négociant habitait Bordeaux, or elle rêvait d'une grande ville et elle l'avait suivi en emmenant les enfants. Assommé, Julien avait failli tout plaquer, la clinique et la région, mais il était trop attaché à cet endroit, il aimait trop les plaisirs de l'océan comme le surf ou la plongée, il aimait son travail avec Paul et la réussite de leur clinique, alors il était resté. Durant les premiers mois après le départ de sa femme, Paul et Anne l'avaient souvent accueilli chez eux, et les liens d'amitié s'étaient resserrés. Pour Julien, ces deux-là formaient un couple modèle qui défiait les années. Amoureux, complices, sereins, leur bonheur semblait solide et durable, pourtant voilà qu'ils étaient en train de divorcer à leur tour. En vain, Julien avait exhorté Paul à se montrer plus conciliant. « Elle t'aime et tu l'aimes, vous n'allez pas vous séparer pour une baraque ! » Il ne comprenait pas ce qui les empêchait de trouver un terrain d'entente, pourtant l'orgueil de Paul et l'obsti-nation d'Anne les avaient conduits dans l'impasse. Un jour de confidence, Anne avait admis qu'il devait y avoir autre chose que cette histoire d'héritage. Peut-être n'était-ce que le révélateur de problèmes plus profonds et plus graves, occultés jusque-là. Elle avait pleuré sur l'épaule de Julien, venu en ami conciliateur, et…

Rien que d'y penser, Julien se sentait mal à l'aise. Parce qu'il l'avait trop serrée contre lui, trop câlinée, il s'était laissé aller à l'embrasser. Rien d'amical dans ce baiser, au contraire un instant de réel désir entre un homme et une femme. Il déplorait son geste, pourtant il ne regrettait rien. Trahir Paul était abominable, mais tenir Anne dans ses bras avait été magique. Bien entendu, il ne se risquerait pas à recommencer, même en sachant qu'il n'avait nullement forcé la main à Anne. Et il en avait la certitude parce que, avant ce malheureux baiser, certains regards entre eux n'étaient déjà pas tout à fait innocents.

Il se pelotonna sous sa couette en essayant de chasser Anne de sa tête. Elle aimait Paul et ne serait pas guérie de lui avant longtemps. Bien placé pour savoir à quel point la séparation d'un couple pouvait être une longue épreuve, il ne se faisait aucune illusion. Car le jour où Anne commencerait à regarder ailleurs, ce ne serait pas dans sa direction. Il était trop proche de Paul pour qu'elle ne veuille pas tirer un trait sur lui aussi.

Le sommeil le gagnait et il ferma les yeux. Cette gastro-entérite l'avait épuisé. Pourtant il n'avait rien d'une mauviette, sportif et en bonne santé il voyait arriver la quarantaine sereinement. Sauf qu'il était seul depuis son divorce, ne profitait de ses jumeaux qu'un week-end sur deux et n'entreprenait rien pour reconstruire sa vie. Si son travail à la clinique le comblait, il ne pouvait pas constituer le seul moteur de son existence. Et ni les balades à moto ni les heures passées à surfer sur les vagues de l'Atlantique ne remplaçaient l'amour. Il n'avait pas envie de finir comme un vieux garçon égoïste et solitaire occupant ses soirées à vider des bières devant la télé. Pour ça, peut-être devrait-il quitter Castets, un village trop tranquille, pour se rapprocher des stations balnéaires plus peuplées et plus animées. Faire un peu de route chaque jour pour gagner la clinique ne le dérangerait pas. Changer de maison non plus, au contraire de Paul qui s'accrochait à la sienne par principe.

« L'exemple de mon divorce ne lui a pas servi, il se retrouve seul lui aussi. En ne tenant pas compte des désirs de l'autre, on bousille tout. »

Il assumait sa part de responsabilité dans le départ de sa propre femme et, un jour ou l'autre, Paul serait obligé d'en faire autant, il était trop intelligent pour s'aveugler indéfiniment.

« Mais entre-temps, il aura perdu Anne, l'abruti… »

Le sommeil vint enfin le délivrer de ses idées noires et de toutes les questions qui l'assaillaient.

*
**

Le samedi matin, un soleil radieux permit à Léo, Anne et Jérôme l'une des dernières baignades de la saison. Pour une fois, l'inséparable copain de Léo, Charles, n'était pas là. Avant la séparation de ses parents, Léo passait volontiers un week-end chez Charles, et l'invitait chez lui pour le suivant. Mais à présent qu'il devait se partager entre son père et sa mère, son programme était bouleversé.

— Mon neveu m'épuise ! lâcha Jérôme en s'affalant sur le sable à côté d'Anne. Il nage mieux que moi, il plonge mieux que moi…

— Il a vingt ans de moins que toi, lui fit remarquer sa sœur. Et il ne fume pas.

— N'en mets pas ta main à couper. Tous les jeunes fument, mais pas devant leurs parents. Je suis sûr que Charles et lui se partagent un petit joint de temps en temps.

Anne haussa les épaules avec fatalisme.

— Paul lui a souvent parlé des dangers de la drogue.

— Oh, Paul ! J'imagine le discours…

— Arrête de le critiquer, s'énerva Anne. Et ne t'avise pas de le faire devant Léo.

Elle se leva, balaya d'un revers de main le sable qui s'accrochait à ses jambes. Jérôme en profita pour la détailler avant de laisser échapper un petit sifflement admiratif.

— Tu es vraiment bien foutue, tu vas te recaser sans problème.

Sidérée, elle le toisa quelques instants en silence avant de lui tourner le dos. Une main en visière, elle essaya de repérer Léo dans l'eau, et quand elle l'aperçut entre deux vagues elle décida de le rejoindre. Bien foutue ? L'expression familière aurait dû la faire sourire mais elle lui rappelait trop Paul. Quatorze années de mariage n'avaient pas épuisé leur désir, ni leur amour, ce qui rendait leur divorce abscons, paradoxal, inutile. Néanmoins, la procédure était en route, le compte à rebours déclenché.

L'eau lui parut froide et elle se mit à nager vigoureusement. Dans le premier cahier d'Ariane, elle se souvenait avoir lu à quel point sa tante aimait se jeter dans les rouleaux lorsqu'elle était jeune. La proximité de l'océan faisait partie des nombreux attraits de la bastide car on pouvait atteindre les plages du Cap-de-l'Homy ou de Contis d'un coup de vélo.

— Tu veux tenter la course, jolie maman ?

Léo riait, à quelques mètres d'elle, sa tête apparaissant et disparaissant dans la houle. Anne se demanda pourquoi elle avait droit à tant de compliments ce matin. Elle ne se jugeait pas belle, juste mignonne avec ses petites mèches de cheveux blond cendré et ses grands yeux verts pailletés d'or. Elle ne passait pas des heures devant son miroir, se maquillait peu et s'habillait sans recherche particulière, contrairement à Lily, sa sœur aînée, qui trompait l'angoisse de la quarantaine en portant les mêmes vêtements que ses filles.

— Laisse-moi un peu d'avance, demanda-t-elle.

Elle prit une grande inspiration et fonça vers le rivage dans un crawl impeccable. Mais en prenant pied sur le sable elle constata que Léo l'avait devancée.

— Tu ne pensais pas sérieusement gagner ? s'amusa-t-il, la main tendue pour l'aider à sortir de l'eau. Même Charles, je le bats !

Ce qui était pour lui une référence absolue.

— Tu grandis trop vite, mon chéri. Je n'accepterai plus aucun de tes défis.

Malgré le soleil, le vent était frais et Anne frissonna. Jusqu'ici, l'automne avait été clément, et bientôt il faudrait affronter les problèmes de chauffage et de courants d'air dans la bastide. Ce premier hiver l'effrayait, elle allait se trouver face à des problèmes qui risquaient de la dépasser, et l'absence de Paul se ferait lourdement sentir. Depuis sa formation de comptable, effectuée à Pau juste après son bac, elle n'avait jamais vécu seule et ne savait pas si elle le supporterait. Pour l'instant, Jérôme était avec elle, jurant ses grands dieux qu'il avait enfin touché au port et ne bougerait plus de là, mais il était capable de s'en aller un beau matin si une autre opportunité lui semblait plus séduisante.

— On lève le camp ? s'enquit Léo.

Forcément, il avait faim, il avait toujours faim parce qu'il se dépensait énormément durant le week-end. Nager, courir dans la pinède avec Goliath, donner un coup de main à Jérôme pour les travaux, et prendre dix centimètres par an l'affamait. À quatorze ans, il en paraissait seize, Anne ne pouvait plus le considérer comme son petit garçon. Est-ce qu'il commençait à regarder les filles ? Et à quel moment viendrait la crise d'adolescence, la révolte contre ses parents ou contre la société, l'affrontement avec son père ? Anne espéra que Paul remplirait son rôle sans faillir malgré le divorce, mais par la force des choses Léo le verrait moins souvent. Sur le point de se sentir coupable, elle rejeta ce sentiment avec horreur. Pas question de se fustiger, sa famille avait suffisamment cherché à l'accabler, elle continuerait à défendre ses choix la tête haute. Avoir hérité de sa tante Ariane et avoir décidé d'habiter la bastide ne faisait pas d'elle une fautive, tant pis si les autres le croyaient, tant pis pour Paul qui s'était stupidement braqué.

Entourée de son frère et de son fils, elle remonta la plage vers la route. Elle avait trente-six ans, un projet de vie, et elle était résolue à ne pas se laisser abattre.

**

— Dites-lui que je suis occupé, chuchota Paul.

— Elle ne va pas se laisser décourager, elle est prête à patienter le temps qu'il faudra, rétorqua Brigitte.

Que sa belle-mère – bientôt son ex-belle-mère – vienne le poursuivre jusqu'ici exaspérait Paul.

— Je suis en train d'opérer, décida-t-il. Une urgence, et j'en ai pour longtemps !

Comme il était tranquillement assis derrière son bureau, Brigitte eut un sourire amusé.

— Elle vient de Biarritz, rappela-t-elle.

À sept heures du soir, il n'y avait plus aucun animal dans la salle d'attente et toute la clinique était silencieuse. Le prétexte de Paul semblait peu crédible, Estelle ne tomberait pas dans le panneau.

— Il est tard, remarqua-t-il, pourquoi n'êtes-vous pas partie ?

— Je mettais l'agenda à jour. Mais maintenant, je m'en vais, je vous laisse vous expliquer en famille.

Elle le raillait gentiment et il lui rendit son sourire. L'après-midi avait été long, en plus des siens Paul avait dû recevoir tous les rendez-vous de Julien, et sans l'aide efficace de Brigitte il aurait été débordé. Il se félicitait de l'avoir embauchée quelques années plus tôt car elle était devenue une auxiliaire précieuse pour la clinique, il le mesurait chaque fois qu'elle prenait des vacances. Les intérimaires, mal formées, n'étaient presque jamais à la hauteur, le temps de les mettre au courant et elles étaient déjà parties.

— Vous êtes bien jolie, ce soir. Vous sortez avec un petit copain ?

Conscient d'être de mauvaise humeur depuis plusieurs semaines, il voulait dire quelque chose d'aimable et avoir l'air de s'intéresser à elle, mais il la vit se raidir.

— D'accord, je me mêle de ce qui ne me regarde pas, marmonna-t-il en hâte. Allez, sauvez-vous et envoyez-moi Estelle !

Résigné à subir une conversation qui lui déplaisait d'avance, il se leva, ôta sa blouse et passa dans la pièce mitoyenne pour la jeter dans le panier à linge. Brigitte s'occupait de la blanchisserie comme du reste, gestion du stock de médicaments, stérilisation des instruments de chirurgie, relations avec les clients, planning des rendez-vous ou encaissement des honoraires : elle était vraiment indispensable. De plus, elle s'accommodait du caractère de ses deux patrons qu'elle connaissait par cœur. En revanche, Paul ne savait pas grand-chose d'elle, sinon qu'elle était gaie, spontanée et jolie fille. Un jour ou l'autre, fatalement, elle se marierait, et alors elle s'arrêterait peut-être de travailler pour faire des enfants.

— Vous êtes là, Paul ?

Il revint dans son cabinet de consultation où Estelle l'attendait, une expression affable plaquée sur son visage ingrat.

— Bonsoir, mon petit Paul. Je suis venue m'assurer que vous alliez bien, et discuter un peu avec vous. D'après ce que j'ai compris, les choses seront irréversibles d'ici un mois, chez le juge, alors je crois qu'une dernière tentative…

— De quoi ? De réconciliation ? Nous n'en sommes vraiment plus là ! Anne a choisi, les dés sont jetés.

Volontairement, il avait parlé d'un ton froid, et il était resté debout. Pourtant elle ne se laissa pas décourager, s'asseyant d'autorité sur l'une des chaises qui faisaient face au bureau. Était-elle ici pour prendre la défense de sa fille ? La connaissant, il en doutait. Peu démonstrative, elle n'avait jamais manifesté une grande tendresse envers Anne, et depuis l'histoire du testament elle était devenue carrément agressive.

— Votre divorce est une sottise, une absurdité, déclara-t-elle avec assurance.

Comme il s'apprêtait à répliquer, elle leva la main pour le faire taire.

— Mais je vous comprends, Paul ! Vous êtes dans votre bon droit, pour moi ça ne fait aucun doute. Le testament d'Ariane n'a créé que des ennuis, dont vous êtes le premier à pâtir. Cette vieille toquée aurait voulu semer la zizanie dans la famille, elle ne s'y serait pas prise autrement.

Certes, Ariane avait été une originale menant une vie atypique, néanmoins elle avait toute sa tête lorsqu'elle s'était décidée à faire d'Anne son unique légataire. Après tout, seule Anne se souciait d'elle et lui rendait visite, tous les autres ayant choisi de l'ignorer parce qu'ils ne la comprenaient pas.

— Elle avait noué un lien affectif avec Anne…, commença-t-il.

— Pensez-vous ! Elle n'aimait personne, ne se souciait que d'elle-même, de son horrible chien, et du dernier tour qu'elle pourrait nous jouer.

Décidément, Estelle n'avait pas apprécié de voir cet héritage lui passer sous le nez. En d'autres temps, son aigreur aurait amusé Paul, il en aurait ri avec Anne.

— Gauthier est trop pudique pour se plaindre, reprit-elle, mais que sa sœur l'ait ignoré au point de ne rien lui laisser du tout, pas même un petit souvenir de famille…

— Ils ne s'appréciaient pas trop l'un et l'autre, si j'ai bonne mémoire.

Ne pouvant prétendre le contraire, elle resta silencieuse quelques instants.

— Bon, finit-elle par enchaîner, ne parlons plus de cette méchante femme. Je viens de loin et j'ai de la route à faire pour rentrer chez moi, alors je vais aller droit au but, mon petit Paul. Je crois qu'Anne s'est fourvoyée et qu'à présent elle se trouve dans une impasse. Comme une gamine insupportable, elle a voulu vous défier en s'installant dans *sa* maison. Ah, elle l'a assez répété : « sa » maison ! Elle a joué un moment à la propriétaire terrienne, à l'héritière des Nogaro, mais je suis persuadée que ce rôle a cessé de l'amuser. L'hiver arrive, et vous lui manquez. Si, si, je sais ce que je dis, vous lui manquez terriblement. Elle doit se rendre compte de son erreur et se demander comment sortir de là sans honte. Elle a son orgueil, c'est normal… Il faudrait que vous lui tendiez la main. D'ailleurs, on peut tous lui tendre la main !

— Elle veut conserver la bastide, articula Paul comme s'il s'adressait à une malentendante.

— Justement. Au fond, pourquoi ne pas garder cette propriété ? La garder dans la famille, se la partager, voir ce qu'on arrive à en faire tous ensemble. Peut-être un hôtel ? Anne pourrait gérer l'affaire depuis chez vous, une fois qu'elle sera rentrée dans son foyer.

Stupéfait, il la dévisagea pour s'assurer qu'elle parlait sérieusement.

— Je ne vous suis pas très bien, hasarda-t-il.

— Une porte de sortie ! Voilà ce que nous devons lui offrir. Je suis sûre qu'elle meurt d'envie de quitter cette bâtisse pleine de courants d'air et qu'elle n'a qu'une idée en tête : vous retrouver. Mais elle ne veut pas avoir l'air de céder. Elle était déjà comme ça enfant, têtue, imprévisible…

— On parle bien de la même personne ? l'interrompit-il sèchement. Vous pensez qu'Anne ne sait pas ce qu'elle fait ? Vous croyez qu'elle va mettre la bastide Nogaro en copropriété avec vous tous ? Vous n'avez vraiment rien compris !

Il se mordit les lèvres pour ne pas défendre davantage Anne. Depuis des années, il prenait son parti dans les disputes familiales, et c'était la première fois qu'il n'était pas dans son camp, qu'il se retrouvait contre elle. Mais il ne pouvait pas le rester face à Estelle et à ses idées absurdes. Imaginait-elle une sorte de partage, sous couvert de voler au secours de sa fille ?

— Écoutez, Paul, je suis consternée de voir Anne briser son mariage pour un caprice. Je suis également désespérée de constater qu'elle a enrôlé Jérôme dans cette pitoyable aventure où il va se donner du mal pour rien. Alors, je cherche des solutions ! Si vous en avez une meilleure…

Était-elle téléguidée par son mari ? Non, Gauthier était moins mesquin qu'elle, jamais il n'aurait écha-faudé un tel plan. De toute façon, Anne leur rirait au nez s'ils s'avisaient de le lui soumettre.

— Je n'ai malheureusement pas de solution, Estelle, et je refuse d'en parler avec vous.

— Je veux sauver votre ménage ! insista-t-elle.

« Ménage », une expression qu'il n'avait pas entendue depuis longtemps et qui lui parut ridicule. Il se sentait fatigué, découragé, hors d'état de poursuivre une discussion aussi vaine.

— Rentrez chez vous, et faites mes amitiés à Gauthier.

Contournant son bureau, il vint la prendre par le bras pour l'obliger à se lever.

— Paul, gémit-elle en le suivant malgré elle, vous êtes un bon gendre…

Il ne le serait bientôt plus, et de toute façon elle avait toujours préféré l'autre, Éric, le mari de sa fille Lily. Pour elle, qui n'aimait pas les animaux, un dentiste était plus respectable qu'un vétérinaire, et habiter une villa à Hossegor valait mieux qu'un pavillon à Castets.

À présent, tout cela était sans importance pour Paul, la seule chose qui comptait demeurait l'absence d'Anne.

Luttant contre l'envie de la pousser dehors, il se pencha vers elle et lui effleura la joue dans un simulacre de baiser. Vaincue, elle quitta la clinique sans rien ajouter tandis qu'il la suivait des yeux. Il attendit qu'elle soit montée en voiture pour refermer la porte et s'y adosser. Comment sa vie avait-elle pu basculer de manière aussi effroyable ? Était-il vraiment, ainsi que le prétendait Julien, responsable de ce désastre ? D'accord, il était têtu, aussi têtu qu'Anne, et il en avait fait une affaire de principe. Mais il ne pouvait pas s'imaginer un seul instant habitant la bastide Nogaro. Trop grande baraque, trop vieille, ruineuse à entretenir et loin de tout. Le contraire de ce qu'il appréciait, en plus il s'y serait toujours senti invité, *chez* Anne. Durant des années, il avait travaillé dur pour construire une existence à son goût, qui était censée faire également le bonheur de sa femme et de son fils. Il avait emprunté, remboursé, il s'était montré sérieux… À outrance ? Sachant qu'Anne aimait la fantaisie, en avait-il tenu compte ?

— Je ne suis pas seul en cause, marmonna-t-il. Elle n'a fait aucun effort. Nous étions donc si différents ?

Il acceptait de se remettre en question, néanmoins il jugeait le comportement d'Anne inacceptable. Elle n'avait même pas essayé de transiger, elle avait imposé sa volonté, prenant subitement la décision de conserver la maison et de s'y installer. Pour leur fils, c'était une aubaine, un grand territoire à explorer avec les plages à proximité, forcément il penchait du côté de sa mère.

À eux deux, ils avaient braqué Paul, sans compter les interventions de Jérôme ! Et Paul s'était vu mis en minorité, alors qu'il était le seul à avoir la tête sur les épaules. Ses uniques alliés, mais pour de mauvaises raisons, se trouvaient dans la famille d'Anne, or il ne souhaitait vraiment pas les avoir pour partenaires. La situation inextricable dans laquelle il s'était embourbé le désespérait, mais que faire ? Au point où en était leur couple, entre les avocats et la convocation chez le juge, plus rien ne le sauverait.

Toujours dos à la porte, il se laissa glisser et s'assit sur le carrelage. La lumière diffusée par les néons rendait la salle d'attente sinistre. Derrière le comptoir où Brigitte travaillait – et éventuellement se réfugiait en cas de bagarres de chiens –, les écrans des ordinateurs étaient noirs, seul un voyant clignotait sur un téléphone, preuve que la ligne était basculée sur le portable de Paul. Allait-il avoir le courage de continuer ? De venir ici tous les matins pour soigner son lot de chats et de chiens, puis d'affronter la solitude soir après soir en rentrant chez lui ? Comment Julien avait-il fait pour tenir le coup à l'époque de son divorce en affichant un semblant de bonne humeur ? Peut-être parce qu'il ne se sentait coupable de rien, sa femme étant partie avec un amant. Dans le cas d'Anne et de Paul, c'était tellement moins grave, tellement plus bête ! Mais hélas, tout aussi irréversible.

Les coudes sur les genoux, la tête dans les mains, il essaya sans succès de refouler ses larmes. Il se détestait pour cet instant de faiblesse, se trouvait grotesque, effondré, là, comme un pauvre type. Pourquoi s'écroulait-il ainsi, lui qui s'était révélé fort dans tous les moments difficiles de son existence ?

Oui, mais quels moments ? Les années à l'école vétérinaire, les concours ? Doué pour les études, il possédait une bonne mémoire et une grande capacité de travail, en conséquence il avait réussi sans avoir vraiment à se battre. Fils unique, il avait connu une enfance privilégiée, une jeunesse agréable. Plutôt beau garçon, les filles avaient vite craqué pour lui, et quand il s'était mis en tête de conquérir Anne, il y était parvenu. Où étaient les épreuves dans tout ça ? Même l'emprunt pour monter la clinique lui avait été facilement consenti par les banques, et la clientèle ne s'était pas fait attendre. En Julien il avait trouvé un associé idéal, aussi compétent et travailleur que lui, devenu son meilleur ami. Son fils n'avait jamais eu de maladie inquiétante, d'accident grave. Sa petite maison de Castets avait été construite selon ses plans et il y avait été heureux. Avait-il pris une seule claque, essuyé un seul revers de toute sa vie ? Anne lui donnait sa première leçon, qu'à l'évidence il ne supportait pas. Mais il ne se transformerait pas en loque pour autant. Et cette idiote d'Estelle qui parlait de porte de sortie ! C'était lui qui n'en avait pas, et même s'il en existait une, il ne la pousserait pas. Tout son être se révoltait à l'idée de céder, de se dédire, de piétiner ses convictions pour ne pas souffrir d'un chagrin d'amour. Il n'avait qu'à décider qu'il était au-dessus de ça et faire appel à sa volonté. Chez le juge, il serrerait les dents, il ne ferait rien pour éviter le désastre qu'Anne seule avait provoqué.

— Tu avais promis qu'on n'y toucherait pas !
s'emporta Léo.

— Pas pour le moment, bien sûr, temporisa Jérôme,
mais si un jour on a besoin de créer d'autres
chambres…

Prenant le parti de son fils, Anne s'interposa.

— On n'investit pas la salle de billard.

— Sans billard, ça s'appelle une immense pièce
vide.

— Je fais des économies pour en acheter un d'occasion, rappela Léo d'un ton boudeur.

— Et le transport, tu y as pensé ? Comment
comptes-tu t'y prendre pour le monter au second ? Tu
sais ce que ça pèse ?

— Les traces sur le parquet prouvent qu'il y en avait
un à l'époque, et je suppose qu'on n'a pas construit la
maison autour !

Anne vit Jérôme hausser les épaules, agacé et
boudeur. Pourquoi voulait-il toujours aller trop loin et
trop vite ? Le chantier en cours représentait un gros
investissement qu'il s'agissait de rentabiliser avant
d'imaginer quoi que ce soit d'autre. Et Léo avait le
droit de réaliser son rêve, sinon à quoi servait tout cet
espace ? Anne savait qu'il aimait la maison, et même
si elle ne voulait pas en faire une arme contre Paul, elle
souhaitait que leur fils continue à se plaire ici.

— Charles a dit qu'il participerait à l'achat car il en
profitera lui aussi. Il adore le billard et on projette de
faire des parties d'anthologie !

— *Charles a dit…*, l'imita Jérôme.

— Lâche-moi un peu, tu veux ?

— Tu ne pourrais pas avoir une simple console de jeux ? Tiens, un billard virtuel !

Anne fusilla son frère du regard, exaspérée par la dispute.

— À propos de Charles, enchaîna Léo sans s'émouvoir, je l'ai invité le week-end prochain.

— Mais ce sera le week-end de ton père, non ? Nous avons interverti nos tours parce qu'il avait trop de travail pour s'occuper de toi.

— Je n'ai pas besoin qu'on s'occupe de moi, j'y arrive très bien tout seul. Et j'apprécierais que vous ne chambouliez pas le programme tout le temps, sinon je ne m'y retrouve pas. D'ailleurs, avec cette histoire de week-ends alternés entre papa et toi, je ne peux plus jamais aller chez Charles !

Sa voix était en train de muer, il dérapait dans les graves ou les aigus sans transition. Anne s'abstint de répondre pour ne pas l'encourager à la révolte, et parce qu'elle se sentait responsable de la situation actuelle qui le bouleversait forcément. Jusqu'ici, il avait été un garçon assez sage, mais avec l'adolescence les choses risquaient de se compliquer. Par chance, son inséparable copain Charles était un jeune garçon bien élevé, qui obtenait de bons résultats en classe et dont Anne ne redoutait pas l'influence.

— Je monte, annonça-t-il, j'ai un devoir de maths à finir.

Dès qu'ils furent seuls, Anne en profita pour demander à son frère :

— Pourquoi l'asticotes-tu ?

— Parce que tu lui fais la vie trop facile.

— Il est toute la semaine en pension !

— C'est lui qui a voulu y aller, non ?

— Pour rester avec Charles.

— Tiens donc !

— Et Paul trouvait ça très bien. Moi, évidemment, je suis comme toutes les mères, son départ m'a été pénible. Mais il était plutôt mauvais élève, or il travaille mieux depuis qu'il est interne.

— Ce n'est pas une raison pour tout lui passer. Avoue que son idée d'avoir un billard est démente !

— Je ne trouve pas. Même nos futurs hôtes pourraient en profiter. Tu prétends qu'il faut acheter une table de ping-pong, un salon de jardin, ceci, cela, alors pourquoi pas un billard ?

— Parce que les gens qui viendront en vacances chez nous voudront rester dehors. La plage, les dunes, la pinède, un petit apéro au soleil couchant…

— Il y a aussi les jours de pluie.

Jérôme eut une moue dubitative, contrarié de ne pas pouvoir lancer de nouveaux projets. Les concevoir l'amusait, les réaliser le fatiguait vite.

— À propos de Léo, ajouta-t-il d'une voix mesurée, tu devrais t'inquiéter de cette amitié… dévorante avec Charles.

— Pourquoi ?

— Devine.

Elle le dévisagea longuement pour s'assurer qu'elle avait compris son sous-entendu.

— Tu es en train de me dire, et forcément tu le saurais mieux que moi, que Léo et Charles ont une relation ambiguë ?

L'aveu de son frère, quelques mois plus tôt, d'une homosexualité occasionnelle, ne l'avait pas scandalisée. Mais concernant son fils, l'idée la perturbait bien davantage.

— Je ne pense pas qu'ils aient sauté le pas, ricana Jérôme. Trop jeunes et trop innocents. En attendant, garde un œil sur eux !

— Qu'est-ce que ça changera ?

Déconcerté par sa réaction, il chercha en vain une réponse.

— Léo est fils unique, rappela-t-elle. Il se sentait seul, il s'ennuyait et avait besoin d'amis. Charles est comme un frère pour lui, depuis l'école primaire ils sont inséparables.

— Aujourd'hui, ils sont à l'âge des expériences.

— Et alors ? Je n'irai pas écouter aux portes la nuit, si c'est ce que tu suggères. D'ailleurs, je m'étonne que tu attires mon attention là-dessus. Aurais-tu apprécié qu'on te soupçonne ou qu'on te surveille quand tu étais ado ? Tu sais bien qu'on n'empêche rien de ce qui doit arriver !

— Je ne t'imaginais pas si fataliste. Mais au fond… tu as raison, évidemment.

Jérôme avait-il deviné des choses qu'elle ne voyait pas, ou bien la mettait-il à l'épreuve ? Elle refusait d'y penser, de douter ou de se torturer avec ça. Néanmoins, elle savait déjà que son regard sur son fils et sur Charles allait changer.

— Quels que soient les penchants de Léo dans un domaine aussi intime que la sexualité ou les sentiments, je ne serai pas son juge, déclara-t-elle fermement. S'il vient se confier, je pourrai en discuter avec lui, le conseiller… Et encore ! Mais il ne le fera pas, en tout cas pas avec moi.

— Avec son père non plus, répliqua Jérôme.

— Tant pis. Il a droit à son jardin secret.

Elle surmonta son envie de presser Jérôme de questions. Ses mœurs en faisaient quelqu'un d'averti alors qu'elle se sentait naïve et désemparée. Mais l'interroger revenait à prendre une simple hypothèse pour une réalité. Or Jérôme était capable d'insinuer n'importe quoi uniquement parce qu'il était contrarié par cette histoire de billard. Et bien sûr, Anne pouvait aussi envisager cette éventualité pour se rassurer.

— Tu mets le ver dans le fruit, soupira-t-elle, c'est détestable.

Il parut d'abord scandalisé par ce qu'elle venait de dire, puis il haussa les épaules.

— Je n'ai rien affirmé, je t'ai recommandé la vigilance. Ce n'est pas de la délation, que je sache !

Comme il se levait, apparemment décidé à fuir, elle se jeta à l'eau :

— Jérôme ? En admettant que tu aies vu juste, est-ce que ce serait…

Mais elle ne parvint pas à finir et secoua la tête, impuissante. Revenant vers elle, il la prit affectueusement par le cou, l'embrassa sur les cheveux.

— Ma grande sœur s'inquiète ? chuchota-t-il. Non, ce ne serait pas la fin du monde, ce ne serait même pas

43

horrible. Être gay n'est pas un drame. Et en toute honnêteté, concernant Léo, je n'en sais rien.

Pourtant, il avait fallu qu'il en parle. Elle le regarda sortir, perplexe. Parfois il était attendrissant, et exaspérant à d'autres moments. Depuis toujours il aimait semer le doute dans les esprits, manipuler ses interlocuteurs, puis observer avec ironie le chaos qu'il déclenchait. Paul ne trouvait pas grâce à ses yeux, il jetait le doute sur Léo, ainsi obligeait-il Anne à tout remettre en question.

Dans un coin de la cuisine, le poêle Godin ronflait, consumant les deux bûches que Léo y avait jetées en début de soirée. Anne regarda les reliefs du repas qui jonchaient la table, bien décidée à ne pas tout ranger derrière son frère et son fils. À chacun sa part de corvée, et puisqu'elle avait changé de vie autant prendre de *bonnes* habitudes dès maintenant.

— Paul, mon amour…, souffla-t-elle.

Restait-il quelque chose à sauver ? Elle, dans cette bastide qu'elle avait faite sienne contre l'avis de tout le monde, et lui dans sa petite maison de Castets, avec seulement vingt kilomètres entre eux mais le refus de les franchir. Toutes leurs tentatives de réconciliation sur l'oreiller avaient échoué lors du réveil, les faisant déchanter le lendemain matin. Ils avaient beau se désirer encore et s'aimer toujours, ils ne partageaient plus la même vision de l'existence et leurs chemins s'étaient séparés, sans doute définitivement.

Elle se tourna vers Goliath qui ne dormait pas mais la regardait, couché de tout son long sur le carrelage.

« Les chiens n'ont que ça à faire. Ils nous observent à longueur de journée et c'est pour ça qu'ils nous connaissent si bien. Lui ne se trompera pas sur mon compte. »

Finalement, elle ne se sentait pas aussi triste qu'elle l'aurait dû, pas aussi perdue qu'elle aurait pu l'être.

**

À peu près au même moment, Suki finissait de ranger les fleurs au frais, dans l'arrière-boutique. Plutôt frileuse, elle souffrait toute l'année de travailler dans une atmosphère humide qui dépassait rarement les quinze degrés. Mais c'était le prix à payer pour conserver les végétaux et elle surveillait scrupuleusement le thermomètre du magasin.

Une fois toutes ses tâches terminées, elle s'enduisit les mains de crème et les massa l'une contre l'autre. Souvent, ses doigts étaient piqués, coupés, gercés, or elle tenait à son apparence et prenait soin d'elle. Impossible de composer des bouquets avec des gants, elle avait besoin de toucher les tiges et les pétales. Son métier lui plaisait toujours autant qu'à l'époque où elle avait suivi sa formation à l'école des fleuristes, dans le XXe arrondissement de Paris. Ces deux années ne lui avaient pas laissé que de bons souvenirs car elle habitait alors une chambre sous les toits, étouffante l'été, glaciale l'hiver, et n'avait pas un sou en poche. Ses parents venaient de repartir au Japon mais elle avait voulu rester. Elle était en France depuis l'âge de dix ans, elle aimait ce pays, et elle craignait de ne rien reconnaître à Kyoto, de ne pas s'y sentir à sa place, d'être une charge pour sa famille. Elle avait tenu bon, obtenu son CAP et guetté les emplois des petites annonces. Le nom de Dax ne lui disait rien, elle avait dû le chercher sur une carte. Puis elle avait acheté un guide, vu qu'il existait dans cette ville des parcs et des jardins, une fontaine chaude, les berges d'un fleuve, et que les plages de l'Atlantique se trouvaient à une quarantaine de kilomètres. Conquise, elle était descendue et n'était plus jamais remontée à Paris. Employée dans une jardinerie, elle rêvait d'ouvrir un commerce à son compte lorsqu'elle avait rencontré Valère. Entre eux, il avait suffi d'un regard pour que tout soit dit.

Ah, Valère… Elle cessa de frotter ses mains et se mit à sourire. Ils s'aimaient passionnément, tout allait bien dans leur couple.

— Tout va vraiment bien ! dit-elle à voix haute.

Elle se le répétait chaque jour avec force, comme pour s'en convaincre. Car le danger n'était pas venu d'où elle l'attendait. Valère ne lui ayant rien caché de sa vie de coureur de filles et de photographe dilettante, elle concevait quelques craintes pour l'avenir, mais il avait changé pour de bon dès le jour de leur mariage. Il s'était rangé, ne regardait plus aucune femme hormis Suki et s'échinait à trouver régulièrement du travail, multipliant les reportages de baptêmes, de noces ou de n'importe quel événement. Que demander de plus ?

De plus ? Un enfant. Suki l'avait espéré, désiré comme une folle durant des années, puis l'espoir était enfin venu, immédiatement suivi d'une fausse couche.

Elle en était tombée malade, avait failli ne pas s'en remettre. Mais c'était terminé. Elle s'empêchait d'y penser, ne tentait rien, n'en parlait plus. En Japonaise disciplinée, elle devait accepter son sort, même si tout son être se révoltait. Au fond de sa tête, derrière une cloison étanche, elle se tordait toujours de souffrance, de frustration, de désespoir. En apparence, elle souriait, adorait son mari, faisait de beaux bouquets. Et son commerce prospérait, les clients appréciaient ses compositions savantes et délicates, elle remboursait ses emprunts tous les mois.

— Tout va vraiment bien, redit-elle, plus bas.

Une phrase qu'elle se ressassait lorsqu'elle croisait un enfant dans une poussette, détournant chaque fois son regard. Pourtant elle tenait bon, elle se savait forte. Du bout des doigts, elle caressa un pétale de rose, puis elle éteignit les lumières. Le rideau de fer étant baissé, elle sortirait dans la cour, là où se trouvait leur petit appartement. Valère devait rentrer tard ce soir, pris par un mariage à Bayonne. Elle allait en profiter pour faire sa comptabilité, qu'elle soumettrait à Anne comme chaque mois. Avoir une comptable dans la famille était très pratique, et Anne était une belle-sœur formidable, bien plus intéressante que Lily. Ce qu'elle se garderait bien de dire car elle était pour l'harmonie en famille. Et sa famille, aujourd'hui, s'appelait Nogaro.

Tout en montant l'escalier vétuste et mal entretenu, elle se demanda si Valère aurait la possibilité de dîner sur place, du côté du personnel, ou s'il serait obligé de faire le tour des tables pour photographier tous les invités des mariés, l'arrivée de la pièce montée, puis l'ouverture du bal avec la première valse. Quand elle voyait les clichés, elle trouvait que dans l'objectif de Valère ces cérémonies ressemblaient souvent à des contes de fées. *Ils se marièrent et eurent beaucoup d'enfants…* Elle se mit à fredonner, mais elle ne souriait plus et c'était une mélodie triste.

2

Bien calée sur ses oreillers, Anne était sur le point d'ouvrir le gros cahier de moleskine rouge. Elle se remémora tout ce qu'elle avait appris dans le premier. Les trois mariages de sa tante Ariane, successivement avec un négociant en vins bordelais, puis un homme d'affaires parisien, enfin le propriétaire de deux palaces sur la côte basque. Le premier lui avait acheté une chartreuse dans le Médoc avant de la quitter, le deuxième avait dû lui verser de confortables indemnités après avoir été surpris en flagrant délit d'adultère, mais le troisième, le seul qu'elle avait aimé et qui était mort d'un cancer foudroyant, n'avait pas eu le temps de lui laisser grand-chose. Obsédée par le rachat de la bastide, Ariane avait très tôt placé son argent entre les mains d'un notaire de Dax, Pierre Laborde. Au fil du temps, ce conseiller était devenu son plus fidèle ami, et après un grand nombre d'occasions manquées – capital insuffisant au début, propriétaires refusant de vendre par la suite – ils étaient arrivés à leurs fins : Ariane avait récupéré la maison, *sa* maison.

Malheureusement dans un triste état, bien loin du faste d'antan, or elle n'avait pas eu les moyens de la rénover. Elle s'y était néanmoins installée avec béatitude, ayant touché au but ultime. Et entre ses murs décrépits, elle avait commencé à écrire l'histoire de sa vie. Bien sûr, il y était souvent question de son frère Gauthier, le père d'Anne. Non pas qu'Ariane se soit bien entendue avec lui, mais parce qu'il était sa seule famille.

Anne en était restée au moment où, par téléphone, Ariane venait d'annoncer à son frère la merveilleuse nouvelle du rachat tant espéré et tant attendu. Gauthier, atterré, lui avait demandé si elle n'était pas devenue folle. Sourde à ses sarcasmes, elle lui avait proposé…

… de venir fêter l'événement avec moi. Il pouvait amener toute sa petite famille, il y aurait du champagne à gogo ! Hargneusement, il me répondit qu'il ne buvait pas, ses enfants et sa femme non plus. Pour elle, je l'aurais parié volontiers, elle n'avait pas la tête de quelqu'un qui sait s'amuser. Mais j'insistai, promettant sodas et petits-fours, car j'avais envie de partager mon triomphe. Gauthier jugea l'expression très exagérée, cependant il accepta de mauvaise grâce. En prévision de sa visite, j'essayai de rendre la maison présentable, hélas elle avait besoin d'autre chose que d'un coup de balai !

Ils arrivèrent le dimanche en début d'après-midi. Frère, belle-sœur et les quatre marmots entassés dans une voiture bringuebalante. Gauthier n'aimait pas le luxe, ni même une once de superflu, il se contentait du strict nécessaire. Au premier regard, il fit la grimace, non pas devant l'état de la maison à l'abandon, mais comme si la revoir lui était pénible. La nichée s'égailla dans la clairière où poussaient toutes sortes de mauvaises herbes, tandis qu'Estelle restait les bras ballants et les lèvres pincées. Sans doute se demandait-elle comment son mari avait pu naître dans cet endroit et y passer une partie de son enfance.

Les quelques meubles rescapés de mes divers déménagements ne suffisaient pas à décorer toutes les pièces, mais le salon était à peu près présentable et nous goûtâmes là, nous observant en chiens de faïence. Au bout d'un moment, Gauthier ne put s'empêcher de murmurer : « Et tu as mis tout ton argent dans cette ruine ? Ma parole, je crois que tu es folle... » Il adorait m'assener cette phrase, du haut de sa sagesse et de sa raison. Car il était tristement raisonnable depuis toujours.

La bonne surprise vint de la petite Anne qui, délaissant mignardises et jus de fruits, s'extasiait à qui mieux mieux. Elle furetait partout, poussait des exclamations ravies à chaque découverte, charmée par les volets intérieurs, les grands chandeliers d'argent, le vieux parquet en point de Hongrie. N'avait-elle donc vu que du linoléum jusque-là ? Réprimandée par sa mère qui l'accusait de faire trop de bruit, elle s'enfuit et je l'entendis galoper à l'étage, heureuse de cet intérêt qu'elle était la seule à manifester. Les trois autres enfants, maussades, restaient sagement assis. Lily s'empiffrait de petits choux à la crème en prenant garde à ne pas salir sa robe, Valère regardait ses pieds avec un air d'ennui profond, et Jérôme se rongeait les *ongles. Comme chaque fois que je me retrouvais en leur présence, je n'éprouvais envers eux ni affection ni curiosité. Anne était vraiment le vilain canard de la fable, la seule qui avait une chance de se transformer un jour en cygne. Et je me reposais la question : pourquoi cette gamine ne ressemblait-elle à personne de sa famille ? J'aurais volontiers prêté une aventure extra-conjugale à Estelle, mais c'était si peu son genre que je craignais de prendre mes désirs pour des réalités.*

Donc, Gauthier refusait de partager avec moi le plaisir de retrouver notre ancien royaume. Il ne voyait dans ces murs qu'un endroit où il avait connu d'affreuses terreurs nocturnes. Enfant, il était d'un naturel craintif, il cauchemardait souvent, il avait détesté ces trop grandes pièces pleines de coins d'ombre, ces plafonds trop hauts, ces galeries trop longues. En conséquence, il privilégiait dans sa vie d'adulte les lieux exigus, et se satisfaisait pleinement des logements que lui octroyait l'Administration.

Avec une désarmante spontanéité, la petite Anne grimpa sur mes genoux lorsqu'elle fut fatiguée de courir partout. Et ses jolis yeux verts tout pailletés d'or s'écarquillèrent, émerveillés, devant mon sautoir de lapis-lazuli. Décidément, elle avait du goût, et Dieu qu'elle était à mon goût, cette gamine-là !

Anne interrompit sa lecture, vaguement embarrassée. L'intérêt manifesté par sa tante Ariane à son égard la surprenait car elle n'en gardait pas vraiment le souvenir. Pourtant, elle revoyait avec précision le sautoir de lapis-lazuli. Oui, la scène avait bel et bien eu lieu, chacun y tenant son rôle, d'ailleurs ces personnages surgis du passé étaient criants de vérité. Ariane n'inventait rien puisque Jérôme s'était longtemps rongé les ongles et que, en effet, Valère gardait la tête baissée dès qu'il s'ennuyait. Plus insidieuse était la persistance de son doute, déjà mentionné dans le premier cahier, sur le peu de ressemblance entre Anne et sa famille. Mais quelles questions se poser ? Infidélité ou adoption étant tout à fait exclues, il fallait s'en remettre au hasard des gènes.

Mal à l'aise, elle quitta son lit et sortit de sa chambre. Elle dut longer toute la galerie obscure pour gagner le bureau où elle alluma une lampe bouillotte. Les vieux albums photos d'Ariane étaient rangés sur une étagère. Anne les ayant précieusement conservés, elle en prit un au hasard. Page après page, elle étudia les traits de ses ancêtres dont Ariane lui avait appris les noms ainsi que le degré de parenté. Les grand-mères, les grand-tantes, les cousines. Anne passa les femmes de la famille au crible sans se reconnaître dans aucune. En revanche, on retrouvait sur certaines le regard de Lily, ou sa bouche, le menton carré d'Ariane et son front très dégagé.

— Tout ça ne signifie rien, murmura-t-elle en fermant l'album.

Les clichés étant en noir et blanc, parfois sépia, impossible de savoir si quelqu'un d'autre possédait les mêmes yeux verts pailletés d'or, assez particuliers. Pour le reste…

Il faisait froid dans le bureau et Anne resserra la ceinture de sa robe de chambre avant de s'approcher d'une fenêtre. Comme la nuit était étoilée, on distinguait la masse sombre des pins à la limite de la clairière. Un silence absolu régnait sur la maison et au-dehors, accentuant l'impression de solitude et d'isolement. L'hiver se profilait, et malgré la douceur du climat des Landes, il y aurait des moments difficiles. Bien chauffer la bastide ou simplement la rendre douillette relevait de la gageure. Anne était montée une seule fois au grenier, par un étroit escalier de fer, et avait constaté le mauvais état de la laine de verre, tombée en poussière à certains endroits. En revanche, il ne manquait que deux ou trois tuiles rouges, le toit tenait bon. Lors de la construction, les matériaux employés avaient été choisis pour durer, et on n'avait pas négligé les détails ou les finitions. À l'extérieur, les applications de marbre, autour des fenêtres, restaient bien nettes, mais des fissures lézardaient la façade. Il allait falloir une énergie considérable pour venir à bout de toutes les réparations nécessaires.

Anne soupira, essayant de ne pas se sentir écrasée par le poids de cette grande maison autour d'elle. Son choix de la garder, et maintenant de la restaurer, lui donnait parfois le vertige. La location de chambres d'hôtes, qui ne pourrait commencer qu'au printemps, ne rapporterait sans doute pas grand-chose, néanmoins ce serait un premier pas. Que pouvait-elle faire d'autre ? Rester les bras croisés la conduirait droit à l'échec, à la mise en vente.

Songer aux chambres lui rappela l'altercation entre son frère et son fils à propos de la salle de billard. Ne serait-il pas plus simple de consacrer à ce jeu une pièce du rez-de-chaussée ? Le petit salon, dont elle avait pensé garder l'usage pour elle et sa famille à l'origine du projet, ferait peut-être l'affaire. Ainsi, tout le second serait réservé aux clients. Il fallait creuser l'idée et prendre des mesures. Mais aussi, pourquoi cet engouement rageur de Léo pour un billard ? À cause de Charles ? Dans la vie de son fils, Charles tenait une place considérable, ce qui n'était pas répréhensible, et pas forcément suspect ainsi que Jérôme l'avait insinué. Néanmoins, ne devrait-elle pas avoir une discussion à ce sujet avec Paul ?

Non, elle n'avait aucune envie de l'appeler en ce moment. La convocation chez le juge la révulsait, elle ne comprenait pas que Paul ait pu vouloir aller jusqu'au divorce. Un grand remède pour un bien petit mal, et tout ça à cause d'un tas de pierres, comme aurait dit sa mère qui affichait un mépris rageur dès qu'on parlait de la bastide ou d'Ariane et de son « foutu » testament. Quelle agressivité, concernant cet héritage ! Pourtant, à en croire le cahier, ses parents ne s'attendaient sûrement pas à être les légataires d'une femme qu'ils avaient détestée. Mais peut-être auraient-ils souhaité que n'importe quel *autre* de leurs enfants soit choisi, Anne n'étant vraiment pas la préférée. Une découverte tardive et amère pour elle qui, jusque-là, n'avait pas eu conscience d'être traitée différemment. Jamais elle n'avait éprouvé de jalousie envers Lily ou ses frères, et elle n'avait pas cherché à rivaliser dans l'affection de leurs parents.

Lasse de scruter l'obscurité, elle s'éloigna de la fenêtre. Elle se sentait bien dans ce bureau où elle travaillait chaque matin sur ses dossiers comptables. Pour la première fois de son existence elle disposait d'un endroit rien qu'à elle. À Castets, elle avait dû s'installer un petit coin dans le séjour, avec son ordinateur en équilibre au bord d'un bureau trop étroit, et ses classeurs empilés par terre. Ici, le maître mot était l'espace, dedans comme dehors. Parfois même, un peu *trop* d'espace.

Secouée d'un frisson, elle décida de regagner sa chambre pour se réfugier sous la couette. En sortant, elle faillit trébucher sur Goliath qui l'avait suivie et s'était couché de tout son long devant la porte. Elle se pencha pour le caresser derrière les oreilles, rassurée de constater, une fois de plus, qu'il la suivait comme son ombre et qu'il veillait sur elle.

**

Julien coupa le contact, descendit de sa moto et ôta son casque. Il se passa la main dans les cheveux pour les remettre en ordre, songeant qu'il n'était toujours pas allé chez le coiffeur et qu'il y avait urgence.

— Bonjour, Brigitte ! lança-t-il à la jeune femme qui remontait les volets roulants.

— Vous allez mieux, on dirait ? Ça tombe bien, votre confrère a l'air complètement… lessivé.

Paul n'avait dû lui adresser qu'un vague salut avant de s'enfermer dans son cabinet. Julien l'y rejoignit, entrant sans frapper ainsi qu'ils en avaient l'habitude tous les deux. À la clinique ils se trouvaient sur leur lieu de travail, pas dans un domaine privé.

— Content de te voir, vieux, marmonna Paul. Il y a une liste de rendez-vous longue comme le bras aujourd'hui.

En effet, il semblait morose, affalé derrière son bureau et le regard rivé à l'écran de son ordinateur.

— Je suis navré de t'avoir laissé tomber, s'excusa Julien, mais je ne tenais pas debout. Au fait, merci pour les médicaments, je n'aurais pas eu la force d'aller les acheter.

Il vint se planter à côté de Paul qui finit par lever la tête vers lui.

— Je n'ai pas de solution pour le chien de Mme Bossard.

— Le lévrier ?

— Le barzoï, oui. Je viens d'appeler un de nos anciens profs, à Toulouse, mais je ne suis pas plus avancé. Je crois que je ne peux plus rien faire. Tiens, si tu veux jeter un coup d'œil au dossier, il y a les résultats des analyses et du prélèvement…

— Paul, si tu n'as pas trouvé, je ne trouverai pas.

Il l'avait dit en toute humilité, sachant que Paul possédait un excellent diagnostic et n'abandonnait jamais.

— En ce moment, j'en ai un peu marre, avoua brusquement Paul d'une voix sourde.

Julien prit le dossier du lévrier d'une main et posa l'autre sur l'épaule de son ami.

— Tu veux un peu de vacances ? Tu devrais partir d'ici.

— Où que j'aille, j'emmènerai Anne avec moi dans ma tête.

Ils restèrent une seconde les yeux dans les yeux, puis Julien se détourna en lâchant :

— Arrête ce divorce à la con, c'est toi que tu punis.

Sans attendre la réaction de Paul, il gagna son propre cabinet. Comment pouvait-on être marié à une femme aussi fantastique qu'Anne et vouloir la quitter ? Son admiration sans réserve pour Paul s'en trouvait un peu ébranlée. Mais bien sûr, tout le monde devient stupide et aveugle dès qu'il s'agit d'amour. Lui-même ne fantasmait-il pas honteusement sur la femme de son meilleur ami ?

Il alluma l'ordinateur, jeta un coup d'œil au programme de la journée. Des tas de gens anxieux allaient envahir la salle d'attente avec un chien en laisse, un chat ou un lapin dans une boîte, tous pleins d'espoir et de confiance envers leurs vétérinaires. D'ici ce soir, mieux valait ne penser à rien d'autre qu'à faire son métier le mieux possible.

L'Interphone bourdonna et Brigitte lui annonça qu'il avait un représentant de croquettes en ligne. Elle filtrait les appels pour leur éviter d'être dérangés mais ne prenait jamais seule la décision de commander un produit, même courant.

— Passez-le à Paul, suggéra-t-il, il a besoin de distraction !

Il entendit le rire clair de la jeune femme et se demanda s'il devait attirer l'attention de Paul sur elle. Non, ce serait une erreur, le malheureux était incapable de s'intéresser à une femme pour l'instant, autant le laisser tranquille. Il se leva, s'étira et alla enfiler une blouse, plutôt content d'attaquer sa matinée. Seul chez lui, il s'ennuyait, et ses tentatives de soirées à Hossegor ou Capbreton, durant l'été, ne lui avaient pas offert de rencontres intéressantes. La drague n'était pas son fort, il se sentait vite démuni face à une fille inconnue, ayant besoin d'un peu plus qu'une heure devant un verre avant de la ramener chez lui. De toute façon, il rêvait d'une vraie relation, d'une histoire sentimentale, pas d'un tableau de chasse. Pourtant, il aurait pu collectionner les conquêtes avec son profil idéal d'homme libre, récemment divorcé et n'ayant pas la garde de ses jumeaux. Il n'avait que trente-huit ans, une bonne situation, une grosse moto pour les virées sous les étoiles, ce qui en faisait une cible de choix, mais être ainsi convoité le privait de toute confiance en lui. Lorsque sa femme l'avait quitté, pour le consoler Anne avait prédit que les filles allaient lui tomber dessus comme des mouches sur un pot de miel. Ce rôle-là ne l'amusait pas du tout et ne le flattait pas.

S'apercevant que ses pensées, quoi qu'il fasse, le ramenaient à Anne, il se précipita vers la salle d'attente pour aller chercher son premier client.

⁑

— Ah, c'est bien, très bien ! s'exclama Anne.

Le deuxième étage prenait vraiment belle allure. Des anciennes pièces étroites, sans doute réservées aux employés à l'époque du faste de la bastide, Jérôme avait réussi à faire des chambres spacieuses. Le maçon avait abattu des cloisons pour en remonter ailleurs, et le plombier avait installé la tuyauterie de deux salles de bains que Jérôme terminait.

— Avoue que j'avais raison, pour ce carrelage.

— Il est superbe.

— Facile à poser, et pas cher. Quand j'aurai fini les joints, ce sera parfait !

Très content de lui, il guettait l'approbation de sa sœur.

— En toute honnêteté, avoua-t-elle, je ne t'aurais pas cru capable de tout ça…

— On ne m'a jamais apprécié à ma juste valeur dans la famille. Je sais que vous m'appelez Jérôme le velléitaire, Jérôme le paresseux, Jérôme la girouette, et j'en passe.

Il ironisait, mais peut-être avait-il souffert d'être celui qu'on juge à tort, qu'on tient pour une sympathique quantité négligeable. Anne elle-même, pourtant plus indulgente que les autres, avait douté qu'il aille au bout de leur projet. Cependant il en prenait le chemin, s'échinant pour de bon sur le chantier. Mais dans quel but ? Le gîte et le couvert ne justifiaient pas à eux seuls tout le mal qu'il se donnait. Quant à imaginer qu'il avait radicalement changé de caractère, c'était inenvisageable.

— J'ai des tarifs très avantageux sur la frisette, annonça-t-il. Un coût dérisoire pour des lambris garantis en pin des Landes qui feraient vraiment couleur locale dans les chambres.

— Et par quel miracle as-tu obtenu des prix intéressants ?

— Grâce à un copain.

— Lequel ?

— Secret. Il s'agit de ma vie privée.

Un peu embarrassée, elle fit mine d'examiner le carrelage de plus près. Jérôme se confiait peu mais il découchait de temps à autre. Toujours revenu dans la matinée, il se remettait au travail sans rien raconter de ses nuits. Quel genre de « copains » pouvait-il s'être fait ? Il avait l'art de se mettre dans des situations conflictuelles, comme à Londres quelques mois auparavant, d'où il avait dû fuir en catastrophe.

— Si tu veux inviter des amis ici…, commença-t-elle.

— Anne ! Je ne t'ai pas parlé d'amis. Et je ne te ferai pas de confidences. D'accord ?

Elle hocha la tête avant de s'éloigner de quelques pas.

— Ne te vexe pas, ma belle, mais tu n'es qu'une fille ! lança-t-il dans son dos.

Une vieille blague dont ils usaient volontiers, Valère et lui, lorsqu'ils étaient jeunes et refusaient d'emmener Anne ou Lily dans leurs soirées de garçons.

— Une fille qui a su te tirer des ennuis il n'y a pas si longtemps, maugréa-t-elle.

Elle faisait référence aux soucis qu'il avait eus avec ses anciens colocataires anglais, venus le poursuivre jusqu'ici pour récupérer l'argent qu'il leur devait. Comme elle ne disposait pas de la somme et ne pouvait décemment pas faire appel à Paul, elle s'était alors adressée à Julien.

— Je sais que je dois toujours de l'argent au séduisant véto, dit-il en la rejoignant dans le couloir. Mais je sais aussi qu'il ne sera pas pressé de te le réclamer.

— Pourquoi donc ?

— Parce qu'il te regarde avec des yeux de merlan frit.

— Et alors ? s'insurgea-t-elle. Ce serait une raison pour ne pas le rembourser ? De toute façon, tu dis n'importe quoi, il ne me regarde pas avec…

— Tu sais bien que si. Ne fais pas ta mijaurée avec moi. Quand il vient chercher Léo pour une leçon de surf, c'est toi qu'il veut voir. Et je crois même vous avoir aperçus en train de vous bécoter sur le perron.

— Jérôme ! Tu m'espionnes ?

— Je prenais l'air à la fenêtre.

Ulcérée, elle le planta là et fila vers l'escalier. Pourquoi fallait-il toujours qu'il se montre odieux ? Chaque fois qu'elle était sur le point de réviser son jugement sur lui, estimant que tout le monde se trompait à son sujet, il s'arrangeait pour dire ou faire une vacherie. Il l'avait vue flirter avec Julien et il gardait ça pour lui depuis des semaines ? Quelle hypocrisie ! Et comme il détestait Paul, il avait dû se réjouir du spectacle.

Elle dévala les marches jusqu'au rez-de-chaussée puis sortit de la maison. À certains moments, et ce matin en était un, elle ne savait plus où elle en était ni à quoi se raccrocher. Peut-être, ainsi que le prétendait Paul, cette bastide ne représentait-elle qu'un caprice, une tocade. Peut-être n'aurait-elle pas dû accepter l'héritage d'Ariane. Elle avait cru trouver l'indépendance en s'installant ici, mais elle y découvrait surtout des problèmes et des contrariétés.

« J'ai eu les yeux plus gros que le ventre… Je n'y arriverai jamais toute seule, ni même avec Jérôme. Je divorce, je traumatise mon fils, la famille me déteste… »

Au bout de la clairière, elle s'engagea dans le chemin qui serpentait entre les pins. Marcher était apaisant, surtout au milieu de cette immense forêt silencieuse. Arrivée au portail, elle prit le courrier dans la boîte aux lettres puis décida de longer toute la clôture pour faire le tour de ses quatre hectares. Elle n'avait pas vraiment eu le temps de les arpenter jusqu'ici, or elle devait apprendre à les connaître avant de faire appel à un forestier ou à un bûcheron pour les indispensables coupes. Ce qui serait abattu et débité finirait dans le poêle Godin de la cuisine.

L'idée lui arracha un sourire. Depuis toujours elle était citadine, même à Castets le minuscule jardin ressemblait à la terrasse d'un appartement, et il suffisait d'un sécateur pour l'entretenir.

Trébuchant sur des branches mortes, elle constata que nul n'avait dû s'occuper de cet endroit depuis des lustres. De jeunes arbres poussaient n'importe comment, d'autres semblaient malades. Encore une source de tracas et de dépenses ! À moins de tout abandonner en l'état et de laisser faire la nature ? Mais au milieu de centaines d'hectares bien ordonnés, avec des pins rangés comme des soldats, l'enclave des anciennes terres Nogaro faisait désordre.

Elle s'assit prudemment sur l'épaisse couche d'aiguilles qui couvrait le sol et se mit à réfléchir. Elle pouvait tirer parti du bois comme elle essayait de le faire avec la maison. Ne pas se décourager, prendre les difficultés une par une. Trop âgée, trop seule et trop démunie, Ariane n'avait rien pu tenter, elle s'était contentée de savourer son retour chez elle, puis d'économiser pour organiser la passation de pouvoirs. Elle avait prévu qu'il faudrait des liquidités à son héritière pour s'acquitter des droits de succession, sans quoi il lui serait impossible de conserver la maison. Elle avait tout planifié, tout imaginé, y compris qu'Anne accepterait.

« Tâche d'être à la hauteur, c'est tout de même un très beau cadeau. Encombrant, inquiétant, mais magnifique ! »

Elle se demanda si en cherchant sur les plus vieux des arbres elle trouverait des traces d'entailles. Combien de dizaines d'années s'étaient écoulées depuis la fin des récoltes de résine ?

« Et combien de temps ça vit, un pin ? Et de quelle hauteur ça pousse en un demi-siècle ? »

Décidément, elle ne savait rien. La tête levée vers les cimes, elle eut un nouveau sourire. Le moment de découragement était passé, elle allait se remettre au travail.

⁎

— Elle est moche, on dirait une meringue, et pourtant j'ai tout fait pour la flatter !

Valère regardait la planche-contact avec une certaine consternation. Les photos étaient classiques, élégantes, mais il n'avait pas réussi à rendre belle la mariée.

— De toute façon, soupira-t-il, elle était désagréable. Elle s'est adressée à moi, au disc-jockey et aux serveurs comme à des chiens.

Suki prit une loupe pour étudier attentivement les clichés.

— Ne t'inquiète pas, chéri, je crois qu'elle sera contente. On voit très bien sa robe, son chignon, et sa bague, tout ce qu'elle voulait montrer !

Valère éclata de rire et embrassa sa femme dans le cou. Elle faisait toujours son possible pour le rassurer, l'encourager. En conséquence, il ne voulait pas lui avouer à quel point il détestait ce genre de travail. Il avait la sensation d'être pris pour un larbin et de gâcher son talent de photographe. Heureusement, quand les clients étaient sympathiques, il se surprenait à chercher des angles inattendus, des éclairages sophistiqués, des expressions fugaces, et à y prendre du plaisir.

— La seule chose qui ait trouvé grâce aux yeux de cette pimbêche, c'est son bouquet. Mais tes fleurs font toujours l'unanimité.

Il le disait sincèrement car Suki possédait l'art des compositions florales qui faisaient le succès de son magasin. Et c'était presque toujours elle qui le recommandait comme photographe pour les cérémonies dont elle assurait la décoration.

— Je vais commencer la tournée des livraisons, décida-t-il en abandonnant sa planche-contact sur le comptoir.

Suki s'empressa de la ranger, puis elle lui tendit la liste des adresses.

— Pense à mettre du gasoil, recommanda-t-elle, le réservoir de la camionnette est presque vide.

Pour tout ce qui touchait à son commerce, elle montrait un sens aigu de l'organisation. En revanche, elle s'intéressait moins à leur intérieur, mais que faire dans ce deux-pièces vétuste et sans charme, dont les fenêtres donnaient sur une cour sinistre ? Elle ne s'en plaignait pas mais ne devait pas s'y plaire. Lorsqu'il lui avait proposé de déménager, elle s'était alarmée à l'idée d'une dépense inutile. Évidemment, s'ils avaient eu un enfant ils auraient cherché un appartement plus accueillant, mais pour le moment ils n'en avaient pas besoin. Valère avait été agréablement surpris qu'elle puisse parler d'enfant de manière raisonnable. Depuis sa fausse couche et sa dépression suivie d'une hospitalisation, elle ne faisait jamais aucune allusion à ce bébé qu'ils n'avaient pas eu, à son désir de maternité. Elle semblait désormais tout à fait guérie de son obsession, et Valère s'en réjouissait. Devenir père un jour lui était indifférent. Si un enfant arrivait, tant mieux, sinon, tant mieux aussi. Il était heureux avec Suki, ensemble ils avaient encore mille choses à réaliser, et fonder une famille n'était pas essentiel. En tout cas, pas pour lui. Et, à en croire le sourire radieux que sa femme affichait quotidiennement, pour elle non plus.

— J'allais oublier ! s'exclama-t-elle avant qu'il quitte le magasin. Anne nous invite à dîner, dimanche. Tu es d'accord ?

— Bien sûr…

Il l'avait dit d'un ton hésitant. Sans doute Anne voulait-elle officialiser sa séparation d'avec Paul en recevant chez elle, dans cette maison qui était la cause de toutes les discordes. Or, si Valère aimait bien Anne, en revanche il détestait les querelles familiales, et il imaginait déjà les réflexions aigres-douces dont leur mère ou Lily émailleraient la soirée, s'attirant immanquablement les reparties cyniques de Jérôme. De plus, l'absence de Paul, qui restait son meilleur ami, allait lui peser.

— Dis-lui qu'on ira, accepta-t-il, résigné.

— Ça ne te fait pas plaisir ?

— Je suis ennuyé vis-à-vis de Paul. C'est ce qui s'appelle être pris entre le marteau et l'enclume, non ? Et puis, je n'approuve pas Anne. Tout foutre en l'air pour un héritage…

— Tu es injuste, chéri. D'ailleurs, vous l'êtes tous, dans la famille. À la place d'Anne, crois-tu que l'un d'entre nous aurait refusé cette manne providentielle ? Qui ne serait pas heureux de recevoir en cadeau une maison ou une somme d'argent ?

— Quitte à briser son couple ? Pas moi, en tout cas !

— Mais ce n'est qu'un prétexte, Valère. Depuis un moment, Anne avait envie d'exister par elle-même et pas uniquement à travers Paul. Peut-être que le testament d'Ariane a accéléré le processus, rien de plus.

Dubitatif, il prit les clefs de la camionnette et empoigna deux des bouquets prêts à être livrés. Il aimait bien aller sonner chez les gens pour voir la mine surprise ou réjouie des femmes à qui il portait des fleurs. Les petits mots qui les accompagnaient, agrafés sur le papier cristal, étaient parfois émouvants, parfois mystérieux. Valère se sentait indiscret en les lisant, mais la curiosité était la plus forte. Suki ne se serait jamais permis d'y jeter un coup d'œil, alors qu'il adorait imaginer toute une vie à travers quelques mots, une façon de sourire, un coin de décor aperçu.

Tout en s'engageant prudemment dans les rues étroites du centre-ville, il eut une pensée pour Paul. Désormais, les réunions de famille auraient lieu sans lui, c'était difficile à concevoir. Depuis des années, Paul représentait l'élément modérateur, toujours prêt à apaiser les conflits et à mettre chacun à son aise. Comment Anne vivait-elle l'absence de ce mari qu'elle aimait mais que, pourtant, elle contraignait au divorce ? Qu'est-ce qui n'allait pas chez elle pour s'être mise dans une situation pareille ? Évidemment, Jérôme ne devait pas lui faire la morale, trop content de voir qu'il n'était pas le seul à semer le désordre, et Léo n'osait sans doute rien dire à sa mère. Néanmoins, Valère ne voulait pas s'en mêler. Sauf si Paul sollicitait son aide, il ne prendrait pas parti. Mais il continuait à croire que sa sœur avait tort, car au lieu de profiter de son héritage, elle en avait fait une arme de destruction. Et quand elle allait enfin s'en apercevoir, il serait trop tard.

Arrivé à sa première adresse de livraison, près de la cathédrale, il était toujours vaguement contrarié par la perspective du dîner chez Anne, mais il décida de ne plus penser à sa famille.

⁂

— Comment ça, *non* ? Tu lui as dit non ?

Gauthier considérait sa femme avec effarement, essayant de comprendre pourquoi elle avait refusé l'invitation.

— Tu vas la rappeler, exigea-t-il. Que lui as-tu donné comme prétexte ?

— Aucun, répliqua Estelle. Je me suis contentée de la vérité.

— À savoir ?

— Que nous ne souhaitons pas aller là-bas.

— Estelle ! Je ne sais pas ce qui te prend, mais moi, j'ai envie de voir ma fille.

— Et moi, je préfère attendre que la situation soit claire. Une fois le divorce prononcé, je saurai à quoi m'en tenir. D'ici là, tout peut changer. Imagine qu'elle se réconcilie avec Paul, nous aurions bonne mine de l'avoir écarté et ignoré ! Il n'a pas cessé d'exister parce que Anne l'a quitté.

— Oh, ne récris pas l'histoire, veux-tu ?

— Pourtant, c'est bien elle qui a abandonné le domicile conjugal. Tu n'as pas l'air de te rendre compte de ce que ton gendre subit en ce moment. Il est horriblement malheureux, je ne sais même pas comment il arrive à travailler.

Incrédule, Gauthier dévisagea sa femme. Jusqu'ici, elle n'avait pas manifesté une affection particulière pour Paul, lui préférant de loin Éric, le mari de Lily, et cette soudaine compassion était pour le moins inattendue. En toute logique, elle aurait dû prendre le parti de sa fille. Sauf que cette histoire d'héritage lui restait vraiment sur le cœur et qu'Anne semblait être devenue sa bête noire. Encore plus surprenant, Estelle ne s'opposait que très rarement aux jugements de Gauthier, se rangeant presque systématiquement à son avis, or voilà qu'elle se butait soudain, s'accrochait à une position très personnelle. Pour sa part, Gauthier n'avait pas été choqué outre mesure par le testament de sa sœur. Comme il n'aimait pas la bastide, peu lui importait qu'elle soit tombée entre les mains de quelqu'un d'autre. Et que l'une de ses filles ait été choisie par Ariane ne lui paraissait ni injuste ni frustrant. Certes, s'il avait été légataire, il l'aurait vendue sur-le-champ et aurait pu disposer d'une belle somme d'argent, mais il n'avait que peu de besoins, satisfait de sa retraite et de son mode de vie.

— Rappelle Anne, redemanda-t-il.

— Tu veux vraiment aller à ce dîner ? Eh bien, mon pauvre, tu iras tout seul !

Elle sortit en claquant la porte, le laissant médusé. L'avait-elle réellement appelé « mon pauvre » ? Quelle mouche la piquait donc ? Il baissa les yeux vers son journal mais se rendit compte qu'il était incapable de lire une ligne. Estelle ne se mettait jamais en colère contre lui et ne disait pas un mot plus haut que l'autre à la maison. D'ailleurs, elle parlait peu. Depuis qu'ils habitaient Biarritz, chaque matin ils allaient marcher sur la plage en silence, occupés à observer les baigneurs ou les promeneurs. Ils profitaient pleinement de leur appartement bien situé sur le port des pêcheurs et qu'ils avaient mis toute une vie à payer, mais chacun vaquait à ses occupations. Lui faisait des mots croisés, se plongeait dans des revues d'astronomie et d'histoire, tandis qu'elle préférait jouer au gin-rami avec un groupe d'amies de son âge, ou tricoter devant la télé. Ayant la chance d'avoir Lily à Hossegor, Valère à Dax et Anne à Castets, ils se sentaient proches de leurs enfants et petits-enfants qu'ils recevaient volontiers, hormis Jérôme, l'éternel nomade. Ils étaient toujours d'accord et n'avaient pas connu une seule scène de ménage en plus de quarante ans de mariage. Même au sujet d'Ariane, ils ne s'étaient pas disputés, Estelle adoptant sans réserve le jugement de son mari sur « la vieille toquée ». Ils n'avaient pas éprouvé l'envie de la voir et ne lui avaient rendu que de très rares visites. En conséquence, Gauthier ne s'attendait pas à recevoir quoi que ce soit d'elle après sa mort. Estelle s'était-elle imaginé autre chose ?

Finalement, il abandonna son journal et partit à sa recherche pour en avoir le cœur net. Elle devait déjà regretter son mouvement d'humeur, préparer le repas ou bavarder avec Anne au téléphone.

Mais il ne la trouva pas dans la cuisine et dut aller jusqu'à leur chambre. Elle était assise au pied du lit, immobile, la tête dans les mains. Lorsqu'elle se redressa pour le regarder, il constata qu'elle avait pleuré.

— Mais voyons, bredouilla-t-il, pourquoi te mets-tu dans un état pareil ?

Il se demanda s'il ne s'était pas trompé du tout au tout. Peut-être Estelle était-elle très malheureuse pour leur fille, très atteinte par ce divorce, très inquiète pour leur petit-fils, car elle aimait beaucoup Léo.

— Anne est une idiote, une idiote, je la déteste ! cria-t-elle d'une voix aiguë.

Saisi, il resta d'abord sans réaction. Ce cri du cœur le glaçait, il n'en comprenait pas la cause et le rejetait. Au bout de quelques instants, il fit seulement deux pas en arrière.

— Tu dérailles, finit-il par lâcher.

Que pouvait-il dire ou faire pour la calmer, pour qu'elle retire son dernier mot si odieux ? Durant quelques instants, ils continuèrent à se regarder, un peu hagards l'un et l'autre, puis Estelle reprit le contrôle d'elle-même.

— Tout ça me perturbe, désolée. Le testament de ta sœur a provoqué un tel chaos…

— N'y pense donc plus et prends les choses comme elles viennent.

Il parlait de façon un peu artificielle, encore secoué par l'intonation de haine qu'il avait perçue dans la voix de sa femme.

— Nous irons à ce dîner chez Ariane, murmura-t-elle.

— Chez *Anne*.

— Oui, bien sûr. Tu vois, je mélange tout !

Elle se leva, s'efforçant de sourire, et quand elle passa devant lui elle avait retrouvé son expression habituelle.

✳✳

Lily descendit de la balance, la régla minutieusement sur zéro, remonta sur le plateau.

— Mais c'est quoi, ce cauchemar ? ronchonna-t-elle en regardant les chiffres affichés. J'ai pris deux kilos ? Bon, à partir de maintenant, ce sera jambon haricots verts pour tout le monde !

Découragée, elle remit son peignoir en se demandant comment elle allait s'habiller pour ce dîner chez sa sœur. Après tout, c'était la campagne, autant opter pour une tenue sport et confortable, rien de trop moulant en tout cas.

À quarante-deux ans, Lily refusait toujours de vieillir, et les inévitables marques du temps la traumatisaient de plus en plus. Ses filles grandissaient, d'adolescentes revêches elles allaient finir par se transformer en ravissantes jeunes filles, puis jeunes femmes, et Lily serait alors une dame d'*un certain âge*, comme on le dit pudiquement des quinquagénaires. Ce jour-là, elle n'aurait plus la possibilité de séduire, et cette perspective la désespérait.

La porte s'ouvrit à la volée sur Éric qui revenait de son match de tennis dominical, encore essoufflé et en sueur. Il jeta son sac de sport dans un coin, arborant un sourire triomphal.

— On les a laminés !

— Qui ça ?

— Des visiteurs médicaux contre lesquels on jouait en double ce matin. Six-trois, six-zéro, six-un ! Tu te rends compte ?

Il n'attendit pas la réponse, devinant sans doute que ce score n'intéressait pas du tout sa femme, et il commença à se déshabiller.

— Tu n'oublies pas qu'on dîne chez Anne, ce soir ?

— Tant mieux ! J'ai justement quelque chose à demander à Paul qui… Ah, zut, il ne sera pas là, je n'y pensais plus.

Sourcils froncés, il parut sur le point d'ajouter quelque chose mais il s'en abstint.

— Je sais très bien à quoi tu penses, affirma Lily tandis qu'il entrait dans la douche. Anne est une emmerdeuse, elle bouleverse tous les liens familiaux. Maman se rend malade avec ça.

— Oh, ta mère…

— Je t'en prie, garde tes réflexions pour toi.

— Je ne dis rien de méchant, mais enfin, un divorce, ce n'est pas la fin du monde.

Lily leva les yeux au ciel et ôta son peignoir, puis elle hésita devant son tiroir de sous-vêtements.

— Tu ne trouves pas que j'ai grossi ? demanda-t-elle machinalement.

Au lieu de répondre, Éric sortit de la douche, ruisselant, s'approcha d'elle par surprise et la plaqua contre lui.

— Je te trouve très appétissante.

— Tu es trempé, arrête !

Pourquoi avait-elle eu l'idée stupide de se mettre nue devant lui ? Chaque fois qu'il gagnait un match de tennis ou réalisait un beau parcours de golf, il connaissait un regain de virilité, comme si son désir marchait de pair avec sa fierté. Mais Lily avait perdu depuis longtemps toute envie de faire l'amour avec lui. Elle cédait de temps en temps, pour assumer son rôle d'épouse et pour qu'il n'aille pas voir ailleurs, et dans ces moments-là elle pensait à autre chose, simulant vite un plaisir qu'elle n'éprouvait pas. En revanche, elle aimait séduire des inconnus, attirer les regards sur elle, s'offrir des aventures qui l'excitaient tout en la rassurant. Tant qu'elle plairait, elle se sentirait jeune, elle se sentirait femme. Malheureusement, son mari n'entrait pas dans ses fantasmes.

— Lâche-moi, voyons ! Ce n'est ni l'heure ni…

Pour la seconde fois, la porte s'ouvrit brusquement sur leur fille aînée qui s'arrêta net, les yeux exorbités devant le spectacle qu'offraient ses parents.

— Bon sang ! ragea Éric en attrapant une serviette de bain au vol.

Furieux, il s'enroula dedans et apostropha sa fille qui s'était mise à glousser.

— Tu ne pourrais pas frapper, non ?

— Désolée, je n'aurais jamais cru que vous fassiez des cochonneries dans la salle de bains. Je voulais juste montrer ma robe à maman, j'ai un accroc…

Son air faussement innocent acheva d'exaspérer Éric qui hurla :

— Dehors !

Mais Lily en avait profité pour remettre son peignoir et elle rejoignit sa fille qui s'éloignait en riant carrément. Éric poussa alors un long soupir de frustration. Être le seul homme de la maison n'était pas toujours facile. Quand ça l'arrangeait, Lily faisait bloc avec ses filles pour lui donner tort. Accusé de ne rien comprendre aux femmes, s'il s'opposait à un caprice il était immanquablement traité de macho. La plupart du temps, il s'en accommodait, adorant sa femme et ses deux filles, cependant Lily se montrait de plus en plus distante avec lui. Deux minutes plus tôt, quand il l'avait prise dans ses bras, elle s'était raidie comme si elle trouvait ce contact désagréable. D'ailleurs, en y réfléchissant, Lily se dérobait souvent aux câlins, sous n'importe quel prétexte. Existait-il un vrai problème d'usure dans leur couple ? Pour sa part, il n'éprouvait pas de lassitude, heureux de rentrer chez lui le soir malgré les incessantes disputes des filles qui arrivaient au mauvais âge. Elles étaient capricieuses, Lily les houspillait puis se prétendait épuisée. Pourtant, elle ne travaillait pas, et tenir la maison ne l'occupait pas du matin au soir ! Il savait qu'elle avait été très contrariée par l'histoire de l'héritage. Elle se défendait d'éprouver une quelconque jalousie vis-à-vis de sa sœur, néanmoins elle avait parlé durant des soirées entières de tout ce qu'elle aurait fait, à la place d'Anne, si elle avait été choisie comme légataire. Et sa mère était pire qu'elle, à radoter sans fin à propos de « tout cet argent ». Quel argent ? Une vieille baraque, voilà ce qui restait après avoir réglé les droits de succession. Éric aurait détesté l'avoir sur les bras, sa femme et ses filles se seraient sûrement liguées contre lui pour qu'il la garde comme villégiature. Quant à Anne, Seigneur, dans quoi s'était-elle embarquée ? À la place de Paul, Éric n'aurait pas réagi de la même manière, bien trop brutale, et surtout butée, mais enfin il le comprenait de ne pas vouloir vivre là-bas. Au fond, les femmes s'arrangeaient toujours pour semer la pagaille, le seul moyen d'avoir la paix chez soi était de céder sur tout. Que Paul ait eu la force de caractère de refuser le caprice de sa femme le rendait plutôt sympathique aux yeux d'Éric. Mais bien sûr, il garderait son jugement pour lui, pas question de jeter de l'huile sur le feu. En ce moment les Nogaro devenaient très susceptibles. Ce qui rendait la perspective du dîner peu réjouissante.

Résigné à passer une mauvaise soirée, il commença à s'habiller, navré d'avoir manqué l'occasion d'un câlin un peu innovant avec Lily.

**

Anne posa le dernier verre sur la table et contempla son œuvre. Le couvert était certes un peu disparate, mais très élégant. Ce qui restait de la vaisselle d'Ariane avait dû faire partie de services somptueux.

— Et voilà ! claironna Jérôme.

Il avait relevé le bas de son tablier pour apporter l'argenterie qu'il fit glisser en vrac sous le nez de sa sœur.

— Une heure d'astiquage avec un peu de blanc d'Espagne et beaucoup d'huile de coude. On va leur en mettre plein la vue, ma grande.

Anne esquissa un sourire, toutefois son but n'était pas d'épater sa famille. Elle disposa les couteaux et les fourchettes, puis alla chercher les grands chandeliers d'argent.

— Si Ariane voit ça de là-haut, je suis sûre qu'elle est ravie…

— Ah parce que tu crois à une vie après la vie, toi ? s'esclaffa-t-il.

— Bien sûr.

— Quelle charmante naïveté ! En ce qui me concerne, je pense qu'il vaut mieux tenir que courir et profiter de chaque minute ici-bas.

— L'un n'empêche pas l'autre.

Un aboiement bref de Goliath les avertit qu'une voiture arrivait.

— Les parents, à l'heure comme toujours, constata Jérôme en jetant un coup d'œil par la fenêtre.

Anne décida d'aller les accueillir et les rejoignit sur le perron. Sa mère semblait maussade, son père mal à l'aise, tous deux frissonnaient dans l'air frais du soir.

— C'est le bout du monde, ici, maugréa Estelle en entrant.

Dans le hall, elle eut l'air tout à fait perdue.

— Quelle cathédrale ! ajouta-t-elle, les yeux levés vers l'imposant escalier.

Gauthier suivit son regard et hocha la tête.

— Quand je pense que les soirs de grands dîners, on s'asseyait sur une marche du haut, Ariane et moi, pour voir arriver les invités…

— Tes parents recevaient beaucoup ? s'enquit Estelle avec une grimace.

— À l'époque, oui. Enfin, je crois. Je n'avais qu'une dizaine d'années, mes souvenirs sont flous. Ce dont je me souviens en tout cas, c'est qu'Ariane avait le droit de se mettre à table avec eux, mais moi j'étais trop petit !

Il n'eut même pas un sourire à cette évocation. D'après ce qu'Anne avait lu dans le cahier d'Ariane, il avait détesté la maison lorsqu'il était enfant, et manifestement son aversion perdurait.

— Je garde mon manteau, annonça Estelle, il ne fait pas chaud chez toi.

Ayant mis un accent rageur sur les deux derniers mots, elle enfonça ses mains dans ses poches.

— Viens te réchauffer à la cuisine, proposa Anne. On peut boire un verre en attendant les autres.

Sa mère aurait dû se couvrir davantage, impossible de chauffer cette maison comme leur confortable appartement de Biarritz. Le plus simple était de lui prêter une veste, mais ce ne serait sans doute pas suffisant pour la mettre de bonne humeur. L'arrivée de Lily et d'Éric, escortés de leurs deux filles, apporta une diversion bienvenue. Au milieu des effusions, Valère et Suki entrèrent à leur tour.

— Il n'y a pas de sonnette à ta porte, fit remarquer Suki. La prochaine fois, nous t'offrirons un heurtoir, tu veux ?

Tendant un superbe bouquet à Anne, elle la gratifia d'un sourire chaleureux. Elle était la seule à avoir apporté quelque chose, mais ça ne parut gêner personne.

— On prend l'apéritif dans la cuisine, maman a froid, annonça Anne.

Ils se retrouvèrent tous près du poêle Godin, accueillis par Jérôme qui s'activait devant les fourneaux en faisant sauter des pommes de terre dans de la graisse de canard.

— C'est toi le cuisinier ? ricana Estelle. Eh bien, décidément, tu es mis à contribution ! Tu prépareras les repas de vos futurs clients aussi ? J'espère que tu touches un bon salaire pour ta peine.

Son agressivité fit bondir Anne qui répliqua :

— On s'arrange entre nous, maman. De toute façon, nous n'ouvrons pas un hôtel-restaurant !

— Ah bon ? J'avais cru comprendre…

Anne alla prendre deux bouteilles de vin blanc dans le réfrigérateur et les tendit à Valère pour qu'il les débouche.

— Il fait déjà nuit, c'est dommage, j'aurais bien pris des photos de ta maison, dit-il gentiment à sa sœur.

— Reviens le faire un de ces jours, on en aura besoin sur notre site Internet.

— Des vues d'extérieur et d'intérieur, précisa Jérôme.

— Alors attendons un peu, les chambres ne sont pas finies.

En le disant, Anne s'était tournée vers son père et elle ajouta :

— Te souviens-tu des petites pièces du deuxième étage ?

— Non, cette partie-là était réservée au personnel, on n'y mettait pas les pieds. Quand on montait, c'était pour le billard, mais là encore j'étais trop petit, on ne me laissait pas jouer. Je me souviens seulement que le couloir des chambres de bonnes était fermé par une porte sur le palier. Et je n'aurais pas eu l'idée de l'ouvrir !

— Chambres de *bonnes* ? s'indigna Estelle.

Que son mari ait été élevé durant les premières années de sa vie comme un fils de grands bourgeois lui déplaisait, et elle ne manquait jamais une occasion de le faire remarquer.

— On a tout cassé, poursuivit tranquillement Anne. Quand les travaux seront terminés, je te montrerai ça.

Il eut une mimique dubitative, comme s'il ne comptait pas revenir de sitôt. Découragée par son indifférence, elle alla chercher un vase pour Suki qui tenait à arranger elle-même le bouquet. Puis une cavalcade précéda l'irruption de Léo, flanqué de Charles. Anne devait les raccompagner très tôt le lendemain matin à la pension, mais elle était heureuse qu'ils participent au dîner familial. Les deux garçons se mirent aussitôt à bavarder avec les filles de Lily, créant ainsi une bande d'adolescents bruyants qui fut chassée de la cuisine.

— Tiens, c'est du tursan, le vin préféré de Paul, remarqua Estelle en regardant la bouteille que tenait Valère.

Sa réflexion jeta un froid et, dans le silence qui suivit, Jérôme marmonna :

— Toujours diplomate !

— Eh bien quoi ? On ne peut même pas prononcer son nom ?

— Ce serait mieux de ne pas parler de lui, soupira Anne. Évitons ça à Léo ce soir.

— Le pauvre petit n'a pas perdu son père, que je sache. Doit-on vraiment faire comme si Paul n'existait pas ?

Poussée à bout, Anne explosa.

— Si pour une fois tu pouvais te taire !

— Je t'en prie, ma petite fille, garde ton calme, intervint Gauthier d'un ton sentencieux.

Mais c'était sa femme qu'il avait regardée en le disant.

— On passe à table, annonça Anne, les dents serrées de rage.

Suki la suivit, portant le vase, et à peine arrivée dans la salle à manger elle s'extasia sur la mise de table.

— C'est magnifique, Anne !

— Un peu dépareillé, mais…

— Non, ça fait tout le charme. Est-ce une vaisselle de famille ?

— Je l'ai trouvée dans les placards de la maison. Je suppose que ce sont les restes des cadeaux de mariage d'Ariane.

— Quel mariage ? s'amusa Gauthier. Mystère. Ma sœur a convolé trois fois de suite, difficile de dater les assiettes !

— C'était une femme très instable, ajouta Estelle avec une grimace. Elle aimait l'argent et n'avait guère de moralité.

— Tu ne l'as pas beaucoup connue, répliqua Anne.

— Je n'en avais aucune envie. Nous ne partagions pas les mêmes valeurs, elle et moi. En ce qui me concerne, quand on se marie, c'est pour la vie.

— Une pierre dans mon jardin, maman ?

Elles se toisèrent durant quelques instants et, contre toute attente, ce fut Léo qui prit la parole.

— Moi, je la trouvais marrante et sympa, la grand-tante Ariane…

Estelle leva les yeux au ciel comme s'il avait proféré une incongruité.

— Elle a mené une existence agitée, c'est vrai, temporisa Gauthier. Elle vivait dans le passé et elle était obsédée par cette maison. Quand nous nous rencontrions, en de rares occasions, je l'avoue, elle ne parlait que de sa jeunesse, de l'époque des gemmeurs qu'elle regrettait tellement. Mais en réalité, elle n'y connaissait pas grand-chose, nous avions vécu sans comprendre la fin des récoltes de résine et la ruine de la famille. Qui n'était que justice, au fond ! Les propriétaires forestiers traitaient mal leurs employés, ils les affamaient tandis qu'eux roulaient sur l'or. Et ils n'ont pas vu venir la concurrence, l'ouverture du marché, ils n'ont pas tenu compte des conflits sociaux, se sont accrochés à leurs privilèges et ont dégringolé. Bien fait pour eux !

— « Eux », tu veux dire ton père et tous les autres ? ironisa Anne.

— Oui, c'est navrant, je sais, mais c'étaient des gens sans cœur. Comme Ariane.

— Dans ses albums, j'ai vu des photos de tes parents et tes grands-parents, de tas de gens de la famille.

— Mon Dieu, elle conservait ça aussi ?

— On les regardait ensemble, elle m'expliquait qui était qui par rapport à moi.

— Ah, les ancêtres Nogaro ! railla Estelle.

— C'est instructif de savoir d'où on vient, fit remarquer Anne sans s'énerver.

— Tu me les montreras, à l'occasion ? demanda Valère, soudain intéressé.

— Avec plaisir, et tu verras, il y a un arrière-grand-oncle à qui tu ressembles trait pour trait.

— Que vous êtes passéistes ! pesta Estelle.

Anne essayait de ne pas l'entendre, mais de nouveau la moutarde lui montait au nez.

— Au Japon, honorer ses ancêtres est très important, murmura Suki.

— Et moi, est-ce que je ressemble à quelqu'un ? voulut savoir Léo.

— On cherchera ensemble, répondit Anne en souriant. J'ai conservé tous les albums, et aussi de passionnants cahiers écrits par Ariane.

— Manquait plus que ça ! Les confidences de la cinglée ! Sûrement un ramassis d'affabulations et d'inepties.

Estelle semblait soudain hors d'elle, de façon disproportionnée, et Gauthier voulut calmer le jeu.

— Ariane n'était pas réellement méchante, mais il faut avouer qu'à la longue son cynisme était pesant.

— Anne s'en est bien accommodée, dit Lily en s'adressant à son père comme si sa sœur n'était pas là. Et ça lui a rapporté le jackpot...

— Si ça pose un problème à quelqu'un, répliqua Anne, j'aimerais autant le savoir.

Sans élever la voix, Jérôme lâcha :

— C'est vrai que vous êtes chiants, à la fin, avec cette histoire d'héritage que vous ne digérez pas.

— Évidemment, toi, ça t'arrange, rétorqua Lily, te voilà casé bien au chaud. Enfin, si l'on peut dire, parce qu'on claque de froid ici !

En bout de table, les quatre adolescents avaient cessé de discuter entre eux et observaient les adultes avec ébahissement.

— On peut se servir ? intervint Éric d'un ton apaisant.

Anne se sentait blessée par tout ce qu'elle avait entendu, et isolée au milieu de sa propre famille. Hormis Suki, bien timidement, et Jérôme parce qu'il adorait provoquer, personne ne prenait sa défense. Elle passa le plat à sa mère en évitant de la regarder.

— Ne crois pas que je sois jalouse, reprit Lily. Au contraire, je trouve que tu as eu raison d'en profiter. J'en aurais bien fait autant, mais venir passer mes après-midi avec la vieille tante était au-dessus de mes forces, j'admire ta patience. D'autant qu'elle aurait pu vivre jusqu'à cent ans !

Elle fut la seule à rire de sa plaisanterie, tandis que son mari la fusillait du regard.

— Et que fais-tu de tes après-midi, au juste ? articula Anne dont la voix tremblait de colère. Du shopping ?

— Arrêtez de vous disputer, trancha Gauthier. On n'a qu'à parler d'autre chose.

— Ce ne sera pas facile, glissa Jérôme, vous ne pensez qu'à ça.

Un silence plana sur la table jusqu'à ce que les jeunes se remettent à bavarder entre eux. Mais Léo jetait de fréquents coups d'œil à sa mère, sans doute inquiet de la tournure qu'avait prise le dîner. Était-il donc impossible, en famille, de ne pas s'agresser ? Estelle avait donné le ton, soit, mais pourquoi Lily prenait-elle le relais ? L'héritage restait apparemment un sujet brûlant, et Paul ne tarderait pas à passer pour un martyr. Peut-être Anne avait-elle eu tort de vouloir réunir tout le monde, peut-être devrait-elle s'abstenir de voir ses parents et sa sœur pendant un moment, le temps que les choses s'apaisent. En attendant, elle pourrait digérer la mauvaise surprise de découvrir qu'on ne se réjouissait pas de ses projets et qu'on ne la plaignait pas de sa séparation avec Paul. Compassion ou consolation ne viendraient pas des siens.

Elle essaya de prêter attention à ce que racontaient Léo et Charles à propos d'un mur d'escalade récemment installé dans leur pension. Un sport qui les enthousiasmait et où ils rivalisaient gaiement. Léo en avait-il parlé à son père ? Quels étaient leurs rapports désormais ?

Le dîner traînait en longueur malgré les efforts d'Éric et de Valère pour maintenir un semblant de conversation. Suki était trop réservée pour s'en mêler, et Lily boudait ostensiblement.

— Alors, s'enquit Gauthier, quand serez-vous prêts à accueillir vos… hôtes ?

— Au printemps. Mettons début mars, si tout va bien. On fait pas mal de choses nous-mêmes, et on travaille moins vite que des professionnels.

Indifférent à la mauvaise humeur ambiante, Jérôme semblait épanoui. Anne l'envia de n'avoir besoin de l'approbation de personne. Il ne cherchait jamais à arrondir les angles, se moquait de l'opinion des autres et n'en tenait aucun compte. Était-ce une force ? Il n'avait pas vraiment réussi son existence jusqu'à présent, pourtant il paraissait avoir enfin trouvé une certaine stabilité en s'investissant dans l'avenir de la bastide. S'il continuait à tenir le coup, Anne pourrait faire de lui un véritable associé.

— Mais tu ne vas pas passer toute ta vie chez ta sœur ?

Estelle avait posé la question avec condescendance, ce qui fit sourire Jérôme.

— Je ne vois pas si loin !

— Quand te chercheras-tu un *vrai* travail ? Un métier ?

— Je ne sais rien faire de précis, maman. Et je ne compte pas apprendre à trente-cinq ans.

— Bon sang, nous ne vous avons pas élevés dans ces principes-là ! L'oisiveté est un vice.

— Je ne suis pas oisif, je bosse.

— Ici ? Écoute, je ne sais pas à quoi vous jouez, Anne et toi, mais vous n'êtes pas dans la vraie vie. D'ailleurs, ce n'est pas très charitable, de la part de ta sœur, d'entretenir tes illusions. Si c'est parce qu'elle a besoin de compagnie pour occuper cette caserne en ruine, c'est vraiment égoïste et inconséquent.

— Quand tu parles de moi, adresse-toi à moi ! s'écria Anne en tapant du poing sur la table. À la fin, qu'est-ce que je t'ai fait ?

— Mais voyons, rien…, marmonna sa mère, soudain embarrassée.

Valère et Suki se levèrent, imités par Éric, et se mirent à débarrasser pour faire diversion.

— C'est bien la première fois que je le vois donner un coup de main, ironisa Lily en désignant son mari qui portait une pile d'assiettes.

Les quatre jeunes gens en profitèrent pour quitter leurs chaises, proclamant qu'ils allaient aider eux aussi. Jérôme, Anne, Lily et leurs parents se retrouvèrent seuls à table, dans un silence contraint.

— Je suis désolée de t'avoir mise en colère, finit par dire Estelle. Tu es bien susceptible, ma petite fille.

— Je suis en train de divorcer et de refaire ma vie, maman. Il y a de quoi être perturbée.

— C'est toi qui as choisi de quitter Paul. Toi qui as voulu élire domicile ici, Dieu seul sait pourquoi. Après ça, ne t'étonne pas d'être mal dans ta peau.

Anne secoua la tête, accablée par autant d'incompréhension. Pour une femme généralement silencieuse, sa mère avait beaucoup parlé, ce soir, ne disant que des choses désagréables. Son père n'avait pas jugé bon d'intervenir durant toute cette mise en accusation, et à voir sa tête il n'avait qu'une hâte : s'en aller. Il ne voulait pas se souvenir qu'il était né dans cette maison et y avait vécu sa petite enfance, le passé de sa famille ne trouvait aucun écho en lui.

— Je vais voir où en est le dessert, annonça-t-elle.

À la cuisine, Suki était en train de déposer délicatement la tarte aux fruits sur un plat, tandis que tous les autres bavardaient avec entrain, soulagés de ne plus subir l'ambiance lourde de la salle à manger. Léo vint aussitôt vers sa mère et lui glissa à l'oreille :

— Qu'est-ce qu'elle a, grand-mère ? Je ne l'ai jamais vue aussi remontée, elle devient carrément chiante.

— Léo !

— Ben oui, quoi… Elle a plombé le dîner, et quand elle profère toutes ses méchancetés, elle a l'air d'une sorcière. Pourquoi tu ne l'envoies pas sur les roses ?

— Parce que c'est ma mère. Je lui dois un minimum de respect, et c'est valable pour toi, mon grand.

— Ne t'inquiète pas, je ne lui dirai pas ce que je pense. Mais je ne la connaissais pas sous ce jour-là, elle m'a fait froid dans le dos. Tu ne devrais pas la réinviter. En tout cas, je ne mettrai plus les pieds à Biarritz tant qu'elle sera de cette humeur-là.

Anne essaya de sourire, attendrie par la solidarité de son fils, mais de nouveau elle se sentait coupable. Elle lui infligeait ce divorce, le privait en partie de son père, et voilà qu'à cause d'elle il allait refuser de voir ses grands-parents.

— Est-ce que vous avez fini tous vos devoirs pour demain, Charles et toi ? se borna-t-elle à demander.

— Pourquoi ? Tu voudrais nous expédier en haut ? N'y compte pas, Charles est sous le charme des cousines !

Il éclata de rire, avec l'insouciance de son âge. Anne empoigna une pile d'assiettes à dessert, ravie par cette nouvelle. C'était très *bien* que Charles regarde les filles, même des gamines aussi insupportables que les filles de Lily. Si Charles s'intéressait aux filles, les insinuations de Jérôme devenaient sans fondement.

Sur le seuil de la cuisine, elle se retourna pour observer le groupe de jeunes. Maud et Clémentine minaudaient, comme toujours en présence de garçons. Charles et Léo, épaule contre épaule, leur lançaient des plaisanteries. Dans l'attitude de Léo, appuyé sur son copain, il y avait un certain abandon. Suspect ? Non, Anne n'y croyait pas, son fils était trop jeune, et son amitié avec Charles durait depuis l'école primaire.

— Tu sais, lui dit Éric en la rejoignant, il ne faut pas en vouloir à Lily. Elle te fait enrager mais je crois qu'elle regrette de ne pas avoir pensé à chouchouter elle-même votre tante Ariane.

Comme d'habitude, il était gentil mais très maladroit. Bien sûr que Lily regrettait ! En être réduite à envier sa sœur cadette devait la rendre folle de rage. Depuis toujours Lily était la préférée de leur mère et elle s'octroyait une certaine supériorité, estimant qu'elle avait fait un meilleur mariage, qu'elle habitait une plus belle maison. Avec cet héritage, c'était bien la première fois qu'Anne avait quelque chose que Lily n'avait pas.

— Tu la connais bien ! répliqua Anne.

Elle en avait assez de faire des concessions, et par-dessus la tête de sa famille.

— Ce que je sais, ajouta Éric, c'est qu'elle n'a jamais assez d'argent. Elle est tellement dépensière, tellement futile…

Interloquée, Anne lui jeta un coup d'œil. Il critiquait rarement Lily et fermait les yeux sur tous ses caprices.

— Je crois qu'elle s'ennuie, conclut-il à voix basse.

— Laissez passer ! cria Suki derrière eux.

En arrivant à la hauteur d'Anne, elle lui glissa :

— Ton dîner est réussi, tant pis pour les convives mal embouchés…

Quand ils regagnèrent la salle à manger, Lily boudait ostensiblement, Estelle et Gauthier se taisaient, l'air maussade, et Jérôme avait allumé une cigarette. Il souffla la fumée vers le plafond et marmonna, à l'intention d'Anne :

— On aurait dû mettre un fond sonore, le silence est oppressant.

Puis il éclata de rire, tout réjoui par le regard noir que lui lançait Lily. Une fois encore, Anne constata que Jérôme n'était content que lorsqu'il semait la zizanie. Jusqu'où pouvait-elle lui faire confiance ? Elle s'était habituée à sa présence et finirait par le trouver indispensable, un piège dont elle devait se garder car il ne serait sans doute jamais tout à fait fiable. Mais enfin, dans cette famille de gens trop sérieux il offrait une bouffée d'extravagance bienvenue.

— Souriez, vous êtes filmés, annonça Valère qui venait de sortir son appareil photo.

— Tu as raison d'immortaliser l'instant ! commenta Jérôme du même ton railleur.

Anne reprit sa place et se mit à découper la tarte, pressée que la soirée s'achève et que tout le monde s'en aille. Son essai de réunion familiale se soldait par un échec mais peu importait. Après avoir perdu l'appui de Paul, elle pouvait bien perdre celui de ses parents, elle se sentait assez forte pour continuer son chemin, seule s'il le fallait.

En tendant son assiette à sa mère, elle s'obligea néanmoins à lui adresser un sourire qu'elle espérait affectueux. En retour, elle n'obtint qu'un regard froid, énigmatique. À quel moment étaient-elles devenues des ennemies ? À l'ouverture du testament, où ni Gauthier ni Estelle n'avaient été conviés puisqu'ils n'y figuraient pas ? Toute cette animosité ne serait donc qu'une sordide histoire de gros sous ? Non, il y avait forcément autre chose. Ses parents n'aimaient pas le luxe, ils ne rêvaient pas d'argent facile et ils étaient à l'abri du besoin. La raison se trouvait ailleurs, et peut-être Anne la découvrirait-elle dans le cahier d'Ariane. Car si Estelle n'avait pas été une mère très démonstrative, et même si elle avait préféré sa fille aînée, elle ne s'était jamais montrée d'une telle hostilité envers sa cadette que ce soir.

L'appétit coupé, elle chercha des yeux Goliath et le découvrit couché contre les pieds de sa chaise.

— Il est fantastique, ton chien, décréta Léo qui l'observait.

— La bête du Gévaudan, se moqua aussitôt Lily. Ou plutôt le chien des Baskerville !

— Tu les as bien connus ? riposta Léo.

Charles éclata de rire, imité par les filles de Lily.

— Bon, nous allons rentrer, annonça Estelle, la route est longue. Vous nous suivez, Éric ? Je n'aime pas rouler la nuit à travers ces forêts interminables…

Docilement, son gendre se leva, ignorant les protestations bruyantes de ses filles. Valère et Suki prirent congé en même temps, contraints de se lever tôt le lendemain pour aller s'approvisionner en fleurs. Cinq minutes après leur départ, Jérôme demanda à Anne les clefs de sa voiture.

— Je vais finir la soirée à Dax, j'ai besoin de rigoler un peu. Bon sang, que les parents sont devenus pénibles ! Évite-toi ce genre de corvée à l'avenir, ma pauvre, ou tu finiras en dépression.

Anne se retrouva seule avec son fils et Charles devant la table dévastée.

— Montez vous coucher, les garçons, je me débrouillerai.

— Pas question, protesta Léo. On ira bien plus vite à nous trois.

— Cette vaisselle est très fragile, je…

— On fera attention, promit Charles.

Leur gentillesse provoqua chez Anne une brusque émotion qui lui fit monter les larmes aux yeux. Pour que les deux adolescents ne la voient pas pleurer, elle se pencha et souffla les bougies des grands chandeliers. Sous l'éclairage un peu chiche des appliques, au-dessus de la desserte, la salle à manger perdit toute sa chaleur. Anne regarda autour d'elle et décida qu'elle en parlerait à Jérôme dès le lendemain. Il faudrait revoir les lumières un peu partout dans la maison pour la rendre plus gaie. Mais telle qu'elle était, Anne l'aimait et s'y trouvait à l'aise, en sécurité. Elle était *chez elle*, oui, bien décidée à rester.

En rangeant les verres sales sur un plateau, elle eut une pensée reconnaissante pour Ariane et se sentit apaisée.

3

Paul faisait les cent pas devant le tribunal, incapable de rester en place. Tout était allé beaucoup trop vite, il se retrouvait au pied du mur et n'arrivait pas à se résigner. Parvenu à ce stade de la procédure, le divorce était réduit à une simple formalité et serait prononcé dans moins d'une heure.

Une heure ! Ensuite, tout serait consommé, définitif. Il s'arrêta une seconde, jeta un coup d'œil vers Anne qui s'attardait avec son avocate. Il la vit hocher la tête, regarder sa montre puis revenir vers lui. Le manteau de cachemire beige qu'elle portait était aisément reconnaissable, il le lui avait offert deux ans plus tôt, à Noël. À ce moment-là, tout allait bien dans leur couple. Comment avaient-ils pu en arriver là ? Et cette année, qu'allaient-ils faire pour les fêtes qui approchaient ? Chacun de son côté, avec Léo tiraillé entre eux deux ?

Le cœur serré, au point d'avoir du mal à respirer, il grimaça une ombre de sourire tandis qu'Anne le rejoignait.

— Qu'est-ce qu'on se dit dans ces cas-là ? demanda-t-il d'une voix blanche.

Arrivés séparément, mais bien trop tôt l'un et l'autre, ils n'allaient tout de même pas rester là sur le trottoir à attendre leur tour en bavardant comme de vieux copains !

— Viens, ajouta-t-il, nous sommes très en avance, je t'offre un verre.

C'était lui qui en avait besoin, mais il remarqua qu'elle était pâle, tendue, presque au bord des larmes. Glissant son bras sous le sien, il l'entraîna.

— Il doit bien y avoir un bistrot quelque part… On a encore trois quarts d'heure devant nous. Ton avocate a d'autres affaires à traiter, j'imagine. Le mien est toujours en retard !

Des mots creux, jetés mécaniquement parce que le silence d'Anne lui semblait insupportable.

— Est-ce que tu vas bien ?

Là encore, elle ne répondit pas, mais la question était idiote. S'il ne trouvait rien de plus intelligent à dire, elle n'avait aucune raison de lui adresser la parole. Sur les quarante-cinq minutes qui les séparaient d'une catastrophe irrémédiable, il venait d'en gâcher une ou deux. Il prit une profonde inspiration et lâcha :

— Quand nous sommes sortis de l'église, il y a bientôt quinze ans, j'étais sûr d'avoir fait la meilleure chose de ma vie. Et là, j'ai peur d'être en train de faire la pire des conneries.

Voilà, il avait réussi à l'avouer en marchant, sans la regarder. Il n'arrivait pas à croire que leur entêtement mutuel ait pu les précipiter si vite dans un pareil cauchemar.

— Je suis paniqué, avoua-t-il. Je ne veux pas voir ce juge, je crois que je vais m'enfuir en courant.

Comme elle continuait à se taire, il s'arrêta net et se tourna vers elle.

— Pardon, souffla-t-il.

— Tu l'as voulu..., articula-t-elle, le menton tremblant.

— Mais je ne peux pas te perdre, je vais en crever !

Pour la première fois de sa vie, il se sentait parcouru d'une onde de violence pure qu'il ne pouvait tourner que contre lui-même. Qu'avait-il donc imaginé ? Qu'il supporterait ce divorce sans broncher ? Il avait mis la barre trop haut, impossible d'obéir à son code de conduite habituel, raisonnable et mesuré.

— Pourquoi cette maison entre nous, Anne ?

— Pas *entre* nous. Une maison *pour* nous. Un cadeau.

— Empoisonné ! Tu as voulu bouleverser ma vie contre mon gré.

— Tu n'acceptes pas ce que tu ne décides pas, toi. Rien ne doit changer, jamais, dans ton ordre établi. Tu n'as aucune considération pour l'autre. Tu m'as dit non et tu as cru que ça suffirait à éteindre mes rêves.

Elle conservait une voix monocorde, comme pour ne pas s'impliquer dans une discussion inutile. Ou alors, elle se préservait pour ne pas céder à l'émotion. Dans un cas comme dans l'autre, il n'arriverait pas à l'atteindre s'il l'accusait.

— Anne, je t'aime toujours. Et toi ?

Mais sitôt demandé, il comprit qu'il ne voulait pas entendre la réponse, le risque était trop grand.

— Je m'en vais, dit-il très vite. Je ne me présenterai pas devant le juge, je ne veux pas, je ne peux pas !

Stupéfait lui-même de ce qu'il était en train de faire, il partit en courant. Pour traverser, il dut slalomer entre les voitures dans un concert de klaxons. Il avait littéralement pris ses jambes à son cou et il fuyait à toute allure pour mettre le plus de distance possible entre lui et le tribunal, lui et Anne qui avait crié plusieurs fois son prénom en vain.

⁂

— Il ne s'est pas présenté ? répéta Brigitte, sidérée.

Julien jeta un coup d'œil par la fenêtre pour s'assurer que Paul n'était pas en train de se garer devant la clinique.

— Non, il s'est défilé.

— Je n'en reviens pas… Il ne voulait donc pas en finir, tirer un trait ?

À l'évidence, une pointe de déception se mêlait à sa surprise. Trop honnête – et trop maligne – pour faire la moindre avance à Paul jusqu'ici, elle avait dû espérer que le divorce serait vite liquidé.

— Que va-t-il arriver maintenant ?

— Aucune idée.

— Et Anne, comment a-t-elle réagi ?

— Je n'en sais rien.

— Vous ne l'avez pas appelée ?

— Pas encore.

Il s'était promis de le faire mais n'en avait pas trouvé le courage. Le coup de téléphone de Paul, depuis sa voiture où il venait de monter, tout essoufflé d'avoir tant couru, avait pris Julien au dépourvu. Jamais il n'aurait imaginé qu'un homme aussi calme en toutes circonstances puisse piquer une crise de ce genre. Il lui avait fallu un long moment pour le raisonner, le calmer, et lui recommander la plus grande prudence sur la route du retour. Dans la soirée, ils s'étaient retrouvés au Relais landais où Paul avait beaucoup bu, mais sans faire de scandale. Julien l'avait raccompagné chez lui pour un dernier verre et, compatissant, avait fini par le coucher. À ce moment-là, il était trop tard pour appeler Anne, et ce matin, il était trop tôt. Du moins se donnait-il ce prétexte pour retarder l'échéance. Anne était son amie aussi, d'accord, mais moins que Paul, et surtout, l'attirance qu'il éprouvait envers elle le paralysait. Devait-il déplorer la fuite de Paul ou s'en réjouir ?

— Est-ce qu'elle a un moyen de le contraindre ? voulut savoir Brigitte.

— Le divorce sera prononcé de toute façon, mais pas tout de suite s'il n'est plus d'accord. Et n'oublions pas que c'est lui qui l'avait demandé, pas elle.

— Vous croyez qu'il va venir ce matin ?

— Bien sûr. Il ne va pas s'offrir une crise de folie par jour, ce qu'il a fait hier n'est pas du tout dans son caractère.

— C'était de la lâcheté ?

— Non, autre chose. Il s'est aperçu qu'il avait tort, et son seul moyen pour limiter la casse était d'arrêter la machine.

— Son avocat doit être furieux…

— Pourquoi ? Il sera payé un peu plus longtemps !

Julien fit un clin d'œil à Brigitte puis gagna son cabinet. Il avait estimé préférable de l'avertir plutôt que de la voir se fourvoyer en tentatives de consolation ou, pire, de séduction. Paul n'était pas guéri d'Anne, tant s'en fallait. Mais elle ?

Il entendit Brigitte saluer le premier client qui entrait dans la salle d'attente avec son bouledogue râleur. Paul n'était toujours pas arrivé, donc il avait le temps de passer ce fichu coup de téléphone. Il prit son portable et sélectionna le numéro d'Anne.

— Bonjour, ma belle ! claironna-t-il d'un ton artificiel. Je ne te réveille pas, j'espère ?

— Tu plaisantes ?

— Tu es matinale, c'est vrai… Je voulais de tes nouvelles, sachant que ça s'est mal passé hier.

— Eh bien, disons que ça ne s'est pas passé du tout.

— Et qu'en penses-tu ?

— Je ne sais pas. Divorcer me faisait une peine folle, pourtant j'avais fini par accepter l'idée puisque Paul n'en démordait pas. Je ne comprends pas qu'il ait pu caler à la dernière seconde. J'ai essayé de le joindre dix fois entre hier et maintenant, mais il ne me répond pas. Tu l'as vu ?

— Oui, oui. Il s'est saoulé pour oublier et il doit avoir la gueule de bois ce matin. Je l'attends.

— Alors, dis-lui d'arrêter de se comporter comme un gamin. Il faudra bien qu'il accepte de me parler.

— Évidemment. Je vais lui demander de t'appeler dès qu'il aura une minute, mais le planning est plutôt chargé, aujourd'hui.

— Comme tous les jours, non ?

Anne avait la voix claire, déterminée, elle ne semblait pas du tout anéantie.

— Ce serait sympa que tu passes nous voir un de ces jours, Julien. Aux dernières nouvelles, nous ne sommes pas fâchés, toi et moi ?

— Non !

— Dans ce cas, n'hésite pas.

Il raccrocha au moment où Paul ouvrait la porte de communication entre leurs deux cabinets.

— Besoin d'aspirine ? s'enquit Julien avec un sourire encourageant.

— C'est fait. Merci de ton aide, hier…

— Pas de quoi ! Tu vas mieux ?

— Si on veut. En avalant un litre de café, au réveil, je me suis posé des tas de questions. Si ça ne s'arrange pas entre Anne et moi, je crois que je choisirai de partir.

— Où ?

— À Paris.

Décontenancé, Julien le dévisagea.

— Pour de bon, Paul ? Et la clinique ?

— On en parlera tous les deux.

— Ne fais rien sur un coup de tête. Cette affaire, c'est toute ta vie.

— Et la tienne, non ? Nous l'avons montée ensemble.

Il semblait redevenu le Paul que Julien connaissait, calme et maître de lui, mais il disait des choses ahurissantes.

— Est-ce que tu me rachèterais mes parts, au cas où ?

— Je n'en sais rien ! Tout ça est idiot… Tu aimes cette région, tu t'ennuieras à Paris, tu seras déraciné, loin de ton fils, et une installation là-bas sera hors de prix.

— Mes parents y habitent.

— Paul ! Tu ne comptes pas vivre chez papa-maman ? Recolle donc les morceaux avec Anne, tu en meurs d'envie, et repartez du bon pied. À propos, elle aimerait que tu l'appelles.

— Tu l'as eue ?

— Il y a cinq minutes.

« Vos rendez-vous sont arrivés », rappela la voix de Brigitte dans l'Interphone.

Ils échangèrent un regard, puis Julien haussa les épaules.

— Arrête tes conneries, tu me fatigues. Allez, mon vieux, au boulot !

La tête ailleurs, il alla chercher son premier client. Paul n'était pas sérieux en parlant de vendre et de partir. Néanmoins, Anne devait être mise au courant de ces divagations. Si Paul ne le faisait pas lui-même, Julien s'en chargerait. Pris entre le marteau et l'enclume, il ne savait pas ce qu'il espérait comme dénouement, mais travailler avec Paul était un plaisir depuis des années et il n'avait aucune envie que leur collaboration s'arrête.

J'avais bien prévu que tout ne serait pas rose, et je ne m'étais pas trompée. En parcourant ma maison enfin reconquise, je retrouvais tous mes souvenirs un à un, mais je découvrais aussi les innombrables blessures infligées par les propriétaires successifs. Comme pour une dame âgée, ou une grande malade, je faisais semblant de ne pas m'apercevoir de sa décrépitude. Qu'aurais-je pu y changer ? Acheter un tube de glu pour recoller les papiers peints qui pendaient ? Personne ne m'avait appris l'art du bricolage, et durant la majeure partie de mon existence j'avais eu des gens pour me servir. J'acceptai donc que mon vieux jouet soit tout abîmé, ça ne m'empêchait pas de l'aimer.

Ayant l'habitude de vivre seule depuis le décès de mon cher Paul-Henri, je ne me sentais nullement mal à l'aise ou inquiète quand la nuit tombait. Les éclairages étaient chiches, mais ainsi ils nimbaient le décor d'un flou harmonieux. Pierre Laborde m'appelait plusieurs fois par semaine, inquiet de mon isolement, et pour le rassurer je l'invitais souvent à boire le thé. Il me parlait de mes affaires, de ce qui restait de mon capital, c'est-à-dire presque rien. Je dus donc me résigner à vendre quelques babioles. Mon premier mari, Albert, m'avait offert un gros diamant très pur que je négociai un bon prix à un joaillier de Biarritz, gardant d'autres bijoux moins importants comme « poires pour la soif ». Je liquidai aussi une authentique coiffeuse Louis XV, rescapée du mariage avec Maurice, des tableaux choisis par Paul-Henri, de la vaisselle et de l'argenterie dont je n'avais nul besoin, me défaisant de services complets pour ne garder que des pièces dépareillées qui me suffiraient amplement.

Pierre fut chargé, en notaire avisé qu'il était, de faire prospérer ce pécule. Même en étant frugale, il fallait bien que je vive de quelque chose ! Renoncer aux robes des couturiers ne me privait pas, je ne comptais pas donner de fêtes ni entreprendre de voyages, et ma seule grosse dépense fut ce poêle Godin qui me permettait de me chauffer à peu de frais.

Des regrets ? Je n'en avais aucun. J'étais rentrée chez moi et je savourais chaque aube, chaque crépuscule. J'avais repris ma chambre de jeune fille, m'étais approprié l'ancien bureau de mon père d'où il avait si mal géré ses « arbres d'or ».

Une année entière s'écoula avant que je ne refasse une tentative en direction de Gauthier. Certes, il ne me manquait pas, mais j'étais curieuse de voir comment la petite Anne grandissait. Je pensais souvent à cette gamine, étonnée à chaque fois de ressentir pour elle une sorte d'affection. Qu'elle soit bonne ou mauvaise à l'école ne m'intéressait pas, qu'elle pratique la gymnastique rythmique ou le tennis de table pas davantage, mais je voulais m'assurer que l'étincelle aperçue dans ses yeux y brillait toujours.

Devinant que mon frère rechignerait à venir, je m'inventai une obligation à Biarritz pour passer les voir. Sonnant chez eux en fin de journée, à l'heure où les gens s'accordent un apéritif mérité ou pas, je découvris sans plaisir et sans surprise que tout ce petit *monde avait la tête penchée sur un cahier. Les enfants peinaient sur les leurs, les parents en corrigeaient des piles. Estelle m'offrit une orangeade insipide tandis que les trois premiers rejetons défilaient en traînant les pieds pour m'embrasser. Anne fut la dernière, gaie comme un pinson, et quand son regard pétillant de malice se leva vers moi, je me sentis ragaillardie. Je ne m'étais donc pas trompée sur son compte, et Gauthier m'en donna aussitôt la preuve en affirmant que la petite était dissipée, imprévisible, « atypique ». Pour lui clouer le bec, je fis remarquer qu'un peu de fantaisie ne ferait pas de mal dans la famille. Estelle écoutait notre échange avec dédain, et le coup d'œil qu'elle jeta à sa fille me parut fort peu charitable.*

Anne restait près de moi, assise sur le carrelage, et il me vint une idée. Je proposai, tout en connaissant la réponse, d'inviter chez moi la petite pour un week-end puisqu'elle avait eu l'air de bien aimer la maison et ses hectares de pins. La réaction d'Estelle fut immédiate, elle se mit à piailler : « Pourquoi elle et pas les autres ? Et puis, c'est ridicule, vous n'y connaissez rien du tout en matière de jeunes, vous ne sauriez pas vous occuper d'une adolescente, surtout celle-là qui est ingérable ! » Gauthier lui-même sembla étonné par la véhémence de son épouse, mais il ne protesta pas. Pour moi, bien que le propos d'Estelle m'ait blessée, il confortait mes doutes sur l'étrangeté de cette relation mère-fille. J'avais piqué Estelle au vif, appuyé là où elle avait mal. En revanche, Anne cachait mal sa déception de ne pouvoir accepter mon invitation, et je

fus navrée que le petit jeu auquel je venais de me livrer
ait pu lui causer quelque peine.

N'ayant plus aucune raison de m'attarder, je pris
congé sans qu'on cherche à me retenir pour le dîner.
Manifestement, je n'étais pour Gauthier et Estelle
qu'une vieille femme à moitié folle. Et si par extraordi-
naire je présentais le moindre intérêt, ce ne serait pas
la petite Anne qui en profiterait.

Anne reposa le cahier. Elle devinait une révélation
proche, une mauvaise surprise. À chaque lecture, son
malaise grandissait, au point qu'elle ne lisait plus
qu'une ou deux pages à la fois pour avoir le temps de
les digérer. Sa mère n'avait pas été un modèle de
tendresse avec elle, soit, mais elle n'avait jamais manifesté de franche animosité non plus.

Quoique… En cherchant bien, Anne savait qu'elle
trouverait dans ses souvenirs des contrariétés ou des
déceptions dont son heureux caractère s'était accom-
modé. Enfant, elle n'avait été ni pleurnicheuse ni
rancunière. Si elle ne s'entendait guère avec Lily, elle
considérait qu'il devait en être ainsi de toutes les sœurs,
et que leurs six ans d'écart n'arrangeaient pas les
choses entre elles. Quant à leur mère, elle donnait
raison à l'aînée parce que celle-ci était plus… raisonnable. Du moins, en apparence. Avec le temps, l'éloi-
gnement dû aux études, puis les mariages, tout cela
s'était estompé. L'aigreur d'Estelle n'avait ressurgi
qu'au moment du testament d'Ariane, et à présent elle
ne cachait plus sa hargne. Mais à qui en voulait-elle
tant ? À Ariane ou à sa propre fille ? Et pourquoi ?

Parce que l'héritage lui était passé sous le nez ? Parce que, après avoir voulu à toute force que Gauthier oublie ses origines bourgeoises, voir Anne renouer avec le passé des Nogaro l'exaspérait ?

La voix de Jérôme qui l'appelait, en bas, l'arracha à ces questions. Elle quitta son bureau, dévala l'escalier et rejoignit son frère qui l'attendait dans le hall en compagnie d'un jeune homme blond.

— Je te présente Ludovic, qui va m'aider à finir les chambres. Voici ma sœur, heureuse propriétaire de ce bel endroit !

La poignée de main de Ludovic était ferme, et son sourire très charmeur. Un simple copain ? Une conquête de Jérôme ? Anne attendit des précisions qui ne vinrent pas, son frère se bornant à ajouter :

— Il y a des trucs que je n'arrive pas à faire tout seul, j'ai besoin d'aide. On descendra pour le déjeuner !

Il entraîna le jeune homme vers l'escalier tandis qu'Anne les suivait des yeux, perplexe. S'il s'agissait d'une aide bénévole, elle ne pouvait pas faire moins que nourrir ce garçon, mais cette manière d'être mise au pied du mur était un peu agaçante.

— Je ne tiens pas une cantine, maugréa-t-elle tout bas.

Néanmoins, elle gagna la cuisine et ouvrit le réfrigérateur pour voir ce qu'elle allait préparer. Au moment où elle tendait la main vers une boîte d'œufs, Goliath se mit à aboyer et la porte de la cuisine s'ouvrit sur Paul.

— Je peux entrer ? Bon sang, il est vraiment énorme, ce chien, je n'ai vu que des petits modèles toute la matinée, ça change !

Il affichait un sourire crispé pour dissimuler son embarras. Depuis sa fuite il n'avait pas revu Anne et ne l'avait pas appelée.

— Je me demandais quand j'aurais enfin de tes nouvelles. Entre…

Refermant la porte, il s'y adossa, comme s'il ne comptait rester que quelques instants.

— Je te dois des excuses, j'ai eu un comportement infantile. Bon, je ne tiens plus à divorcer, tu l'auras compris. Mais on fera ce que tu veux, tu n'es pas obligée de te plier à tous mes revirements.

— Paul…, soupira-t-elle.

Pour lui, elle le savait, c'était déjà beaucoup d'admettre qu'il avait eu tort.

— Tu restes pour déjeuner ? proposa-t-elle. Jérôme est là, avec un de ses amis.

— Il se fait des amis ? ricana-t-il.

Puis il se reprit en avouant :

— Je mangerais volontiers un petit truc avec vous avant de retourner à la clinique, mais d'abord, dis-moi ce que tu comptes faire.

— Au sujet du divorce ? Je ne sais pas, Paul.

— Si on mettait tout en stand-by ?

— En attendant quoi ? On donne un curieux spectacle à Léo, il ne doit pas s'y retrouver.

— Je suis prêt à faire un essai.

Elle le scruta, craignant de ne pas comprendre ce qu'il proposait.

— À condition que tu en aies toujours envie, je peux peut-être vivre ici un moment, voir ce que ça donne.

Quelques semaines auparavant, cette offre l'aurait comblée, mais sans doute était-il trop tard pour qu'elle puisse s'en réjouir. Sur le point de répondre, elle entendit les voix de Jérôme et de son ami dans le couloir. Aussitôt Paul en profita pour lâcher, d'un trait :

— Laisse-moi une chance, Anne ! Il faut qu'on arrive à s'en tirer, toi et moi, sinon je crois que je vais finir par vendre la clinique et la maison, tout plaquer pour m'en aller très loin.

Elle le connaissait bien et elle comprit que ce n'était pas une menace, encore moins un ultimatum, juste l'expression de sa détresse. Qu'il soit prêt à céder, au bout de plusieurs mois de lutte, était malgré tout une preuve d'amour.

— Mais voilà le plus beau ! s'exclama Jérôme. Tu te fais trop rare, beau-frère. Euh… Tu es encore mon beau-frère, n'est-ce pas ?

L'antagonisme entre eux deux était palpable. Ils ne s'appréciaient pas et n'avaient jamais cherché à le cacher. Paul toisa Jérôme et grommela quelque chose d'incompréhensible.

— Je fais des œufs brouillés pour tout le monde, annonça Anne.

Jérôme continuait de dévisager Paul comme s'il était à la fois surpris et amusé par sa présence. Anne aurait aimé poursuivre l'explication avec son mari en tête à tête, mais il ne disposait que d'un court moment à l'heure du déjeuner et elle remit leur conversation à plus tard. De toute façon, elle était trop troublée par sa proposition, elle avait besoin d'y réfléchir. Paul *ici*, dans une tentative de réconciliation ? S'installant à contrecœur pour voir si, finalement, la bastide lui convenait ? Avec quelle dose de rancune ou d'humiliation s'y résignait-il pour ne pas perdre sa femme ? Et elle, quel était son désir ? Paul l'avait obligée à passer par différents stades d'espoir et de désillusion, de peur et de chagrin, où en était-elle aujourd'hui ?

— Nous allons nous attaquer à la peinture du couloir, là-haut, décréta Jérôme en posant négligemment quatre assiettes sur la table.

Il allait et venait avec aisance tandis que Paul restait près de la porte, apparemment mal à l'aise dans le rôle de l'intrus. Quant au jeune homme blond, après s'être lavé les mains dans l'évier, il pencha sa tête sous le robinet pour boire à longs traits.

— Ludovic vient de monter sa micro-entreprise multiservice, précisa Jérôme. Il sait tout faire !

Le regard qu'il posa sur son ami était éloquent, d'autant plus qu'il ajouta :

— On va l'héberger pendant quelques jours en échange de son aide.

Anne surprit la grimace de Paul qui avait dû espérer un peu de tranquillité. La cohabitation n'allait pas simplifier les choses, mais elle n'y pouvait rien. Changer ses projets chaque fois que Paul montrait le bout de son nez n'aurait aucun sens. Avec un soupir résigné, elle saisit une poêle.

⁂

Suki ouvrit les yeux alors qu'il faisait encore nuit, et aussitôt elle fut prise d'une violente quinte de toux. Ses yeux la piquaient, elle n'arrivait pas à retrouver son souffle. Tâtonnant dans l'obscurité, elle chercha l'interrupteur de la lampe de chevet mais suspendit son geste à la dernière seconde. Elle se tourna vers Valère, lui attrapa un bras au jugé et le secoua brutalement.

— Réveille-toi vite ! Il y a de la fumée, ça brûle quelque part ! Et n'allume pas, tu risques de provoquer un court-circuit !

Ils se levèrent ensemble mais il fut le premier à la porte de la chambre. Lorsqu'il l'ouvrit, il distingua un épais brouillard dans le séjour et se mit à tousser. Prenant Suki par le poignet, il fonça à la cuisine, mouilla deux torchons dont ils se couvrirent le visage. À travers la fenêtre qui donnait sur la cour, il aperçut la lueur des flammes et se sentit pris de panique.

— C'est un incendie ! Oh, je ne sais pas par où on va sortir, attends…

Quelles étaient les consignes de sécurité dans ce cas-là ? Monter, descendre ? En ouvrant la porte palière, ne risquait-il pas de créer un appel d'air ? Il regagna la chambre en trois bonds, trouva son portable sur la table de nuit et composa fébrilement le 18 tout en enfilant un jean. On lui répondit que les pompiers étaient déjà en route et qu'il ne devait tenter de sortir que si l'escalier était praticable. Sinon, qu'il s'enferme et mette des linges humides au bas des portes.

Il revint dans le séjour, s'approcha de la fenêtre, vit qu'il y avait le feu partout dans la cour. Déjà, la chaleur augmentait, la fumée âcre s'épaississait.

— Le magasin ! cria Suki.

Elle fila dans le vestibule, ouvrit à la volée.

— Arrête ! hurla-t-il au moment où les vitres éclataient à l'étage du dessous.

Se jetant à la poursuite de sa femme, il la rejoignit sur le palier où elle hésitait. Ses poumons le brûlaient, il était terrorisé, mais la voie lui parut libre dans la cage d'escalier remplie de fumée.

— Tiens-moi et ne me lâche pas, on descend !

Malgré les ronflements du feu dans la cour, il perçut des appels et un lointain bruit de sirènes. À présent qu'ils s'étaient engagés sur les marches, ils n'avaient plus le choix, le temps était compté. Pressant le torchon sur son nez et sur sa bouche, il sentit la main de Suki accrochée à la ceinture de son jean. Qu'allaient-ils trouver en bas ? Mais le salut était là, nulle part ailleurs, ils ne devaient surtout pas se retrouver piégés en haut. Le bâtiment était hors d'âge, il pouvait s'embraser d'un coup et flamber comme une allumette.

Ils dévalèrent un étage, puis deux. Le dernier palier était une fournaise, et Valère dut lâcher la rampe.

— On y est presque, on fonce !

Derrière lui, Suki trébucha et le heurta. Sous le torchon, elle toussait à perdre haleine, au bord de l'asphyxie.

— Sauve-toi, dit-elle en s'effondrant sur les dernières marches.

Il la saisit à bras-le-corps, la souleva à moitié puis la traîna à travers le hall. Les deux portes mitoyennes donnant sur la cour et sur l'escalier des caves étaient déjà la proie des flammes, mais celle qui débouchait sur la rue semblait intacte. Il lâcha Suki pour l'ouvrir, sans y parvenir. Comme l'électricité ne fonctionnait plus, la serrure automatique était bloquée. Fou de terreur, il se mit à donner de grands coups de pied sur le battant tout en appelant au secours. Un instant, il tourna la tête vers l'escalier, mais il savait qu'ils ne pourraient pas remonter. Déjà l'incendie se propageait aux premières marches de bois, à la rampe.

Recroquevillée sur le carrelage, Suki ne toussait plus, les yeux exorbités, les deux mains autour de la gorge. Dans quelques secondes, le hall allait se transformer en brasier.

— Au secours, au secours ! hurla-t-il en martelant la porte, à bout de forces.

Il perçut un véritable coup de bélier, de l'autre côté, et n'eut que le temps de faire un bond en arrière. Le battant se fendit en deux, révélant un pompier armé d'une masse. Au moment où on l'attrapait brutalement par les épaules pour le tirer vers la rue, il sentit les flammes lui brûler le dos.

— Ma femme…, réussit-il à dire avant de perdre connaissance.

*
**

Rien ne subsistait de ce qui avait été le magasin de fleurs de Suki. Le commerce mitoyen, un salon de coiffure, était également détruit, ainsi que le petit immeuble dont il ne restait que des murs noircis, comme une sinistre coquille. L'incendie s'était déclaré vers quatre heures du matin, partant sans doute d'une des deux boutiques. Par chance, il y avait peu de locataires et ils avaient réussi à fuir. Ceux du premier avaient sauté par les fenêtres, ceux du second étaient absents, quant à Valère et Suki, l'intervention des pompiers les avait sauvés. Intoxiqués tous deux par les fumées, ils avaient été pris en charge par le SAMU, placés sous oxygène et immédiatement transférés à l'hôpital. Valère souffrait de légères brûlures dans le cou, mais ni son état ni celui de sa femme n'étaient alarmants. Cependant on les gardait en observation, les défaillances respiratoires pouvant survenir après coup.

Anne avait été la première à leur chevet car Suki, dès qu'elle avait pu parler, avait donné son numéro pour prévenir la famille. Estelle et Gauthier étaient arrivés de Biarritz peu après, puis Lily. Trop heureux de les savoir quasiment indemnes, ils les avaient étreints jusqu'à ce que Suki se mette à pleurer en silence, de grosses larmes roulant sur ses joues exsangues. Elle était d'une maigreur effrayante depuis quelques mois, et l'incendie de son magasin n'allait pas arranger sa santé.

En l'observant, Anne fut la seule à comprendre l'étendue de son désespoir, ainsi que sa hâte à quitter l'hôpital pour aller constater elle-même le désastre. De son côté, Valère semblait moins pressé, devinant sans doute qu'il ne restait pas grand-chose de leur vie passée. Le commerce de fleurs, le petit appartement sur cour rempli de leurs affaires personnelles : presque tout avait brûlé, et le reste devait être noyé sous l'eau des lances d'incendie. Néanmoins, Anne promit d'y faire un tour le soir même avant de rentrer chez elle.

Lorsqu'elle arriva sur les lieux, la vision apocalyptique des décombres de l'immeuble la sidéra. À l'évidence, rien ne pourrait être récupéré dans ce bourbier encore fumant. L'accès en était d'ailleurs interdit, protégé par un périmètre de sécurité. Anne resta un long moment sur le trottoir, atterrée à l'idée de ce qui attendait son frère et sa belle-sœur. Ils n'avaient même pas de quoi s'habiller pour quitter l'hôpital quand on les y autoriserait ! La veille, Suki avait été sauvée en chemise de nuit, et Valère ne portait qu'un jean. La première urgence serait de leur procurer des vêtements, puis de contacter leur assurance pour la déclaration de sinistre. Au moins, l'essentiel de leur comptabilité se trouvait dans l'ordinateur d'Anne, ce qui faciliterait peut-être quelques démarches.

Sur la route du retour, elle ne cessa de penser à ce qu'elle devait faire pour tenter de les soulager. D'abord, il leur fallait un toit, un endroit où vivre durant quelque temps, et elle leur ouvrirait volontiers sa maison s'ils le souhaitaient. La grande chambre du second étant finie, avec sa salle de bains, Valère et Suki pouvaient y être hébergés immédiatement. Anne savait que cette solution leur plairait davantage que de se réfugier dans l'appartement des parents, à Biarritz. À moins qu'ils ne préfèrent aller à Hossegor, chez Lily et Éric ? Mais, même si elle disposait d'une chambre d'amis, Lily aimait sa tranquillité et elle ne proposerait pas cette solution d'elle-même, Anne en était persuadée. Évidemment, la bastide allait se transformer en ruche avec Jérôme qui avait décidé de loger son ami Ludovic, Léo qui ne venait jamais sans Charles, Paul qui proposait un essai de cohabitation…

Songer à Paul mettait Anne très mal à l'aise. Il consentait enfin à venir la rejoindre, il admettait qu'avoir voulu divorcer était une erreur, mais serait-ce suffisant pour qu'ils se retrouvent tous les deux comme avant ? Ayant difficilement accepté l'idée d'une séparation, ce retour était d'autant plus perturbant pour elle qu'il ne s'effectuait qu'au conditionnel.

Comme souvent, elle fit un petit détour par la plage du Cap-de-l'Homy pour s'arrêter cinq minutes au bord de l'océan. À cette saison, il n'y avait plus de baigneurs, et aucun promeneur vu l'heure tardive. Quittant ses chaussures, elle décida de marcher un peu sur le sable. Le vent du soir était frais, gonflant les rouleaux qui venaient s'écraser à ses pieds. La contemplation de l'Atlantique était si apaisante qu'elle finit par s'asseoir, les yeux rivés sur l'horizon. Le soleil étant déjà couché, le ciel virait au rose orangé. Valère avait fait des photos fabuleuses ici, surtout en hiver, mais finalement il n'avait pu les vendre à personne, et aujourd'hui la totalité de son matériel professionnel, ses appareils, ses objectifs, devait être détruit par les flammes. Anne vérifierait qu'elle avait bien les doubles des factures dans leur dossier et ensuite elle tenterait, sans trop d'illusions, d'accélérer le remboursement des assurances. Néanmoins, quoi qu'elle fasse, Valère et Suki allaient traverser une période épouvantable. Au moins, ils avaient la chance de s'aimer et d'avoir échappé tous les deux à l'incendie. Peut-être parviendraient-ils à redémarrer leur vie main dans la main.

Parcourue d'un frisson, Anne se releva. Où en était donc sa propre vie ? Elle ne tenait plus la main de personne et n'était pas certaine de vouloir retrouver celle de Paul. Tournant le dos à l'océan devenu gris avec la nuit qui tombait, elle se mit à courir, pressée de rentrer chez elle.

**

— Comment ça, chez ta sœur ? C'est ridicule, Valère ! Venez chez nous, on vous dorlotera, n'est-ce pas, Gauthier ?

Quêtant le soutien de son mari, Estelle semblait désolée.

— L'appartement est confortable et on vous laissera bien tranquilles, reprit-elle avec conviction.

— Suki veut être à la campagne, maman. Elle a besoin de se reposer au milieu des arbres et des petits oiseaux.

Estelle haussa les épaules et se tut, gardant les lèvres pincées sur sa contrariété. Prudemment, Valère tourna la tête vers la fenêtre. Les brûlures de son cou ne le faisaient pas trop souffrir grâce aux calmants. Quand les pompiers avaient défoncé la porte, l'appel d'air avait attiré les flammes vers lui, mais l'instant d'après il était tiré hors du feu. Son évanouissement était dû à l'intoxication par la fumée, et les médecins redoutaient encore un problème pulmonaire. Lui se sentait plutôt bien physiquement, prêt à affronter les difficultés qui l'attendaient dès qu'il quitterait l'hôpital.

— Suki aime beaucoup Anne, elle s'entend bien avec elle, ajouta-t-il. Et il y a là-bas une belle chambre pour nous.

La pluie tombait depuis le lever du jour, l'automne était installé désormais. Valère se demanda comment ce serait de vivre chez quelqu'un, d'être hébergé, alors qu'il avait toujours été très indépendant.

— De quelle façon envisages-tu l'avenir ? s'enquit Gauthier avec un sourire encourageant.

— Tout dépendra de la compagnie d'assurances. Je suppose qu'il va d'abord y avoir une enquête pour déterminer la cause de l'incendie. Est-il parti de notre magasin ou du salon de coiffure d'à côté ? S'agit-il d'une négligence, d'un court-circuit ? Pour tout t'avouer, l'électricité était vétuste et nous ne l'avions pas remise aux normes dans la boutique. En ce qui concerne l'appartement, ça dépendait du proprio qui n'a jamais voulu faire un sou de travaux. Les responsabilités seront à déterminer, ça va prendre un temps fou.

— Tu payais bien tes primes ?

— Oui, Suki est très sérieuse avec les factures. Mais ça n'empêchera pas les choses de traîner en longueur, or nous n'avons plus aucun moyen d'existence. Je n'ai plus rien pour faire des photos, et Suki ne peut pas vendre des fleurs sur le trottoir.

Un silence angoissé s'installa entre eux, le temps de prendre la mesure de la catastrophe.

— Je t'ai apporté des vêtements, finit par dire Gauthier avec une grimace pathétique. Des trucs de secours, tu es plus grand que moi…

— Et Lily a donné à Suki des affaires appartenant à ses filles, renchérit Estelle. Ta femme est tellement maigre que ça devrait lui aller.

— Tant mieux, parce qu'elle va sortir la première. Les toubibs la laissent partir aujourd'hui mais ils veulent me garder encore deux jours.

— As-tu besoin d'argent dans l'immédiat ? Des espèces, peut-être ?

Gauthier avait ouvert son portefeuille et il en sortit quelques billets qu'il glissa prestement dans le tiroir de la table de nuit. Penser que son fils n'avait plus rien, ni papiers d'identité ni carte de sécurité sociale ou carte bancaire le rendait malade.

— Si je peux faire des démarches à ta place, n'hésite pas à me le dire.

— Merci, papa. Anne va accompagner Suki à la banque avant de la ramener chez elle.

Hochant la tête, Gauthier tapota l'épaule de Valère puis fit signe à Estelle.

— On te laisse, on reviendra te tenir un peu compagnie cet après-midi.

Une fois hors de la chambre, il poussa un long soupir désolé.

— Comment vont-ils s'en sortir, grands dieux ? Ils ne roulaient déjà pas sur l'or !

Toujours maussade, Estelle laissa tomber :

— Pourquoi vont-ils chez Anne ? S'ils s'étaient installés chez nous, on leur aurait facilité la vie pour bien des choses. Une « belle chambre », tu parles ! Le deuxième étage est en travaux là-bas, ils seront dérangés tout le temps. Et puis vois-tu, au bout du compte j'avais raison pour cette histoire de maison. Si Anne l'avait vendue, d'une part elle serait toujours avec Paul, et d'autre part elle disposerait d'une belle somme pour dépanner son frère. Il aurait pu se remettre à flot tout de suite, sans attendre le dédommagement des compagnies d'assurances. Parce que, je ne sais pas si tu t'en rends bien compte, mais Valère et Suki vont devoir rester inactifs pendant des mois et des mois, de quoi les rendre fous.

— Valère sera mieux avec sa sœur et son frère qu'avec ses parents. Il a passé l'âge.

Les sempiternelles réflexions de sa femme au sujet de l'héritage l'exaspéraient, mais dans cette circonstance il admettait que, en effet, l'argent aurait été bienvenu.

— Tout de même, murmura-t-il, Valère n'a pas de chance…

— Il y en a qui n'en ont pas assez et d'autres trop !

Gauthier pensait surtout que, malgré une éducation stricte, leurs enfants n'avaient pas de métiers stables. Jusqu'ici, Valère avait mal gagné sa vie avec son travail de photographe, Lily ne faisait rien du tout, Jérôme accumulait les bêtises, seule Anne possédait une vraie formation mais elle n'exerçait qu'à temps partiel. Pourquoi Gauthier n'avait-il pas réussi à les guider dans leurs choix ?

Les portes de l'ascenseur s'ouvrirent devant eux et ils se retrouvèrent nez à nez avec Paul.

— J'ai profité de l'heure du déjeuner pour venir faire une petite visite à Valère, expliqua-t-il en les saluant. Comment va son moral ?

— Il ne se plaint pas, mais je crois qu'il se sent au fond du trou, répondit Estelle, tout sourire. Ça lui fera du bien de vous voir, Paul, vous êtes resté son meilleur ami !

Pourquoi était-elle si affable avec ce gendre pour lequel elle n'avait jamais eu beaucoup de considération ? Espérait-elle réconcilier Paul et Anne à force d'amabilités ? Décidément, Gauthier ne comprenait plus sa femme ces temps-ci. Il la poussa dans l'ascenseur pour qu'elle se taise enfin.

⁎⁎

Jérôme et Ludovic avaient entassé les pots de peinture et les outils le long du mur dans le couloir. Une odeur de térébenthine flottait encore, mais les deux fenêtres de la chambre destinée à Suki et Valère étaient restées ouvertes tout l'après-midi. Ensuite, Jérôme avait refermé et branché le radiateur électrique. Cette pièce faisait sa fierté avec son parquet en pin tout juste posé, ses touches de couleur rouge basque, et l'agrandissement d'une photo très poétique des dunes et de l'océan, prise par Valère un mois plus tôt.

— Et voilà ! s'exclama-t-il avec un geste large. Vous serez nos premiers hôtes…

De plus en plus, il se comportait en propriétaire du lieu, peut-être parce que pour la première fois de sa vie il avait vraiment retroussé ses manches.

— C'est magnifique…, bredouilla Suki.

Dans un jean de Maud et un pull de Clémentine, les filles de Lily, elle avait l'air d'une gamine perdue.

— La salle de bains est à côté, ajouta Anne, j'y ai mis tout ce qu'il faut.

Avant de ramener Suki à la maison, elle l'avait escortée à la banque puis chez l'assureur, l'aidant de son mieux.

— Mon bureau est à l'étage en dessous, première porte dans la galerie. Tu peux l'investir pour passer tous les coups de téléphone que tu veux. On remplira ensemble la paperasserie, mais tu es partout chez toi ici.

Sa belle-sœur lui semblait d'une extrême fragilité malgré son masque de courtoisie. Fidèle à ses habitudes japonaises, elle remerciait, souriait, ne se plaignait pas, pourtant elle devait être brisée par les événements. D'abord il y avait son désir d'enfant non exaucé et dont elle ne parlait plus, et maintenant ce magasin de fleurs auquel elle avait consacré toute son énergie et qui était en cendres. Jusqu'ici, elle s'était consolée dans le travail, mais comment allait-elle supporter l'inaction ? Outre les problèmes d'argent à venir, c'était toute son existence qui avait été dévorée par les flammes, elle ne possédait plus un seul souvenir personnel. Anne se rappelait quelques objets de famille que Suki lui avait fièrement montrés un jour, dont un sabre de samouraï ayant appartenu à son grand-oncle et un petit bouddha de bois précieux qu'elle tenait de sa mère. Elle avait alors affirmé qu'elle ne s'en séparerait jamais parce qu'ils étaient à la fois ses porte-bonheur et son seul lien avec son pays d'origine. Retrouverait-on au moins le sabre noirci dans les décombres ?

Avec la bastide remplie du bric-à-brac d'Ariane, Anne apprenait peu à peu l'importance des choses. Telle babiole chargée d'une histoire, la raison d'une vaisselle si dépareillée, la mémoire des albums de photos, les secrets des cahiers de moleskine. Jamais elle n'avait vu ses parents s'embarrasser du passé, ils jetaient tout sans conserver la trace des années précédentes, n'appréciaient ni les meubles anciens ni les bibelots inutiles. Même l'histoire de la famille ne les intéressait pas. Aujourd'hui Anne en savait sans doute bien plus que son père sur les trois dernières générations de Nogaro.

— Remettez-vous au travail, les garçons, j'installe Suki.

Elle attendit que Jérôme et Ludovic aient disparu pour prendre sa belle-sœur par le coude et la conduire jusqu'au fauteuil installé entre les deux fenêtres.

— Tu vas te reposer un peu pendant que je fais le lit.

— Non ! Je…

— S'il te plaît.

— Pas question. Je refuse d'être considérée comme une malade ou une convalescente, je vais très bien, les médecins l'ont dit. Et je ne me sentirai à l'aise que si tu me laisses prendre ma part des tâches dans la maison.

Anne la dévisagea quelques instants puis acquiesça.

— D'accord. Au fond, ça te distraira de tes soucis.

Elle s'assit en tailleur à même le parquet avant d'ajouter :

— Je suis très contente que tu sois là, Suki. Il y a des trucs dont on ne peut parler qu'entre femmes et je suis entourée d'hommes ! À propos, il est possible que Paul vienne nous rejoindre.

— Vous êtes réconciliés ?

— Pas vraiment. C'est un peu compliqué… Aujourd'hui, Paul marche sur son orgueil parce qu'il m'aime, mais rien ne dit qu'il ne me le fera pas payer, même inconsciemment. Après avoir décrété qu'il ne vivrait *jamais* ici, arriver avec sa valise est un peu piteux.

— Il le fait pour toi.

— Non, il le fait pour lui. Pour ne pas souffrir, lui. Quand il a pris un avocat pour lancer la procédure de divorce, j'ai passé mes nuits à pleurer sans qu'il me donne signe de vie. Il boudait, drapé dans sa dignité, prêt à tout casser plutôt que de céder. Ensuite, il s'est aperçu qu'il était bien plus malheureux qu'il ne l'avait craint. Le jour du jugement, il est parti en courant. Lui ! Tu imagines ?

— Et tu ne veux pas y voir une preuve d'amour ?

— Si, peut-être… Je ne sais pas. Je constate que mes certitudes ont disparu. Je connaissais la force de caractère de Paul, que j'ai toujours admirée, mais qui est devenue de la rigidité et qui s'est retournée contre moi.

— Est-ce que ça signifie que tu ne l'aimes plus ?

Désorientée par une question aussi directe, Anne prit son temps pour répondre.

— Ça ne peut pas s'arrêter d'un coup. Je t'aime, je ne t'aime plus… Disons que ce n'est plus tout à fait pareil. Avant, je n'avais jamais douté. Nous étions en phase tous les deux, du moins je le croyais. Quand j'ai su que j'étais l'unique héritière d'Ariane, j'ai immédiatement deviné que nous aurions des problèmes. Pour moi, c'était une chance inattendue, une opportunité formidable, mais Paul ne l'a pas vécu comme ça et j'ai été déçue. Non seulement il n'était pas d'accord avec moi, mais il s'est immédiatement transformé en ennemi ! Et il m'a servi les discours que m'infligeaient mes parents quand j'étais gamine. D'après lui, je n'étais pas *raisonnable*. Quel besoin avait-on de l'être ? Nous n'étions pas en péril avec deux bons métiers et des emprunts quasiment remboursés. Au contraire, c'était le moment de tenter une aventure pour se sortir de la routine. Sauf que Paul apprécie la routine… En fait, nous ne regardons plus dans la même direction tous les deux, c'est le pire de ce qui pouvait nous arriver.

Suki l'écoutait avec une telle attention qu'Anne en fut embarrassée.

— Je parle trop de moi !

— Tu en as besoin.

— Moins que toi, Suki. Je me sens très égoïste, pardon. Quand je pense à ce que vous vivez, Valère et toi, j'ai honte de mes états d'âme.

— On s'en sortira. Notre amour est sans nuage, rien ne compte davantage. J'ouvrirai un autre magasin dès que ce sera possible. Des fleurs, il y en aura toujours.

— Est-ce que tu m'en planterais quelques-unes si j'achète les graines ?

— Oui, mais pas au milieu de ta clairière ! Trop de soleil, et trop de sable apporté par le vent. Le long de la maison, peut-être.

— Et un ou deux palmiers ? suggéra Anne en songeant à cet *improbable* palmier dont parlait Ariane dans l'un des cahiers. Il paraît que ma grand-mère avait essayé d'en faire pousser un ici il y a une soixantaine d'années.

— À l'époque, les variétés importées étaient sûrement moins résistantes qu'aujourd'hui. Avec la douceur de notre climat, il n'y a aucune raison pour qu'un palmier ne se plaise pas. Mais tu devras faire attention à ce que ce ne soit pas ton Goliath qui l'arrose !

— Tu n'as jamais eu de chien, Suki ?

— Quand j'étais enfant, mes parents avaient un Akita assez impressionnant dont je n'avais pas du tout peur, paraît-il. Après notre mariage, Valère m'avait proposé de prendre un chien ou un chat, mais je pensais que nous aurions très vite un bébé et…

Elle s'arrêta net, mit sa main devant sa bouche comme si elle avait proféré une énormité.

— Je ne veux plus parler de ça, ajouta-t-elle d'une voix sourde.

Anne se garda d'insister, devinant à quel point Suki souffrait de ce désir de maternité jamais comblé. Mais tenir secrète sa douleur ne l'aidait sûrement pas. Évoquait-elle encore ce problème avec Valère ou l'avait-elle totalement occulté ?

Finalement, elles firent le lit ensemble puis descendirent dans la chambre d'Anne pour trier quelques vêtements. Malgré leur différence de taille et de corpulence, elles trouvèrent de quoi habiller Suki dans l'immédiat. La nuit tombait déjà et elles firent rapidement le tour de la maison pour que Suki s'y sente à l'aise.

— Que c'est grand ! répétait-elle chaque fois qu'Anne ouvrait une porte.

— C'était à l'origine une maison de famille construite pour recevoir.

— Mais quand tu as décidé de t'installer ici, avant que Jérôme ne te rejoigne, tu n'avais pas peur, toute seule ?

— Je n'étais pas seule, j'avais Goliath.

— Tu crois qu'il te défendrait ?

— À mon avis, il suffit de l'apercevoir pour prendre ses jambes à son cou.

Dans la cuisine, elles se chamaillèrent pour savoir qui préparerait le dîner, et lorsque Paul arriva, un peu avant huit heures, elles étaient en train de confectionner des sushis.

— Ce soir, je suis juste venu dîner, glissa-t-il à l'oreille d'Anne. Sauf si tu m'invites à dormir…

L'allusion était limpide. Elle l'entraîna vers la cave, sous prétexte de chercher du vin, et en profita pour mettre les choses au point.

— Si tu fais un essai, tu le fais vraiment ! Je ne suis pas une girouette et tu n'as pas à te comporter comme un invité de passage.

Il la prit par la taille, l'attira à lui.

— Pour l'instant, je me sens étranger à cette maison et à ta nouvelle vie. Il faut que nous refassions connaissance, d'accord ?

Se laissant aller dans ses bras, elle perçut l'effluve de son eau de toilette. Comme il n'en mettait jamais pour travailler, afin de ne pas perturber l'odorat des animaux qu'il soignait, elle comprit qu'il était passé prendre une douche à Castets avant de venir.

— Toi et moi, nous ne sommes pas des étrangers, murmura-t-elle.

La tête levée vers lui, elle attendit qu'il se penche et qu'il l'embrasse. Il le fit avec délicatesse, sensualité, sans

126

la brusquer, mais elle fut horrifiée de ne rien éprouver, ni désir ni plaisir. Quelques mois de conflits et de séparation avaient donc suffi à tuer ses sentiments ? Elle se serra davantage contre lui, fit le vide dans son esprit pour en chasser toute rancœur. Contre sa hanche, elle sentait l'envie qu'il avait d'elle. Tout à l'heure, en tête à tête dans sa chambre, dans son lit, qu'allait-il arriver ? Resterait-elle de glace ? Serait-elle obligée de jouer la comédie, de faire semblant ? Alors qu'il glissait une main sous son pull, elle recula.

— On ne peut pas laisser Suki toute seule, réussit-elle à dire de façon naturelle.

Entre stupeur et déception, son cœur battait la chamade. Elle désigna des bouteilles sur une clayette.

— Choisis ce que tu veux, je remonte.

— J'espère que Jérôme ne sera pas odieux toute la soirée ! lança-t-il tandis qu'elle s'élançait vers les marches.

Un peu plus tôt, elle avait redouté l'affrontement entre son frère et son mari, mais à présent elle avait un souci plus grave. Depuis la première nuit avec Paul, leur attirance et leur entente physique ne s'étaient jamais éteintes. Ils étaient complices, connaissaient les bons gestes pour l'autre, faisaient bien l'amour. Alors, que signifiait cette panne de désir ?

Dans la cuisine, Ludovic s'initiait très sérieusement à la confection des sushis, bombardant Suki de questions.

— Wasabi, soja…, récapitula-t-il.

— Et gingembre mariné. Il n'y a rien de plus facile à faire. Pareil pour les yakitoris, des brochettes de légumes et de poulet. La prochaine fois, on pourra aussi essayer les tempuras, ce sont des beignets.

— De quoi ?

— Peu importe ! Viande, crevettes, huîtres, ce qu'on a sous la main. Mais il faut absolument se procurer des radis daïkon pour la sauce.

Ludovic semblait sous le charme.

— Daïkon ? répéta-t-il.

— Des radis blancs qui aident à digérer.

— Parlez-moi d'une bonne côte de bœuf avec des frites, marmonna Jérôme.

Suki jeta un coup d'œil vers Anne et fronça les sourcils.

— Tout va bien ?

— Oui, oui, Paul nous choisit une bonne bouteille parmi les merveilles qu'Ariane a laissées. Ce sont de très vieux millésimes, mais la cave reste à une température constante qui a dû les préserver. On va trinquer à toi et à Valère, nos deux rescapés.

Cette fois, Suki eut un vrai sourire. Quels que soient ses tourments, elle avait échappé à un incendie, elle était consciente de sa chance.

— Je mets le couvert parce que je fais tout, ici ! claironna Jérôme.

Suki se mit à rire, séduite par sa gaieté, mais Paul, qui émergeait de la cave, leva les yeux au ciel. Pour lui, tant que Jérôme n'aurait pas fait ses preuves, il demeurerait un incapable.

Le portable d'Anne se mit à vibrer, affichant le numéro de Julien. L'espace d'une seconde, elle hésita à répondre, se sentant vaguement coupable, puis elle prit la communication.

— Bonsoir, Anne, navré de te déranger à l'heure du dîner, mais Paul est-il dans les parages ? J'ai deux urgences sur les bras et j'aimerais lui en parler.

Sa voix était pressée, professionnelle, sans rien de chaleureux.

— Je te le passe, répondit-elle avant de tendre le téléphone à Paul.

Elle supposa qu'il avait oublié le sien dans sa voiture, ce qui trahissait sa nervosité lors de son arrivée ici. Il sortit de la cuisine tandis qu'elle essayait de faire le tri de ses émotions. Était-elle déçue par le ton distant de Julien ? Il la fuyait depuis ce stupide baiser et ne mettait plus les pieds à la bastide. Or elle n'oubliait pas qu'elle avait une dette envers lui, ce qui ne simplifiait pas non plus leurs rapports. Elle décida de le rembourser au plus tôt, et pour ça elle devait trouver un arrangement avec Jérôme puisque c'était lui le débiteur. Depuis des semaines, son frère se donnait du mal avec les travaux, en conséquence il méritait une rétribution, ce serait la somme due à Julien.

Dans le couloir, Paul était en train de s'énerver au téléphone. Apparemment, il était en désaccord avec Julien, ce qui n'arrivait pourtant jamais. Elle poussa la porte de la cuisine pour qu'il soit tranquille, puis déboucha l'une des bouteilles remontées de la cave.

— Est-ce que ton mari va vraiment s'installer ici ? demanda Jérôme à voix basse.

Elle était en train de chercher une réponse appropriée lorsque Paul revint, la mine sinistre.

— Je dois partir, il y a deux opérations à faire tout de suite à la clinique et Julien ne peut pas y arriver seul.

Les urgences étaient rares et celui qui était de garde s'en chargeait, sauf cas exceptionnel.

— Je t'accompagne à ta voiture, proposa Anne.

Une fois dehors, Paul lui mit son bras autour des épaules et soupira :

— Je n'ai pas de chance, on dirait ! Je me réjouissais de cette soirée, de te retrouver… Nous sommes dans une drôle de situation, toi et moi, n'est-ce pas ?

— Oui, tout ça est un peu irréel.

Elle se tenait sur la défensive, sans aucune envie qu'il l'embrasse de nouveau.

— Je reviendrai demain, avec ma valise cette fois.

D'un geste tendre, il ébouriffa les cheveux d'Anne et lui souhaita une bonne soirée avant de démarrer. Bien qu'il soit consterné de partir, il ne lui serait pas venu à l'idée de refuser de rejoindre Julien. D'après ce dernier, il y avait eu un gros carambolage sur la nationale 10 et la gendarmerie l'avait appelé pour récupérer deux chiens blessés, un cocker et un berger allemand en piteux état.

Dès qu'il fut sur la route il accéléra, pressé de gagner la clinique, cependant toutes ses pensées étaient encore tournées vers Anne. Bon sang, comme il se sentait peu à son aise dans cette fichue maison, et comme Anne, au contraire, l'avait totalement investie ! Elle était chez elle, la baraque lui *allait bien*. Et en quelques mois, elle avait su organiser toute une vie autour d'elle. Son insupportable frère cadet, maintenant flanqué d'un petit copain, semblait installé pour toujours, et Valère rejoindrait bientôt Suki pour un séjour qui risquait de s'éterniser.

Seule consolation, avec Valère, Paul aurait un ami dans la place, quelqu'un à qui parler. Car pour le moment Anne paraissait distante, hésitante, pas vraiment enthousiasmée par sa présence. Pourtant, il avait fait amende honorable, que pouvait-elle souhaiter de plus ? Oui, il était prêt à revenir avec sa valise, prêt à tout pour reconquérir sa femme, jamais il ne se serait cru capable de concessions pareilles. Mais il avait eu tort en demandant le divorce, tort en n'acceptant pas d'essayer de vivre dans cette bâtisse. Une tentative qu'ils auraient dû faire ensemble, dès le début, et qui leur aurait peut-être permis de rentrer chez eux quelques mois plus tard. Aujourd'hui, Anne avait des projets pour sa maison, elle l'avait carrément mise en chantier et ne la lâcherait pas facilement. Sauf si le fait de recevoir des *hôtes* lui déplaisait au bout du compte. Mesurait-elle la servitude de ce genre d'activité ? Même si elle avait besoin de voir du monde, les clients de passage, pas forcément intéressants ni polis, pourraient bien finir par l'exaspérer. Évidemment, on devait cette brillante idée à Jérôme, toujours aussi décidé à exploiter les autres.

Il roulait vite et il émergea de la forêt de Lit-et-Mixe, soulagé de ne plus voir que des alignements d'arbres dans ses phares. La bastide Nogaro était vraiment perdue au milieu des pins, introuvable si on ne la connaissait pas. Ceux qui loueraient des chambres auraient intérêt à être équipés d'un GPS !

Durant les derniers kilomètres avant Castets, il essaya de penser à Julien qui ne devait plus savoir où donner de la tête. Mais c'était un excellent praticien, qui pouvait garder son sang-froid, il avait dû parer au plus pressé en l'attendant.

« Parer au plus pressé » était ce que Paul avait fait en fuyant le palais de justice et le jugement du divorce. Il ne le regrettait pas, néanmoins il s'apercevait qu'il ne suffirait pas de prendre Anne dans ses bras pour tout effacer. Et Léo, qu'allait-il déduire de la présence de son père ? Ne serait-ce pas lui donner de faux espoirs si jamais la réconciliation prévue n'avait pas lieu ? Cette éventualité avait de quoi le glacer, il refusait de l'envisager, pas après tous les efforts qu'il faisait. Des efforts qui avaient pour but de reconstruire tout ce qu'Anne et lui avaient cassé par entêtement. Rebâtir leur couple, retrouver la confiance, repartir pour la vie. Voilà ce qu'il voulait, et il s'en donnait les moyens. Depuis toujours, il surmontait les obstacles à force de volonté, il arriverait à franchir celui-ci comme les autres.

La clinique apparut enfin devant lui, de la lumière à toutes les fenêtres. Oubliant Anne, il se gara en catastrophe et courut vers l'entrée.

4

Le climat des Landes, s'il est généralement clément, peut parfois réserver de surprenants coups de froid lors d'hivers rigoureux. J'en connus deux, l'un après l'autre, qui rentabilisèrent mon poêle Godin ainsi que les quelques billets donnés à un bûcheron pour me scier du bois. De ça, je ne manquais pas ! Il y avait des branches mortes partout sur mes « terres », ainsi que des arbres bons à abattre qui se transformèrent en bûches. Quatre hectares, si c'est insignifiant pour un forestier, c'est beaucoup trop pour un particulier. Personne ne l'ayant entretenue, ma pinède était d'une impressionnante densité et elle me préservait d'éventuels curieux. J'étais donc totalement seule, comme je le souhaitais.

Prendre le thé avec Pierre Laborde était toujours un moment divertissant car il me racontait mille petites choses et m'adressait force compliments. À mon âge, ces gentillesses étaient de véritables douceurs, mensongères ou pas. Craignant toujours avec obstination que je puisse être sujette à l'ennui, il m'apportait des magazines, des recueils de mots croisés, des fiches de jardinage. M'imaginait-il, binette en main, penchée au-dessus des chardons ? J'acceptais gaiement ces menus cadeaux et mettais la conversation sur les cours de la Bourse, espérant que mes avoirs s'étoffaient.

Gauthier ne donnait pas de nouvelles et, hormis une pensée mélancolique et récurrente pour la petite Anne, je ne m'en plaignais pas. Pourtant, un matin, je reçus de sa part un appel m'annonçant sa visite. Il arriva l'après-midi même au volant de son vieux tacot, la mine soucieuse et embarrassée. Après de vagues formules de politesse, il en vint au fait : il avait besoin d'argent. Pas d'une somme énorme mais de quoi constituer un apport personnel pour l'acquisition d'un appartement. Avec quatre enfants à élever, il n'avait guère d'économies, or il pensait – déjà ! – à sa retraite.

Cette demande inattendue me laissa sans voix. Nos relations étaient des plus médiocres, néanmoins il se tournait vers moi car il n'avait personne d'autre à qui s'adresser. Je lui fis valoir que j'avais investi à peu près tout ce que je possédais dans le rachat de la bastide, ce qui provoqua un haussement d'épaules, sans toutefois le décourager. L'appartement qu'il guignait était une « merveille », sa situation « idéale », sur le port des pêcheurs, bref il s'agissait d'un investissement « judicieux ». Rien à voir avec ma propre folie. Réclamant mon aide au nom d'une bonne action, il alla jusqu'à oser dire : « Tu as toujours vécu comme une princesse, il doit bien te rester quelque chose ? »

J'aurais pu refuser. Je pense même que j'aurais dû ! Ce qu'il ferait de ses vieux jours en compagnie

*d'Estelle ne m'intéressait pas du tout. Et dans sa tête,
je le savais, mon argent n'était pas respectable
puisqu'il n'était pas le fruit du travail. Néanmoins, il le
voulait, quitte à le prendre avec des pincettes. Il ajouta
enfin, la main sur le cœur, qu'Estelle n'était pas au
courant de sa démarche. Un mensonge inutile auquel
je ne crus pas puisqu'il ne lui cachait jamais rien.*

*Nous n'avions pas vécu sur le même pied lui et moi.
De mon point de vue, ce qu'il sollicitait ne semblait pas
exorbitant, je pouvais donc l'aider et... en faire mon
débiteur. Je lui promis un chèque sous huit jours sans
exiger de garantie. Il se récria, voulut me signer un
papier, que je refusai. Alors il se lança dans des explications fébriles d'où il ressortait que la location de
l'appartement en question couvrirait largement son
crédit dans les années à venir, qu'il faisait une excellente affaire puisqu'il était logé par l'Administration,
qu'il me rembourserait au fur et à mesure, que je ne
regretterais pas d'avoir été utile « pour une fois ».*

*Ayant étourdiment lâché ces trois derniers mots, il
s'arrêta net. Mais je n'allais pas revenir sur notre
accord pour une petite vexation supplémentaire. Après
tout, il découvrirait les joies de la propriété grâce à
moi, et même s'il continuait à me traiter de folle, il ne
pourrait mettre en doute ma générosité. Trop borné
pour être reconnaissant, il était aussi trop intègre pour
ne pas l'être.*

*Car pour satisfaire ses besoins, il me fallut vendre
mes derniers bijoux. Je ne voulais pas toucher à mes
placements en Bourse pour lesquels j'avais d'autres
projets, et je ne disposais d'aucune liquidité. Sans états*

d'âme, je me défis d'un bracelet d'émeraudes, de trois rangs de perles, de mon sautoir en lapis-lazuli et de mes boucles d'oreilles en diamant. Celles-ci, que je n'avais jamais quittées, furent remplacées sur-le-champ par une copie en toc du plus bel effet. Je ne gardai qu'un pendentif, un rubis en forme de goutte qui avait été le dernier cadeau de Paul-Henri juste avant sa maladie. Ce joyau était d'un rouge profond, plein d'une mystérieuse lumière, et j'avais bien le droit de conserver un souvenir, rien qu'un seul, de ma splendeur passée. Une opulence dont je n'avais pas la moindre nostalgie puisque j'avais retrouvé ma maison et ainsi atteint le comble du luxe.

Anne reposa le cahier qu'elle se mit à tapoter distraitement. C'était donc grâce à Ariane que ses parents avaient pu acquérir leur appartement du port des pêcheurs ? Ni son père ni sa mère n'en avaient jamais fait mention. D'après eux, seuls leur sens de l'épargne et leur clairvoyance étaient à l'origine de ce beau placement.

À présent, le jour se levait et elle éteignit sa lampe de chevet. Paul était parti travailler une heure plus tôt, d'assez mauvaise humeur à en croire sa façon de malmener les objets. Mais elle avait fait semblant de dormir pour échapper à une éventuelle étreinte matinale. Incapable de retrouver du désir pour lui, elle avait simulé le premier soir et s'était inventé une grosse fatigue la veille. Paul n'était sûrement pas dupe, cependant il n'avait rien dit. Il se montrait tendre, délicat, ne provoquant hélas en elle que l'envie de pleurer. Où était passée leur complicité ? Elle n'avait pas envie de faire l'amour, même pas de s'endormir contre lui, et elle ne comprenait pas pourquoi.

Elle alla prendre une douche puis descendit à la cuisine où Valère et Suki attaquaient leur petit déjeuner. Rentré de l'hôpital en bonne forme, son frère aîné avait décidé de décharger Suki de tous les problèmes administratifs.

— Aujourd'hui, déclara-t-il, je m'occupe de nos papiers d'identité et ensuite je passe chez l'assureur qui a des tas de questionnaires à me faire remplir. Il faut que je dresse la liste de tous nos biens partis en fumée, jusqu'au dernier torchon !

— Des indemnités sont prévues dans l'immédiat pour vous deux ?

— En ce qui concerne le magasin, oui. Plus tôt Suki pourra reprendre son activité commerciale, moins ça coûtera cher à la compagnie d'assurances parce qu'il y a une perte d'exploitation qui court.

— Enfin une bonne nouvelle !

— Tu n'es même pas obligée de nous loger, il y a quelque chose à ce sujet dans les clauses du contrat.

— Ce n'est pas une obligation, affirma Anne, je suis heureuse de vous avoir à la maison.

— Moi aussi, intervint Suki. J'adore cet endroit !

Anne en resta bouche bée. Après avoir tellement entendu, venant de ses parents ou de Paul, de critiques sur sa « baraque », le compliment la touchait beaucoup.

— Papa a proposé de nous loger chez eux à Biarritz, poursuivit Valère, mais ça ne me disait rien. D'abord, c'est trop loin, et puis maman est tellement maniaque... Si c'est pour entendre le couplet sur l'appartement qu'ils ont mis toute leur vie à payer et dans lequel on ne doit marcher qu'en chaussons, merci bien.

Après ce qu'elle venait de lire, Anne esquissa un sourire mais ne fit pas de commentaire. Au fil du cahier d'Ariane, elle apprenait des choses surprenantes qui rendaient confuse l'image qu'elle avait de ses parents, et dans l'immédiat, elle préférait garder ces révélations pour elle.

— Notre chambre est fantastique, ajouta-t-il. J'avoue que le boulot de Jérôme me stupéfie. Tu nous l'as vraiment changé, lui qui ne savait pas planter un clou !

— Ni rester longtemps à la même place. Je pense qu'il se plaît ici.

— Et ces chambres d'hôtes, tu crois que ce sera rentable ?

— Les recettes seront absorbées par nos travaux de rénovation, mais dans un premier temps ceux-ci étaient nécessaires et je n'avais pas les moyens de les financer. Quand nous aurons amorti tous ces frais, la location constituera un apport pour l'entretien de la maison. On commencera avec trois chambres, mais nous pourrions en louer cinq en tout, c'est le maximum autorisé dans le cadre juridique des maisons d'hôtes. J'ai établi un budget prévisionnel précis, et tant que les revenus de cette activité ne dépasseront pas seize mille euros dans l'année, je ne serai pas redevable de cotisations sociales.

— Recevoir tout ce monde ne te fait pas peur ? insista-t-il.

— Au contraire. J'ai vécu en solitaire trop longtemps, je suis prête à essayer autre chose.

— Reste le problème de Goliath. Supportera-t-il les allées et venues des étrangers ?

— Bien sûr. Il est obéissant et plutôt sociable tant que je ne suis pas menacée. Mais la propriété sera interdite aux autres chiens pour éviter les incidents.

— C'est une belle aventure que tu vas tenter, intervint Suki. Faire revivre la maison de tes ancêtres et la partager, quelle bonne idée !

De nouveau, Anne fut émue par la gentillesse de sa belle-sœur, mais Valère insinua :

— Et Paul, dans tout ça ?

— Eh bien… Je ne sais pas trop. Pour l'instant, nous sommes dans le brouillard, lui et moi. Avec tout le travail qu'il a, rentrer le soir dans une maison où circulent des inconnus ne lui conviendra peut-être pas, mais je ne veux pas renoncer à mon projet pour des « si » ou des « peut-être ».

Valère la considéra avec étonnement, sans doute surpris par sa détermination. Comme d'autres dans la famille, il ne comprenait pas qu'elle ait l'air de tenir davantage à sa bastide qu'à son mari. Lui expliquer que les revirements de Paul l'avaient traumatisée ne servirait à rien, Valère était son ami et il l'avait toujours admiré, il ne lui donnerait pas tort.

Anne alla se resservir une tasse de café qu'elle décida de monter dans son bureau. Du travail l'attendait, impossible à différer. La fin de l'année approchant, ses clients ne tarderaient plus à demander leurs comptabilités, tout devait être en ordre pour établir les bilans. Durant près de deux heures, elle resta rivée à son ordinateur, la tête pleine de chiffres, puis elle s'accorda une pause. Comme toujours, elle se dirigea vers la fenêtre, mais il faisait trop froid pour ouvrir et elle se contenta de regarder à travers les carreaux. Elle aussi, comme Ariane en son temps, devrait bientôt faire appel à un bûcheron afin d'éclaircir un peu la densité de sa pinède. Il y avait partout du bois mort, et probablement de vieux arbres à abattre. La fin de l'automne était-elle la bonne saison pour le faire ? Elle n'y connaissait rien mais ne demandait qu'à apprendre, elle allait se renseigner pour trouver quelqu'un.

— Je peux te voir une minute ? demanda Jérôme en passant la tête à la porte.

— Entre !

— Tu regardais le paysage ? s'étonna-t-il.

— Je ne m'en lasse pas. Est-ce que par hasard tu connaîtrais un bûcheron ?

— Je peux t'en dénicher un.

— Grâce à Ludovic, je suppose.

— Oui, il a plein de copains partout.

— Vraiment ? À propos, tu m'as dit qu'il avait monté une micro-entreprise, mais où exactement ?

— À Soustons, c'est là qu'il habite.

— Pour l'instant, c'est plutôt ici.

— Est-ce que ça te pose un problème ?

— Pas du tout. J'aurais juste voulu savoir…

— Si nous sommes amants ? Occasionnellement.

Un petit silence plana entre eux, puis elle haussa les épaules en maugréant :

— On ne fait pas plus romantique !

Il éclata d'un rire spontané et communicatif.

— Parfois je t'adore, ma jolie.

— Tu vas moins m'aimer quand je vais t'annoncer que j'envisage de rembourser ta dette envers Julien.

— Avec quel argent ?

— Celui que tu mérites pour le travail accompli depuis des mois.

— Mon travail ? Ah, non, tu ne peux pas me faire ça ! Je me suis donné un mal de chien pour toi, je n'ai rechigné à rien, je me suis levé tous les matins à sept heures, et bien sûr j'espérais que tu finirais par me payer. J'en ai marre de vivre sans un sou, je ne peux même pas m'acheter un paquet de cigarettes !

— Jérôme, tu es arrivé ici les mains dans les poches, avec une vieille valise à moitié vide, des tee-shirts troués et des dettes. Depuis, je te loge, je te nourris, je te passe ma voiture avec le plein et c'est moi qui achète tes cigarettes. Je sais que toute peine mérite salaire, c'est bien pour ça que je veux rembourser Julien à ta place. Mais si je te donne cet argent, il n'en verra pas la couleur. Tu reporteras indéfiniment, tu le sais très bien. Débarrassons-nous de ce problème et considérons que nous avons remis les compteurs à zéro, toi et moi. Je crois que tu ne perds pas au change.

— Oh, ta foutue honnêteté, ton amour des chiffres précis ! Tu sais quoi ? J'ai emprunté du fric à Ludovic pour m'offrir des petits plaisirs en ville. Alors, tu as l'intention de recommencer avec lui, tu le paieras à ma place ?

— Non, lui c'est ton ami, ça vous regarde. Tandis que Julien…

— Il t'en aurait fait cadeau, idiote !

Interloquée, elle le fixa sans la moindre indulgence.

— Cadeau ? C'est fou comme l'argent des autres a peu de valeur ! Tu ne respectes rien, Jérôme, tu n'es même pas honnête. Et quoi qu'il en soit, je ne veux pas de cadeau de la part de Julien.

— Pourquoi ?

— Il ne me doit rien. J'étais débitrice, je ne le serai plus, l'affaire est réglée. Si tu n'es pas d'accord, tant pis pour toi.

Elle se sentait exaspérée mais elle avait réussi à rester calme, posée. Jérôme avait l'habitude de faire céder les autres, utilisant son charme et son humour pour arriver à ses fins. Il ne devait pas comprendre pourquoi ça ne marchait pas avec sa sœur. Jusqu'ici, elle avait fait à peu près tout ce qu'il voulait, le mettant à l'abri de ses créanciers menaçants, lui épargnant les leçons de morale, le laissant vivre à sa guise. Elle reconnaissait volontiers que son idée de chambres d'hôtes était bonne et qu'il avait travaillé d'arrache-pied pour la rendre possible, mais elle considérait aussi qu'elle venait de le payer correctement.

Devant lui, elle sortit un chéquier du tiroir du bureau et rédigea un chèque de six mille euros à l'ordre de Julien. Quand elle releva la tête, elle croisa le regard de son frère.

— Et maintenant ? demanda-t-il d'une voix moins agressive.

— Remets-toi au boulot.

— Esclavagiste !

— Au fait, de quoi venais-tu me parler ?

— Je voulais savoir si tu vois un inconvénient à ce que Valère nous aide, à l'occasion. J'ai peur qu'il s'ennuie…

— C'est toi l'esclavagiste. Il a mille démarches à faire pour l'instant. Mille choses à racheter, aussi, dont ses appareils photo et ses objectifs pour reprendre son métier. L'urgence est là. Toi, tu as *déjà* de l'aide avec ton invité *occasionnel*.

— Oui, chef, bien, chef ! répliqua-t-il en se mettant au garde-à-vous.

Il avait retrouvé son air insouciant, apparemment il ne lui en voulait pas.

— En tant que chef, j'aimerais que tu te mettes en conformité avec la loi. Un mot que tu détestes, d'accord, mais où en es-tu vis-à-vis des caisses de chômage, d'assurance maladie ? On pourrait m'accuser de te faire travailler au noir.

— Nous sommes en famille ! protesta-t-il.

— Je sais bien, pourtant, il faut qu'on trouve une solution pour te rémunérer. Une sorte de… d'association ?

— Pas maintenant, Anne. Quand nous aurons des clients, on verra.

— Est-ce que ça signifie que tu n'es pas sûr de rester ?

— Je ne suis jamais sûr de rien.

Elle le laissa partir, perplexe. Il avait eu l'honnêteté de ne pas s'engager pour l'avenir, au moins il ne cherchait pas à la bercer d'illusions. Et, contrairement à ce qu'elle avait pu croire au début, il ne profitait pas d'elle, accomplissant sa part de tâches.

Baissant les yeux sur le chèque, elle le considéra quelques instants, puis appela Julien sur son portable. Il était en train de manger un croque-monsieur dans un bistrot de Castets. D'emblée, il protesta qu'il n'y avait aucune urgence pour le rembourser.

— Ce sera fait, insista-t-elle, je serai tranquille.

— Ah, madame la comptable veut tout mettre en ordre !

— Je préfère, oui. Je te l'envoie aujourd'hui.

— Comme tu voudras. Mais si jamais tu as besoin d'autre chose, tu peux compter sur moi.

— Je sais, Julien, et je t'en remercie. Quand viens-tu nous voir ? La maison est pleine de monde avec Valère et Suki, le copain de Jérôme et…

— Et Paul, je suis au courant. Est-ce que ça se passe bien ?

Elle hésita une seconde, puis avoua :

— Pas terrible. Je crois que c'est de ma faute.

— Pourquoi ?

— Disons que… le cœur n'y est pas.

— Ce serait trop bête, Anne.

— Mais ça ne se commande pas.

Ils restèrent silencieux quelques instants, puis elle entendit distinctement Julien soupirer. Elle avait envie de parler encore un peu avec lui, trouvant toujours un certain réconfort à leurs échanges.

— Il y a trop longtemps que je ne t'ai pas vu, j'aimerais bien qu'on puisse discuter tous les deux. Franchement, je ne sais plus où j'en suis.

— Et tu comptes sur moi pour te le dire ?

Après un nouveau silence, un peu plus long, elle enchaîna :

— Paul prétend que si ça ne marche pas, nous deux, il vendra tout et il s'en ira. C'est presque une forme de… chantage.

— Non, il le pense vraiment.

— Mais je ne veux pas détruire son existence, je ne veux pas qu'il s'éloigne de Léo ! Je ne veux pas être responsable de tout ce gâchis !

Elle se mit à pleurer, trop désespérée pour se contenir.

— Écoute-moi, Anne. Les responsabilités sont toujours partagées, ne te mets pas tout sur le dos. Le mieux que vous puissiez faire, Paul et toi, est de vous laisser un peu de temps.

— Tu ne comprends pas, bredouilla-t-elle à travers ses sanglots. Les choses ont changé, je n'ai plus envie de dormir avec lui !

Avoir réussi à le dire la fit pleurer encore plus fort. Sans doute y avait-il trop longtemps qu'elle faisait bonne figure, et elle était à bout.

— Excuse-moi, hoqueta-t-elle en coupant la communication.

Pourquoi se confiait-elle à lui si facilement ? Parce qu'elle n'avait personne d'autre à qui s'adresser ? Jérôme n'aimait pas Paul, Valère l'aimait trop, quant à Lily, elle s'en moquait. Aucun de ses frères et sœur ne seraient de bon conseil. Mais Julien pouvait-il être impartial ? Bien sûr que non ! Entre eux, avant leur petit flirt, une séduction latente existait déjà, même s'ils s'étaient appliqués à l'ignorer. En lui faisant ce genre d'aveu, elle n'était pas innocente et elle s'en voulait.

Elle prit le temps de se moucher, de se calmer. Le programme du week-end serait chargé. Avant d'aller chercher Léo et Charles à la pension en fin d'après-midi, elle devait faire un gros ravitaillement au supermarché en prévision de huit personnes à table à tous les repas. Elle avait voulu de l'animation, elle en avait !

⁎⁎

— Avec la meilleure volonté du monde, je ne sais pas couper du bois. Il faut une tronçonneuse ? Une hache ? Une masse et un coin pour fendre et refendre ? Je n'ai jamais fait ça de ma vie et je tiens à mes doigts, j'en ai besoin.

Déçu, Valère décréta qu'il s'y attaquerait seul.

— C'est un métier, protesta Paul. Tu vas te faire mal.

— Je veux bouger et me rendre utile. Anne a parlé d'embaucher un bûcheron, évitons-lui la dépense. Et puis, vous allez bien en consommer plusieurs stères cet hiver !

Paul esquissa une mimique dubitative, peu convaincu par l'argument.

— Il y a des façons plus marrantes de passer ses dimanches, marmonna-t-il.

Il ne se sentait toujours pas à l'aise, pas à sa place, il avait l'impression de séjourner chez des amis.

— Emmenons plutôt Léo et Charles faire une grande balade, proposa-t-il.

Mais le cœur n'y était pas, il en avait assez de voir des pins à l'infini. Quant à cette histoire de bûcheron, Anne avait choisi d'habiter une grande maison, qu'elle assume donc tous les frais qui en découlaient. Il trouvait d'ailleurs extraordinaire, après toute l'acrimonie de la famille concernant l'héritage, que deux des frères d'Anne habitent maintenant avec elle et se mettent en quatre pour lui rendre service.

Il jeta un coup d'œil par la fenêtre – d'où on apercevait des pins, et encore des pins au-delà de la clairière – et constata que le ciel était plombé.

— Si on veut se promener, c'est maintenant, une averse se prépare.

Abandonnant la chaleur de la cuisine, il gagna le hall d'entrée et appela son fils du bas de l'escalier. La tête levée, il considéra le lustre vieillot qu'Anne n'avait pas encore remplacé. Quelques mois auparavant, il était venu ici un soir pour vacciner Goliath, mais il avait trouvé la bastide déserte, personne ne répondant à ses appels. Finalement, il était monté jusqu'à la chambre d'Ariane, l'avait vue écroulée sur le tapis, morte, avec le chien qui montait la garde à côté d'elle. Il en conservait un souvenir pénible et ne comprenait toujours pas comment sa femme avait pu vouloir s'installer dans cette maison.

— Oui ? grogna Léo du haut des marches.

Échevelé, il avait la tête d'un adolescent qu'on vient de tirer du sommeil.

— On va marcher un peu, Valère et moi. Ça vous tente ?

— Pas du tout.

— Tu ne vas pas rester au lit jusqu'au déjeuner ?

— Ben, à moins qu'il n'y ait quelque chose d'urgent…

Paul eut un sourire résigné et fit demi-tour. Léo arrivait à un âge où se promener avec son père ne présentait plus aucun intérêt. Il préférait sûrement, en compagnie de Charles, dévorer des mangas ou surfer sur Internet. Était-il toujours en quête de ce billard dont il rêvait ? En tout cas, son dernier bulletin de notes était à peu près satisfaisant, les soubresauts familiaux ne semblaient pas trop l'atteindre. Et, autant le reconnaître, il avait l'air d'aimer cette maison et toute son agitation. Peut-être parce que sa mère, occupée à mille autres choses, le laissait libre. Par exemple, ce matin, elle s'était levée très tôt, sautant hors du lit comme si elle fuyait, et elle s'était enfermée dans son bureau pour boucler quelques dossiers comptables. Sans doute avait-elle pris des clients supplémentaires afin d'augmenter ses revenus. Au moment où leurs avocats respectifs concoctaient le protocole d'accord du divorce, il avait été convenu que Paul ne verserait quasiment rien à Anne puisque la garde de Léo serait partagée entre eux. Depuis qu'elle avait quitté Castets, elle se débrouillait seule et paraissait s'en sortir, mais il ne savait plus grand-chose de ce qui la concernait. Et, inutile de s'aveugler, il ne savait plus non plus comment s'y prendre avec elle. Les retrouvailles n'avaient pas eu lieu sous la couette, ou alors de manière peu satisfaisante. Il la sentait tendue et la tête ailleurs. Même en essayant de ne pas se vexer bêtement, il était humilié par son absence de réaction. Pour l'instant, il mettait sa froideur sur le compte de leur séparation, de cet épouvantail du divorce qu'il lui avait agité sous le nez. Mais un jour prochain, ils allaient devoir s'expliquer.

— Je te vois rêvasser au pied de l'escalier ! cria Jérôme depuis le palier du second. Si tu veux te joindre à nous, il y a du travail pour tout le monde !

— Je pars me balader avec Valère.

— Ah bon ? J'espère que vous avez un parapluie bien étanche !

Paul étouffa un soupir exaspéré.

— Viens avec nous, on s'amuse, insista Jérôme qui le narguait, la tête au-dessus de la rampe.

Haussant les épaules, Paul regagna la cuisine à grands pas.

— Je vais me lancer dans une recette, annonça-t-il à Valère.

Réussir un plat compliqué était l'une de ses distractions favorites du week-end. Mais ici, il n'aurait ni ses ustensiles habituels ni son four à chaleur tournante. Avec les moyens du bord, autant ne pas se montrer trop ambitieux.

— Poulet basquaise ? proposa-t-il. Je crois qu'il y a un marché le dimanche matin à Lit-et-Mixe, on prend deux beaux poulets des Landes, quelques tomates, des poivrons, et le tour est joué !

Ce serait sa manière de s'intégrer à la vie de la maison, et Anne lui en serait sans doute reconnaissante. Content de lui, il fit signe à Valère de le suivre.

⁂

Julien se décida à rebrousser chemin, découragé par l'averse qui rendait les chaussées glissantes. Sur sa puissante moto, il avait fait ce qu'il appelait sa promenade des plans d'eau, empruntant de petites routes sinueuses pour gagner l'étang de Léon, celui de Soustons, puis le Hardy, et enfin l'étang Blanc qui se trouvait dans une réserve naturelle au-dessus de Seignosse. Bien à l'abri sous son casque intégral et sa combinaison de cuir, il rentra lentement, profitant du paysage. À proximité de Saint-Girons, il s'engagea dans un chemin étroit qu'il fallait connaître pour traverser toute la forêt de Lit-et-Mixe. Sous le ciel gris acier qui lâchait des trombes d'eau, les pins semblaient noirs et mouvants comme des rangs de soldats en marche.

Il adorait cet endroit, l'avait adopté dès le premier jour. Né à Bordeaux, il avait passé tous les étés de son enfance au Cap-Ferret et s'était initié très tôt au surf, à la plongée et au ski nautique. Mais il avait toujours été attiré par les Landes de la côte sud, plus sauvages, dont il appréciait les plages à l'infini. Comment Paul pouvait-il envisager l'hypothèse d'un départ ? Il l'avait évoqué à plusieurs reprises, même depuis qu'il avait rejoint sa femme à la bastide. Leur tentative de cohabitation n'était pas très positive, et les larmes d'Anne, au téléphone, en témoignaient. Si le couple ne parvenait pas à se réconcilier pour de bon, Paul serait-il capable de tout bazarder ? Connaissant son caractère entier et orgueilleux, Julien n'en doutait pas. L'échec de son mariage, dont il était bien obligé de prendre une part de responsabilité, allait être le premier de son existence, or Paul détestait perdre, il n'aimait pas le désordre ni le changement. Ses rares confidences étaient pleines d'amertume et d'exaspération car il estimait avoir accompli un immense effort, dont il n'était pas récompensé. Anne ne l'avait pas accueilli à bras ouverts ainsi qu'il l'espérait, et de son côté il ne trouvait pas sa place dans cette vieille bâtisse pleine de monde et en travaux. Il continuait à détester la maison, souhaitait toujours qu'Anne finisse par s'en lasser, pensait qu'avoir donné la preuve de sa bonne volonté serait suffisant pour tout arranger. Mais la faille était bien plus profonde qu'il ne l'avait cru, il s'en apercevait avec retard. Entre eux, l'harmonie était rompue et ne se rétablissait pas. Restée dans l'ombre trop longtemps, fût-ce de son plein gré, Anne avait découvert l'indépendance et goûté de nouveau à la fantaisie. L'héritage de sa tante Ariane lui avait soudain permis d'avoir un projet personnel, elle s'était sentie pousser des ailes. N'ayant jamais rien demandé d'important à Paul, elle n'admettait pas le refus obstiné et méprisant qu'il lui avait opposé durant des mois sans se soucier de ce qu'elle éprouvait. Parce qu'il se pensait dans son bon droit, il l'avait traitée en gamine capricieuse et écervelée, la blessant profondément. Aujourd'hui, elle se tenait en retrait parce qu'elle ne se retrouvait plus dans le marchandage de Paul.

Julien pénétra sous la grange qui servait d'abri à sa moto, coupa le contact et mit la béquille. Quand il enleva son casque, il perçut le bruit régulier de la pluie sur les tuiles et de la gouttière qui ruisselait. Sa petite maison landaise lui plaisait bien, il avait failli la vendre après le départ de sa femme et des jumeaux, mais il s'était finalement habitué à y vivre seul. Contrairement à Paul, il n'aimait pas les constructions modernes, les murs tirés au cordeau et les fenêtres symétriques. Cette construction ancienne, un peu de guingois et qui paraissait tassée sur ses fondations lui était sympathique.

À peine entré chez lui, il se débarrassa de sa combinaison et alla se faire un thé. Sur le comptoir de sa cuisine ouverte sur le séjour, son ordinateur était posé à côté des notes prises dans la matinée. Songeur, il considéra les chiffres qu'il avait alignés. Si vraiment Paul voulait vendre, serait-il en mesure de lui racheter ses parts ? Le calcul était serré mais jouable. Lorsqu'ils s'étaient associés tous les deux pour monter la clinique, ils avaient investi exactement les mêmes sommes, une mise de fonds assez modeste puisqu'ils faisaient une création en partant de rien et qu'ils avaient acheté le local et le matériel à crédit. À présent, avec une clientèle nombreuse et fidèle, l'affaire avait pris beaucoup de valeur.

Mais au-delà du rachat, le casse-tête était ailleurs. Il fallait être deux pour exercer, deux pour les gardes d'urgence. S'il se retrouvait seul, il serait obligé d'engager un confrère, soit comme associé, soit comme vétérinaire salarié. Et il lui faudrait une bonne dose de chance pour mettre la main sur quelqu'un d'aussi doué que Paul, quelqu'un avec qui il partage la même vision du travail. Quant à s'en faire un ami, rien n'était moins sûr. Néanmoins, il n'avait pas d'autre option, il tenait par-dessus tout à cette clinique. Certes, l'idée venait de Paul, c'était lui qui avait choisi l'endroit et pris le pari d'une implantation risquée, mais dès le premier jour, ils avaient œuvré ensemble, sur un pied d'égalité. Julien ne s'imaginait pas installé ailleurs, avec tout à recommencer, il était bien là et voulait y rester.

Il alla choisir un CD dans son impressionnante collection de musique classique, le glissa dans le lecteur de la chaîne et but son thé les yeux dans le vague, toujours songeur. D'une manière ou d'une autre, la présence d'Anne influençait-elle son choix ? Faisait-elle partie de tout ce qui l'attachait à cet endroit ? Même en sachant que rien n'était possible entre eux, il répugnait à s'éloigner d'elle. Il aurait voulu pouvoir la consoler lorsqu'elle pleurait au téléphone, l'autre jour, il aurait aimé pouvoir penser à elle sans culpabilité, mais l'interdit pesait trop lourd, elle était encore la femme de Paul, et même si elle devenait un jour prochain *l'ex*-femme de Paul, ça ne changerait pas grand-chose. Fantasmer sur elle le mettait mal à l'aise, faisait de lui quelqu'un de malhonnête. Il devait provoquer d'autres rencontres et s'astreindre à y trouver de l'intérêt. Si ses tentatives de séduction débouchaient toujours sur de pitoyables aventures sans lendemain, c'était parce qu'il avait Anne en tête et comparait à elle toutes les autres femmes.

— Mais pourquoi, grands dieux ? On a passé des années tranquilles tous ensemble !

Il se remémora l'époque où ils sortaient tous les quatre, se recevaient. La clinique démarrait, les jumeaux venaient de naître, Léo apprenait à lire. Julien ne louchait pas sur Anne à ce moment-là. D'accord, il la trouvait charmante, enjouée, appétissante en maillot de bain sur la plage, et il aimait bien discuter avec elle. Rien d'équivoque ou de honteux, il pensait seulement que Paul avait de la chance. À quel moment s'était-il mis à la regarder autrement ?

Abandonnant son tabouret, il alla récupérer son téléphone. Il ne passerait pas son dimanche à se torturer en vain, autant appeler des copains et organiser une sortie. Il n'était pas de garde, les éventuelles urgences seraient dirigées vers Paul, il pouvait, il *devait* s'amuser un peu.

⁕

— Moi, je la trouve marrante, décréta Ludovic.

— Avec ses putains de chiffres, elle ne l'est pas !

— Normal, c'est son boulot. Pour le reste, elle est cool et elle aime bien rire.

Jérôme finit par hausser les épaules. Anne aimait-elle rire ? Au fond, oui, il l'entendait souvent s'esclaffer avec Léo. Et dans son enfance elle avait fait plein de mauvais coups avec lui en trouvant ça très drôle, malgré les inévitables réprimandes de leur mère qui finissait par tancer Anne, tenue pour seule responsable puisqu'il était le cadet.

— Et voilà, j'ai fini le plafond ! annonça Ludovic en descendant de son échafaudage.

Jérôme le suivit des yeux, fasciné par sa silhouette moulée dans son jean. Ludovic surprit son regard et esquissa un sourire.

— Non, dit-il. On met la deuxième couche sur les plinthes avant de s'accorder une récréation.

— Pourquoi es-tu tellement sérieux ? railla Jérôme, frustré.

— J'aime le travail bien fait.

Sans doute était-ce vrai, néanmoins il n'avait aucune raison de perdre son temps avec un chantier qui ne lui rapportait rien. Comptait-il sur ces chambres d'hôtes, plutôt réussies, pour servir de carte de visite à sa micro-entreprise ? À Soustons, il disposait d'un petit local au fond duquel il avait installé un lit de camp et un réchaud. C'était là qu'un soir Jérôme avait atterri et fini la nuit. En se réveillant, il n'était pas parti sur la pointe des pieds, comme à son habitude, mais il avait secoué Ludovic pour lui proposer un petit déjeuner dans le bistrot voisin. Amusé et vaguement charmé, il l'avait ensuite revu deux ou trois fois avant de lui demander un coup de main pour les travaux de la bastide. Ludovic n'avait pas de clients en vue et pas un sou en poche, il était venu sans se faire prier et sans rien demander. Est-ce que ça cachait quelque chose ? Jérôme pensait être capable de reconnaître un voyou quand il en croisait un, or Ludovic, avec sa tête d'ange et son amour du *travail bien fait* ne semblait pas entrer dans cette catégorie. Mais fallait-il se fier aux apparences ?

— Tu as de la chance d'avoir des sœurs, un frère, des parents prêts à t'aider... Moi, je suis fils unique, et crois-moi, on s'embête ! En plus, mes parents ne sont pas des rigolos.

— Les miens non plus, protesta Jérôme.

— Quand les miens ont compris que j'étais gay, ils m'ont flanqué dehors.

— Les miens n'en savent rien. Quant à m'aider, ils ont toujours fait le service minimum. Un peu d'argent par-ci par-là, en dépannage, rien de significatif.

— Avec des retraites d'instits, ils ne sont pas milliardaires.

— Oh, ils ont bien mené leur barque, ils se retrouvent à l'abri du besoin ! Malgré ça, que la bastide leur soit passée sous le nez les a rendus verts de rage. Mais il fallait s'y attendre. Quand on jette un paquet de fric au milieu d'une famille et qu'il atterrit sur la tête d'un seul membre, les autres font la gueule.

— Pas toi ?

— J'étais loin quand c'est arrivé, je ne suis rentré d'Angleterre qu'après la bataille. La vieille tante Ariane, je ne sais même pas si je l'aurais reconnue en la croisant dans la rue, c'est te dire si je n'attendais rien d'elle. Mais j'ai été plutôt content de pouvoir m'installer chez Anne. En répétant bien *chez Anne*, juste pour le plaisir de voir les autres se renfrogner.

— Tu n'aimes pas ta famille ?

— Pas tout le monde. Je ne m'en fais pas une obligation.

Ludovic était en train de coller un scotch de protection tout le long du parquet. Il leva la tête et considéra Jérôme d'un air sceptique.

— Tu es plus tendre que ce que tu montres.

L'affirmation prit Jérôme au dépourvu. Il ne se sentait ni tendre ni très intéressant et affichait volontiers un masque de cynisme pour déstabiliser ses interlocuteurs. Il n'avait jamais pensé que c'était une façon de se protéger, mais Ludovic n'avait peut-être pas tort. Alors qu'il allait répliquer et s'en sortir par une pirouette, selon son habitude, Suki entra dans la pièce, un plateau dans les mains.

— Une tasse de café pour les peintres ?

Elle avait déniché une vieille bouteille Thermos au fond d'un placard et disposé autour deux ravissantes tasses en porcelaine ainsi qu'un sucrier ébréché.

— En voilà, une gentille belle-sœur ! s'exclama Jérôme en lui prenant le plateau des mains.

Il la détailla des pieds à la tête avant d'émettre un sifflement admiratif.

— Tu es habillée de neuf, on dirait.

— J'ai fait des achats, oui. Notre assureur est compréhensif.

— Où en est l'enquête ?

— Aux premières constatations, le feu serait parti du salon de coiffure mitoyen. Leur électricité n'était pas aux normes, il n'y avait même pas de différentiel sur le tableau.

— Donc, vous n'êtes pas responsables ?

— La question n'est pas là. En fait, l'immeuble va être détruit, rasé, et ça prendra du temps pour le reconstruire. La réouverture de mon magasin de fleurs n'est pas pour demain !

— Et ça te manque ?

— Tu n'imagines pas à quel point…

Toute menue, délicate, elle avait un air fragile et désemparé qui émut Jérôme.

— Profite donc de ces vacances improvisées, il faut savoir se donner du bon temps.

Mais sans doute n'était-elle pas capable de s'amuser, accablée par de trop nombreux soucis. Elle n'avait plus de travail, son mari non plus tant qu'il n'aurait pas racheté tout son matériel photographique, plus de logement hormis cette chambre chez sa belle-sœur, et toujours pas de bébé en préparation. Même si elle n'en parlait jamais, obstinée comme elle l'était elle devait continuer à y penser.

— Nous allons faire des plantations avec Anne, aujourd'hui.

— On est quasiment en hiver !

— Les rosiers le supportent, à condition de les acheter en conteneur. On peut aussi pratiquer un pralinage, c'est-à-dire tremper les racines dans un mélange boueux d'argile et de tourbe.

— Vous allez vous mettre les mains dans la terre, hein ?

— Ah oui ! Il faut faire de grands trous, c'est amusant. On travaillera aux deux coins de la façade pour installer des grimpants.

— Quelle couleur ?

— C'est Anne qui décidera, mais le rouge irait bien.

Elle s'illuminait dès qu'elle parlait des végétaux, faisant des gestes rapides et gracieux avec les mains.

— Rouge, approuva-t-il pour l'encourager.

Égayer la façade un peu austère était une bonne idée. Il se souvint qu'Anne lui avait montré une vieille photo de la bastide à l'époque de sa splendeur. Le perron était entouré d'une profusion de fleurs, il y avait des plates-bandes parfaitement entretenues et même un grand palmier. Il y avait aussi une jeune fille en robe blanche tenant la main d'un petit garçon dans lequel Jérôme avait eu du mal à reconnaître leur père. Finalement, Anne avait raison de s'intéresser au passé de la famille, c'était instructif.

Dehors, un nouvel orage se préparait et le ciel était devenu très sombre. Jérôme alluma le projecteur de chantier apporté par Ludovic avec ses outils, puis il rendit les tasses vides à Suki.

— S'il vous faut des mélanges boueux, ironisa-t-il, je crois que vous allez être servies !

Il l'escorta le long du couloir jusqu'au palier et, tandis qu'elle descendait, jeta un coup d'œil dans la grande pièce vide qui avait été l'ancienne salle de billard. On pourrait faire une vraie suite là-dedans et, tant qu'il avait Ludovic sous la main, mieux vaudrait s'y attaquer. Pour un caprice de Léo et de son copain Charles, ils n'allaient tout de même pas se priver de cette possibilité. Il fallait qu'il en reparle à Anne afin de la convaincre. En attendant, Ludovic pourrait l'aider à repeindre sa propre chambre, à l'étage en dessous. Il ignorait combien de temps allait durer leur relation, mais il était décidé à en tirer le maximum.

Paul se redressa, ralluma sa lampe de chevet et s'assit en croisant les bras.

— Tu n'as aucune envie de faire l'amour, tu ne m'aimes plus !

Il se sentait rejeté, humilié, en colère.

— Tu ne peux pas me mentir, Anne, je te connais trop bien. Depuis que j'ai cédé et que je suis venu te rejoindre ici, tu n'as jamais eu d'élan envers moi, tu n'es plus la même !

Un moment, elle resta silencieuse, puis elle se tourna vers lui comme à regret.

— Nous avons subi une sacrée fêlure, murmura-t-elle enfin. Il va peut-être nous falloir un peu de temps.

— Du temps ? On a été séparés pendant des semaines ! Moi, je n'en pouvais plus, je rêvais de toi toutes les nuits. Apparemment, de ton côté tu en as profité pour m'oublier.

— Non, j'essayais de guérir.

— Tu y es très bien arrivée, bravo !

— Paul… Tu avais pris un avocat, demandé le divorce. Tu me parlais du bout des lèvres, tu m'avais rayée de ta vie.

— Alors tu te venges, c'est ça ?

— Pas du tout. Je voulais que tout s'arrange entre nous, je le voulais de toutes mes forces ! Mais il a bien fallu que je me résigne, que j'arrête de pleurer sur nous deux.

— Tu pleurais sur ce que tu avais détruit toute seule.

Elle poussa un profond soupir avant de répondre, presque à voix basse :

— Ne recommence pas à me culpabiliser, ça ne marche plus.

— Quelle tête de mule tu fais ! Il faut bien que quelqu'un soit à l'origine du bourbier dans lequel on patauge depuis des mois !

Il retrouvait soudain toute sa rage, sa rancune intacte.

— Bon sang, Anne, le plus important n'est-il pas de sauver notre famille ? Tu ne fais aucun effort, tu me tournes le dos tous les soirs.

— Il faudrait que je fasse un « effort » ? Tu te sentirais flatté si je me forçais ? Tu crois que l'appétit vient en mangeant ? N'invoque pas la famille quand il n'est question que de désir et de sexe. Je n'ai pas envie de faire l'amour, c'est vrai, mais je n'y peux rien et ça ne veut pas dire que je ne t'aime plus. Pourquoi n'es-tu pas un peu patient ?

— Parce que j'en ai marre ! explosa-t-il. J'ai envie de te toucher, te prendre, te faire jouir, et tu es comme un bout de bois !

Elle s'écarta un peu de lui, remonta la couette sur elle dans un geste de défense.

— Une fois dans ta vie, gronda-t-elle, tu ne pourrais pas concevoir qu'on n'a pas forcément les mêmes envies que toi ? Tu es vexé, tu m'engueules, et tu penses que ça ira mieux en montant le ton ?

— Ça n'ira pas plus mal !

Tendant les mains vers elle, il la saisit par les épaules, l'attira brutalement à lui, décidé à passer outre. Au lieu de se faire une scène ou de grands discours, ils devaient retrouver le plaisir de l'autre, le contact de leurs peaux, les corps qui s'emmêlent et les souffles qui s'accélèrent. Il était certain de savoir la faire vibrer, et elle allait lui en laisser l'occasion, qu'elle le veuille ou non. Il souleva le tee-shirt, vit ses seins ronds et, électrisé, perdit tout contrôle.

La claque retentissante que lui assena Anne le stupéfia. Ébahi, il la lâcha, découvrit la marque rouge qu'elle avait en haut du bras, là où il l'avait trop serrée pour l'immobiliser. Le regard qu'elle dardait sur lui brillait de fureur.

— Désolé, bredouilla-t-il.

Il était à la fois penaud et terriblement frustré, en tout cas très mal à l'aise.

— Tu deviens con ou quoi ?

— Je t'ai fait mal ?

— Tu m'as fait peur ! Tu serais prêt à te passer du consentement quand l'envie est trop forte ? Tu es ce genre d'homme, Paul ?

— Tu sais bien que non.

Elle rabaissa d'un geste sec le tee-shirt entortillé autour de son cou.

— Pour la claque, je n'aurais pas dû. Mais je voyais bien que tu n'allais pas t'arrêter en si bon chemin.

— D'accord, d'accord, soupira-t-il en s'éloignant d'elle.

Durant quelques instants, ils ne surent quoi dire ni quoi faire. Jamais ils ne s'étaient brutalisés, la situation était inédite entre eux, difficile à gérer.

— Même si ce n'est pas une excuse, je t'aime et je te désire, finit-il par chuchoter. Malheureusement, je ne suis pas à ma place ici. D'ailleurs, tu ne m'en laisses aucune, j'ai l'impression de te déranger. Quand je rentre le soir, je suis angoissé, je ne sais pas sur quel pied danser. Je me heurte au cynisme de Jérôme qui me regarde comme un intrus et qui se fout de moi ouvertement. Il est vraiment chez lui, avec son petit copain à la gueule d'ange ! Et il en profite pour jouer du marteau et de la perceuse à huit heures du matin le dimanche. Je n'arrive pas à aimer cette maison parce qu'il y a des courants d'air et de la poussière partout. C'est vieux, c'est au bout du monde. Quand j'éteins la lumière le soir et que tu te réfugies à l'autre bout du lit, je me demande ce que je fous là, au fond des bois, dans un endroit que je déteste avec une femme qui me boude.

— Mais alors, qu'on fasse l'amour ou pas ne change rien à tous tes autres problèmes ?

— Ceux-là sont faciles à régler, on n'a qu'à se tirer d'ici et rentrer chez nous ! Si nous étions dans notre chambre, à Castets, tu serais déjà lovée dans mes bras.

Elle ne répondit rien, ne fit pas un geste vers lui. Elle se contentait de le regarder avec une expression grave.

— J'aurai vraiment tout essayé, conclut-il, je suis découragé.

Après un nouveau silence, assez long, elle se décida à reprendre la parole.

— C'était malhonnête de me rejoindre avec autant d'arrière-pensées, Paul. J'ai dû les deviner malgré tout, et sentir que tu n'es là qu'à contrecœur… Ce que tu veux par-dessus tout est un retour à la case départ. En somme, tu es venu me chercher. Tu as pensé que, sur place, tu serais plus convaincant ?

— Évidemment !

— Mauvais calcul. Quand bien même nous ferions des exploits au lit, il y aurait toujours un lendemain à affronter. Nous n'arrivons plus à tomber d'accord sur une façon de vivre, nous ne partageons plus notre vision de l'avenir.

— Mais nous la partagions, avant !

— Avant ? Tu veux dire avant ce « foutu » héritage ? Eh bien, on avançait sans se poser de questions. On avait mis en route des choses indispensables pour démarrer, mais il n'était précisé nulle part qu'on ne pouvait plus toucher à rien. Le changement te fait peur, moi, il me galvanise.

— Dommage qu'il ne t'excite pas !

Il regretta la vulgarité de sa repartie, qu'Anne accueillit avec une grimace désabusée.

— Franchement, chérie, je ne peux pas croire que ton projet de chambres d'hôtes ait quoi que ce soit d'exaltant. Tu te berces d'illusions. Quand Jérôme t'aura plantée là, tu te retrouveras toute seule à faire la bonniche pour des inconnus.

— Si je comprends bien, rien n'est résolu. Tu ne veux pas t'intéresser à ce que je fais, à ce que j'aimerais faire. Pour toi, tout ce qui n'est pas « comme avant » est forcément idiot. Tout ce qui ne passe pas par toi ne vaut pas la peine d'être tenté, en plus, ça te dérange. Et tu t'étonnes que je me retrouve à l'autre bout du lit ! Depuis des mois, quand je m'adresse à toi, au mieux j'ai affaire à un mur, au pire à un ennemi. Je ne peux pas te désirer si tu me méprises, si tu m'infantilises. Mon absence d'envie vient de là, Paul. Tu veux faire l'amour parce que ça te manque, mais dans ton regard il y a davantage de fureur que de tendresse pour moi.

Si agaçant que ce soit à admettre, elle n'avait pas tout à fait tort. Un peu plus tôt, il avait failli la forcer, exaspéré par sa froideur. Et à cet instant précis, elle n'était plus sa femme, ni même son amie, mais seulement son adversaire. Il avait conscience de s'être montré condescendant à son égard, pourtant il n'arrivait pas à prendre au sérieux l'aventure dans laquelle elle s'était lancée tête baissée.

— Anne…, dit-il d'une voix très douce.

Mais elle ne vint pas dans ses bras, ne s'approcha même pas. Étrangement, elle lui prit la main et la serra très fort. Était-ce un geste de consolation ? D'adieu ?

— Je rentre chez nous, décida-t-il en se dégageant.

Comme prévu, elle ne chercha pas à le retenir. Entre eux, tout semblait désormais consommé.

*

Je ne voyais pas le temps filer. Ces années amorçaient pourtant mon déclin, le début de la vieillesse. Chaque matin, je découvrais sur mon visage ou mon cou un nouveau pli, une petite tache brune, une ride plus profonde. Mes articulations commençaient à me faire souffrir, mon souffle était plus court, je me fatiguais vite. Cependant, j'exultais toujours en passant de pièce en pièce, puis d'arbre en arbre dans mon royaume. Finir mes jours ici allait me combler, mais entre-temps j'avais des choses à faire.

Une heureuse surprise fut la visite de la petite Anne. Comme elle avait grandi ! Elle venait d'avoir dix-huit ans, ses yeux pailletés d'or étaient du vert sublime de la malachite, et elle semblait radieuse. Non seulement elle avait son bac en poche, mais aussi le précieux sésame du permis de conduire. Elle m'annonça tout à trac que j'étais la première destination de ses débuts de conductrice car elle avait été frustrée par les refus qu'opposait sa mère à toutes mes invitations. Et elle tenait à me faire part du mariage de sa sœur Lily, auquel nul ne m'avait conviée.

Je lui fis bonne figure, toutefois je trouvai la pilule amère. Gauthier était comme le monsieur Perrichon de la pièce de Labiche, il n'appréciait pas d'être mon obligé. Et toujours mon débiteur puisqu'il ne m'avait jamais remboursée. Afin de ne pas avoir à y penser, il préférait m'oublier tout à fait.

Mon pauvre frère ! Aurait-il pu se bonifier auprès d'une épouse moins austère qu'Estelle ? Il n'était ni entreprenant ni drôle dans son enfance, et n'avait pas progressé d'un pas en grandissant. Certes, je l'avais un peu négligé en me mariant jeune et en fuyant l'affreuse villa de Biarritz où nos parents ruminaient leur ruine, mais il prétendait avoir été heureux durant cette période. Par la suite, il avait choisi un métier sérieux, une femme insipide, une existence assommante, et n'avait jamais dévié de la voie qu'il s'était tracée. Il méprisait ouvertement mon mode de vie et me traitait de folle depuis belle lurette, néanmoins il avait su à qui s'adresser lorsqu'il avait eu besoin d'argent. Nous n'étions pas faits pour nous entendre, même pas pour nous comprendre, mais c'était mon frère et à ce titre je lui gardais un petit reste d'affection.

Anne voulut visiter une nouvelle fois la maison et la trouva aussi imposante et séduisante que dans ses souvenirs de gamine. Peut-être n'était-ce qu'une politesse de sa part, mais ce compliment m'alla droit au cœur. Elle avait apporté des viennoiseries, et pour la tester, je lui dis que j'aurais préféré des gâteaux à la crème. Riant aux éclats, elle brocarda ma gourmandise mais promit d'en tenir compte la prochaine fois. Et, en effet, jamais elle n'y manqua.

En sirotant son thé, elle me parla de l'insistance d'un garçon qui lui faisait la cour, un ami de son frère Valère qui se prénommait Paul. Ce jeune homme était parti pour de longues études, et de son côté Anne avait choisi d'aller préparer à Pau un diplôme de comptable. Je m'étonnai qu'elle puisse vouloir passer sa vie dans les chiffres, pourtant elle m'assura que c'était assez amusant. Mais la vraie raison, qu'elle eut la franchise d'avouer, était son désir de quitter le toit familial au plus vite. Lily et Valère l'avaient déserté, Jérôme séchait le lycée et piaffait en attendant sa majorité, l'ambiance était « tristounette » d'après elle. L'école supérieure de comptabilité de Pau ayant été la première à accepter son dossier, elle avait signé d'emblée, soulagée de s'en aller.

Je lui fis promettre de donner des nouvelles de loin en loin, et l'assurai qu'elle serait toujours la bienvenue chez moi. Elle cala deux fois avant de réussir à démarrer la voiture de Gauthier, une autre de ces vieilles guimbardes qu'il semblait privilégier.

Après qu'elle eut disparu au bout du chemin, je repensai longuement à ce mariage où on ne m'avait pas invitée. De qui venait la décision de m'écarter ? Si Gauthier ne m'aimait guère, en revanche Estelle me détestait carrément. Et cet excès de haine m'intriguait, tout comme son manque d'affection pour Anne m'avait déjà mis la puce à l'oreille. Je pressentais bien autre chose qu'une simple question d'antipathie, aussi décidai-je d'en avoir le cœur net. Je laisserais à Anne le temps de s'installer à Pau, puis je rendrais visite à ma chère belle-sœur.

Ce soir-là, dans mon lit, je me félicitai de n'avoir pas cherché à m'imposer dans ce qui me restait de famille. L'ingratitude de Gauthier, l'hostilité d'Estelle et l'indifférence de leur progéniture me renseignaient assez sur leurs sentiments à mon égard. Seule Anne, que je n'avais pas sollicitée, était venue d'elle-même. Elle n'était pas uniquement dissemblable des autres de par ses traits, mais toute sa personnalité et son caractère criaient sa différence. Et j'en trouverais la cause, je m'en fis la promesse.

**

Anne ferma le cahier, effrayée par ce qu'elle venait de lire. Après le départ de Paul en pleine nuit, elle n'avait pas pu s'endormir. Longtemps, elle était restée assise dans son lit sans bouger, jusqu'à ce que Goliath se faufile dans la chambre dont Paul n'avait pas fermé la porte. Caresser le chien était apaisant, tout comme lire dans ses yeux ronds une affection fidèle et sans contrepartie.

Au bout d'un moment, elle s'était sentie plus calme, avait été capable de repenser à Paul. Le point de non-retour ayant été atteint, elle devait une fois de plus reconsidérer l'avenir. Mais au moins, il n'y aurait plus de questions en suspens, de tergiversations, de lueur d'espoir trompeuse, elle avancerait seule, sans états d'âme. Malgré son apparente bonne volonté, Paul était resté comme un roc, et son intransigeance condamnait plus sûrement son couple que n'importe quelle querelle. Leurs chemins se séparaient ici et maintenant, c'en était fini de la douche écossaise.

Le sommeil la fuyant toujours, elle était allée chercher le cahier de moleskine, persuadée d'y trouver un dérivatif. Or ce qu'elle y découvrait l'inquiétait de plus en plus. Bien sûr, elle se souvenait de cette visite à Ariane, de la sensation de liberté qu'elle avait éprouvée à conduire seule, des chemins où elle s'était égarée avant de dénicher celui menant à la bastide. Dans sa tête de jeune fille de dix-huit ans, elle venait réparer une injustice. Indignée par la manière dont Ariane, seule originale de la famille, était tenue à l'écart, elle voulait lui témoigner un peu de sympathie. Avec elle, sa tante s'était toujours montrée aimable, et son univers avait quelque chose de fascinant. La grande maison contenait des souvenirs qu'Ariane illustrait avec des photos d'une autre époque. Elle racontait les campagnes de gemmage des résiniers, les fêtes, sa jeunesse insouciante, puis la faillite honteuse. Anne l'écoutait bouche bée, faisant connaissance avec des générations de forestiers prospères qui étaient ses ancêtres mais dont on ne lui avait jamais parlé. Parfois, elle avait essayé d'interroger son père, mais il se contentait de hausser les épaules, nullement concerné. Il se consacrait à son école primaire, à son épouse et à ses quatre enfants, le passé des Nogaro ne l'intéressait pas.

Elle déposa le cahier sur sa table de nuit, peu désireuse d'en apprendre davantage pour l'instant, et s'enfonça sous la couette. Était-il concevable qu'il y ait un doute quelconque à propos de sa naissance ? Bien sûr que non ! Ariane elle-même, malgré son cynisme, ne croyait pas à une infidélité d'Estelle.

Dehors, le vent soufflait fort autour de la maison, faisant gémir les huisseries, pourtant Anne se sentait en sécurité dans cette chambre. Elle savait qu'Ariane l'avait préparée pour elle et, d'une certaine manière, l'y avait conduite. Si lourd que soit son chagrin d'avoir perdu Paul, elle était à sa place, elle en avait la conviction.

5

Julien avait passé toute la journée du dimanche à Dax, chez de vieux amis, puis il était rentré à Castets pour rejoindre Paul qui ne voulait pas s'éloigner, étant de garde.

Comme convenu, Paul avait préparé le dîner, mais au lieu de mettre en œuvre une de ces recettes compliquées qu'il aimait tester, il s'était contenté de faire réchauffer deux pizzas dans le four. À voir son visage fermé et ses mâchoires crispées, il était d'une humeur massacrante.

— Autant te prévenir, annonça-t-il abruptement alors qu'ils trinquaient, tu vas devoir te décider vite pour racheter mes parts.

— Tu es sérieux ?

— Oh oui !

— Tu vas vraiment lâcher plus de dix ans de travail acharné et une réussite formidable ? Tu vas laisser tomber tous ces gens qui te font une confiance aveugle ? La clinique que nous avons montée ensemble ? Tes amis, ta…

— … famille ? Je n'en ai plus ! Avec Anne, c'est fini, et cette fois c'est sans appel.

— Pourquoi ?

— Nous ne nous sommes pas retrouvés. Même pas au lit ! Elle s'est éloignée de moi, détachée. Et je dois avouer que je ne la regarde plus comme avant. Quelque chose est cassé définitivement. En conséquence, je ne vais pas rester là, je n'en aurais pas la force. Pour tout te dire je suis sonné comme un boxeur. Si je veux me reconstruire une vie, ce sera ailleurs.

Julien n'avait rien à rétorquer devant la détermination de Paul.

— Je déteste les trucs qui se terminent, murmura-t-il seulement.

Lui aussi avait vécu douloureusement son divorce, mais jamais il n'avait envisagé de lâcher son métier. Ne voir ses jumeaux qu'un week-end sur deux était pour lui une souffrance, mais il ne l'avait pas décidé, il subissait.

— Que comptes-tu faire exactement, Paul ?

— Mes valises. J'ai chargé mon père de me trouver un studio meublé à louer, le temps de m'organiser. J'ai aussi appelé un agent immobilier pour vendre la maison, et un commissaire-priseur pour liquider ce qu'il y a dedans. En principe, tout sera réglé à la fin de la semaine, je compte partir vendredi.

Abasourdi, Julien le dévisagea.

— Pourquoi te précipites-tu comme ça ? D'abord, tu n'as pas le droit de vendre, tu es toujours en instance de divorce et tu as besoin de l'accord du juge pour…

— Je m'en fous pas mal ! Anne aura la part qui lui sera attribuée, je ne compte pas la voler. Mais enfin, c'est mon boulot qui a payé tout ce que nous possédons, pas le sien !

L'humiliation infligée par sa femme le rendait furieux, injuste, et pressé d'en finir.

— Je me tire, Julien.

— En cinq jours ? Et où crois-tu que je vais trouver un nouvel associé en cinq jours ? Tu es d'un égoisme confondant.

— Chacun ses problèmes.

— Mais tu me mets dans la merde !

À son tour, Julien était gagné par la colère, jamais il n'aurait pu imaginer que Paul le laisserait tomber de cette façon-là. Il passa rapidement en revue les solutions d'urgence pour maintenir la clinique ouverte et assurer l'ensemble des rendez-vous. Prendre en stage un jeune diplômé frais émoulu d'une école vétérinaire ? Certains confrères n'ayant pas eu l'opportunité de s'installer se contentaient de faire des remplacements, mais comment choisir le candidat en si peu de temps ? Rester seul était inconcevable, il y avait vraiment du travail pour deux, sans compter les nuits et les dimanches de garde à se partager.

— Je ne peux pas t'empêcher de partir, mais tu te comportes très mal, déclara-t-il en se levant.

— Je ne te mettrai pas le couteau sous la gorge pour le rachat de mes parts.

— Encore heureux !

Il gagna la porte et se retourna :

— Si je t'avais fait un coup pareil…

Paul évita son regard, fixant obstinément la table. Après avoir attendu deux secondes, Julien abandonna la partie et sortit.

⁂

Jérôme et Ludovic avaient écouté les conseils de Suki qui préconisait des différences de couleur sur les murs d'une même chambre, et une disposition précise des meubles selon les règles du feng shui.

— Pas d'étagères au-dessus du lit, pas de miroir non plus. Les glaces et les carrelages accélèrent le flux du *ki*, mettez-en dans les salles de bains.

— Du *ki* ? répéta Ludovic, éberlué.

— *Ki* en japonais, *chi* en chinois. Mais pour les chambres, croyez-moi, il faut privilégier l'énergie du *yin*. Tout doit être harmonieux, moelleux, arrondi, car c'est un lieu de repos et de ressourcement.

Jérôme éclata de rire avant de répliquer :

— En ce qui me concerne, je dors bien n'importe où ! Mais tu as raison, bichonnons nos futurs clients. Mieux ils dormiront, plus souvent ils reviendront. Alors, le lit, ici ?

— Non, pas sous la fenêtre non plus.

Jérôme était hilare mais Ludovic semblait très intéressé. Il dessina le plan de la pièce sur un carnet et ajouta quelques annotations.

— Ah, vous êtes là ! s'exclama Valère en surgissant. Regardez, je viens de recevoir l'appareil que j'avais commandé, le tout dernier Nikon numérique reflex, une merveille ! Ne bougez plus…

Suki lui adressa le sourire lumineux qu'elle lui réservait. Le voir enfin enthousiaste était une bonne surprise après les journées de doute et d'angoisse qu'ils avaient traversées depuis l'incendie.

— Notre assureur est efficace, affirma-t-il, ça n'a pas traîné.

— Et pour le magasin ? ne put-elle s'empêcher de demander, tout en se trouvant égoïste.

— Ce sera un peu plus long, mais la compagnie fait ce qu'elle peut. Notre ancien immeuble, ou plutôt ce qu'il en reste, doit être détruit. Plutôt qu'attendre la reconstruction, je pense qu'ils vont te proposer un local ailleurs.

— Mais je veux rester dans le centre !

Elle avait mis longtemps à se faire une clientèle et refusait d'avance de la perdre, de repartir de zéro. Surtout, elle devait vite se remettre à travailler, elle savait que Valère avait des revenus trop irréguliers avec ses photos, surtout maintenant que la saison des mariages et des baptêmes était finie. Mais, par-dessus tout, elle ne supportait pas l'inaction qui la ramenait à ses idées noires et à cette lancinante absence d'enfant.

— C'est le Nikon dont tu rêvais ? s'enquit Jérôme, la main tendue.

— Pas touche, Brisefer, ce bijou est pour les pros.

Le surnom de son enfance fit sourire Jérôme. En tant que benjamin, il avait bénéficié de l'indulgence de ses parents devant ses frasques et ses maladresses. Une bienveillance refusée à Anne dont les fantaisies n'amusaient pas du tout Estelle.

— Il y a longtemps que je ne casse plus rien, protesta-t-il pour la forme.

— Est-ce qu'il sait vraiment se servir de ses dix doigts ? ironisa Valère en s'adressant à Ludovic.

— Il ne va pas te dire le contraire ! s'esclaffa Jérôme.

Valère leva les yeux au ciel, soudain embarrassé en découvrant que sa question pouvait être diversement interprétée. Pour toute la famille, hormis leurs parents, les mœurs de Jérôme n'étaient plus un mystère.

Une cavalcade dans l'escalier leur annonça l'arrivée d'Anne, suivie de Goliath, et elle déboucha dans la chambre tout essoufflée.

— Paul s'en va, annonça-t-elle d'une traite. Il quitte les Landes pour s'installer à Paris, il plante Julien seul à la clinique et il met la maison de Castets en vente ! Je n'en reviens pas… Et il ne se donne pas la peine de prévenir Léo, je suis censée le faire à sa place.

Il y eut un court silence, puis Suki lâcha, dans un souffle :

— C'est injuste, Anne. Il doit parler lui-même à son fils.

— Oh, de toute façon, Léo s'y attendait, non ? trancha Jérôme.

— Il s'attendait éventuellement à partager ses week-ends entre son père et moi, entre Castets et la bastide.

— Sois réaliste, la seule chose qui l'intéresse est de passer ses week-ends avec Charles. Ils iront ensemble voir Paul à Paris, ce sera très amusant pour eux.

— Arrête avec ton cynisme insupportable, protesta Valère.

Il s'approcha d'Anne, la prit par le cou.

— La réconciliation n'a pas eu lieu, hein ? Il ne faut pas en vouloir à Paul. Tu le connais, il déteste l'échec.

— Il s'aime trop pour supporter de perdre, marmonna Jérôme.

— J'avais du mal à y croire quand il m'a annoncé tout ça par téléphone, poursuivit Anne.

Elle regarda le désordre du chantier sans le voir et finit par s'asseoir par terre. En lâchant sa clinique, Paul lui faisait porter une culpabilité supplémentaire, il lui donnait l'impression d'avoir saccagé son existence.

— Je vous ai trouvé un bûcheron, déclara Ludovic.

C'était totalement incongru après ce qui venait d'être dit, mais Anne leva les yeux vers lui, intéressée.

— Pas trop cher ?

— Non. Et qui connaît son métier. Il débitera tout le bois mort et le rangera où vous voulez. Après, il pourra s'occuper des arbres à abattre, mais ceux-là devront sécher deux ou trois ans avant de pouvoir être brûlés dans le poêle.

Une seconde, Anne se demanda si Ludovic n'était pas *trop* providentiel, néanmoins, elle avait besoin de se chauffer et elle était pratiquement à court d'argent.

— D'accord, faites-le venir.

Plus tôt dans la matinée, elle avait dressé la liste des problèmes à affronter durant les prochains mois, au moins celui-ci serait-il réglé.

Elle redescendit au premier, toujours flanquée du chien qui ne la quittait pas, et gagna son bureau. Le thermomètre intérieur affichait dix-huit degrés, une température un peu juste pour rester immobile. Avec un soupir résigné, elle s'enroula dans un châle puis s'installa devant son ordinateur. Malgré tous les bouleversements des derniers mois, elle avait continué à rendre des dossiers comptables impeccables à ses clients. Et le bouche à oreille fonctionnait bien puisqu'elle avait de nouvelles demandes. Peut-être devrait-elle s'occuper d'une ou deux entreprises supplémentaires, un travail à mi-temps ne suffisant pas à la faire vivre. Puisque Jérôme et Ludovic se chargeaient du chantier, avec maintenant Suki pour les conseiller en matière de décoration, elle pouvait consacrer quelques heures de plus à son métier. Bien sûr, il y avait beaucoup de courses, de repas, de ménage à faire, mais elle était prête à se lever encore plus tôt pour tout concilier.

Le menton dans les mains et les yeux dans le vague, elle se demanda d'où lui venait cette volonté nouvelle de chef de famille. Durant des années, et malgré son énergie, elle avait laissé Paul décider, s'était plus ou moins effacée, mais à présent elle se sentait différente, avec un grand appétit pour la vie qu'elle était en train de se construire.

Elle cliqua sur l'icône de son dossier personnel. Pour recevoir des hôtes, il fallait acheter des tas de choses, draps et serviettes, couettes et oreillers, lampes de chevet, rideaux… L'addition était de plus en plus lourde. Et elle devinait que Paul ne ferait strictement rien pour l'aider, bien au contraire. Le connaissant, une fois ses décisions prises, il s'y tenait quoi qu'il lui en coûte. Trop blessé par la fin de leur histoire, il allait s'appliquer à la rayer de son existence et se dépêcher de rebâtir autre chose. Ne resterait que Léo comme trait d'union entre eux.

Le téléphone la fit sursauter tant elle était perdue dans de sombres pensées.

— Je ne te dérange pas ? demanda Julien en préambule.

— Non ! J'étais dans mes comptes, les miens et ceux des autres.

— Je n'ai jamais compris comment tu pouvais t'amuser avec ça. En ce qui me concerne, les chiffres ne sont pas mes amis. Et c'est à ce sujet que je t'appelle, en fait, je crie au secours.

— Pour la clinique ?

— Évidemment. Sans faire de commentaire désagréable, Paul m'a mis dans une situation impossible. Je cherche un remplaçant partout, et le seul candidat que j'ai reçu ne convenait pas. Inutile de te dire que je bosse douze heures par jour.

— Je suis désolée…

— Tu n'as pas à l'être. Quand j'ai divorcé, je n'ai pas claqué la porte, et je n'aurais jamais imaginé que Paul puisse le faire. Pour moi, il a disjoncté.

— C'est tout de même à cause de moi.

— Ne commence pas à te fustiger. On a une conscience professionnelle ou pas. J'étais persuadé que Paul serait très rigoureux là-dessus et je me suis trompé. Comme quoi je le voyais sous un jour trop flatteur. Bon, je dois te paraître aigri mais je l'ai en travers de la gorge. Je suis obligé d'adresser certains clients aux confrères de Dax, ça m'exaspère. Nous avons eu du mal au début à monter cette affaire, et je refuse de la saborder. Se tirer en cinq jours c'est…

Il s'interrompit, soupira, puis reprit plus doucement :

— Bref, je te quémande un coup de main. Tu connais la clinique, tu t'es longtemps occupée de la comptabilité, des fiches de paie, et moi je ne vais pas y arriver.

— Bien sûr, Julien. Quand on a commencé à se disputer, Paul a préféré me retirer le dossier, tu n'as qu'à me le rendre.

— Ah, tu es gentille !

— Mais non, c'est le moins que je puisse faire.

— Sauf que je te force un peu la main et je m'en excuse. Mais quand Brigitte m'a dit ce matin d'un ton rageur, parce qu'elle ne décolère pas, que j'avais intérêt à trouver un comptable, je me suis senti noyé. Ce qu'il faut que je trouve d'abord, et vite, c'est un confrère. J'ai appelé Toulouse, Maisons-Alfort… J'attends des réponses. Et inutile de t'expliquer que ça va me faire tout drôle de travailler avec quelqu'un d'autre que Paul. On s'entendait très bien dans le boulot. Sur ce plan-là je vais vraiment le regretter.

— Est-ce qu'il avait le droit de te laisser tomber dans un délai aussi court ?

— Je ne sais pas. Déontologiquement, c'est indéfendable, mais je ne lui ferai aucun ennui. Tu me vois appeler l'ordre des vétérinaires ? Je n'ai pas la mémoire courte et je n'oublie pas que l'idée de cette clinique vient de lui, qu'il m'a choisi comme partenaire et qu'on s'est donné à fond tous les deux. Même si ça finit mal, c'était une belle collaboration.

Anne eut l'impression que sa voix venait de se casser sur le dernier mot. Au-delà des ennuis que lui causait le départ de Paul, il était blessé dans son amitié, sa confiance.

— Mets tout le dossier sur une clef USB et viens me la porter ce soir, tu dîneras avec nous.

— Je finis tard.

— Peu importe, on te gardera une part au chaud.

— Merci, Anne.

Après avoir raccroché, elle resta pensive un moment. Elle n'oubliait pas que Julien lui avait prêté de l'argent sans poser de questions quand elle avait voulu rembourser les dettes de Jérôme, et elle trouvait normal de lui rendre service. S'il avait d'abord été l'ami de Paul, il était devenu le sien avec le temps. Cependant elle savait bien qu'il y avait autre chose. La perspective de le voir la réjouissait toujours un peu trop, elle en était consciente mais n'avait plus envie de s'en défendre. Le temps apporterait des réponses, et advienne que pourra !

           **

Estelle n'avait confié ses mains à la manucure qu'avec réticence. Elle n'était pas une adepte des instituts de beauté, et hormis une coupe chez son coiffeur tous les mois, elle s'occupait peu d'elle-même, évitant les dépenses superflues. Mais Lily avait insisté pour lui offrir un soin des ongles, à défaut de pouvoir la

convaincre d'un massage ou d'une séance de balnéo-
thérapie. En ce qui la concernait, elle trompait son
ennui de femme au foyer et ses angoisses de la quarantaine dans les clubs chics d'Hossegor. Plusieurs fois
par semaine, elle abandonnait son visage et son corps
aux doigts expérimentés d'une esthéticienne, se laissant bercer par des bavardages futiles. Rester séduisante avait toujours été son objectif, pourtant elle
s'apercevait que les hommes se retournaient moins
souvent sur elle malgré ses jupes courtes et son maquil-
lage soigné.

— Votre maman n'a pas l'air d'apprécier, lui
annonça la jeune femme qui venait de lui retirer son
masque d'argile. Elle s'est récriée devant la gamme des
rouges et n'a accepté qu'un vernis incolore !

Lily esquissa un sourire, imaginant sans peine
l'embarras de sa mère.

— Elle n'a pas l'habitude, expliqua-t-elle en quittant la table de massage. Question de génération !

Et aussi de moyens. Éric lui passait tous ses caprices,
même s'il s'étonnait parfois qu'elle dépense autant
d'argent. Devenait-il radin en vieillissant ? Il gagnait
pourtant bien sa vie dans son cabinet dentaire, mais
depuis peu il s'était mis à évoquer les futures études de
leurs filles, l'avenir, un jour la retraite. La *retraite* !
Comment pouvait-il y songer à quarante-cinq ans ? Ce
mot résonnait aux oreilles de Lily comme une condam-
nation. Elle voulait s'amuser, continuer à danser,
séduire et avoir des amants, pas tricoter devant la
télévision !

Elle retrouva sa mère dans le hall de la réception et la vit qui contemplait ses mains d'un air mitigé.

— Alors, maman, convaincue ?

— Je ne sais pas trop… En tout cas, toi, tu as bonne mine, les traits reposés, ça te fait paraître plus jeune.

— Je ne suis pas vieille ! s'indigna Lily.

— Ce n'est pas ce que je voulais dire.

Elles quittèrent l'institut après que Lily eut fait mettre la note de la manucure sur son compte, ignorant les protestations de sa mère.

— Pour une fois que je t'offre quelque chose, laisse-toi faire.

En effet, c'était toujours Estelle qui gâtait sa fille aînée au-delà du raisonnable. Pour avoir le plaisir de passer un après-midi en sa compagnie, elle lui faisait systématiquement de petits cadeaux.

— On va prendre une pâtisserie ? proposa-t-elle.

Elles gagnèrent un salon de thé proche où elles commandèrent des gâteaux et des cappuccinos.

— Je déteste l'hiver, soupira Lily. On ne peut plus profiter de la plage, il fait nuit trop tôt, on est toujours en manteau… En plus, il faut penser à Noël ! Qu'est-ce qu'on va faire, cette année ? Je l'organise chez moi, comme d'habitude ?

Avant que sa sœur n'hérite, c'était elle qui disposait de la plus grande maison pour réunir la famille.

— Anne voudra peut-être que ça se fasse chez elle, cette année, ajouta-t-elle d'un air innocent.

— Ah, non ! s'emporta aussitôt Estelle. D'abord, c'est au diable, ensuite il y fait froid. Et puis on ne va pas tout changer pour Anne, d'ailleurs, je déteste cette bâtisse, et ton père aussi.

Lily n'était pas tout à fait de son avis, elle ne trouvait pas la bastide si mal que ça, bluffée par la taille des pièces et la hauteur des plafonds, l'escalier monumental, la grande clairière. Certes, l'endroit avait besoin d'être retapé, mais enfin on ne voyait pas des propriétés comme celle-là tous les jours. Bien qu'elle ait du mal à l'admettre, elle éprouvait toujours une certaine aigreur, et sentir que sa mère était pire qu'elle la réconfortait.

— Quand je pense que mon pauvre Jérôme se crève là-dedans, enchaîna Estelle, je vois rouge. Anne exploite tout le monde ! Elle a courtisé cette vieille folle d'Ariane, elle a embrigadé ton frère dont elle fait un ouvrier sans salaire, et maintenant Valère et Suki se croient ses débiteurs. C'était bien normal qu'elle les héberge, même si je pense qu'ils auraient été mieux chez nous, à Biarritz.

— Donc, on fera le réveillon chez moi. Éric sera content, il adore recevoir. Est-ce qu'on garde le menu traditionnel de foie gras, dinde aux marrons et bûche ?

— Si on changeait, ce ne serait pas vraiment Noël.

Lily considéra la pâtisserie qu'elle était en train de manger, puis elle repoussa son assiette.

— J'ai intérêt à faire un peu de régime d'ici là !

— Pourquoi ? Tu es parfaite comme ça.

Outre les petits cadeaux, Lily avait toujours droit à de réconfortants compliments lorsqu'elle passait un moment avec sa mère.

— Les filles ne vont pas tarder à rentrer du collège, soupira-t-elle, je dois y aller.

Encore une chose qu'elle enviait à sa sœur, de ne pas avoir à s'occuper de deux adolescentes infernales. Léo était plutôt calme et bien élevé, en plus il avait voulu être pensionnaire, le comble de la chance ! Lorsque Lily avait évoqué cette possibilité pour ses filles, elles avaient protesté vertement, et Éric aussi. Décidément, Anne avait la belle vie, et aujourd'hui elle disposait d'un statut pour lequel Lily se serait damnée : l'indépendance. Anne faisait ce qu'elle voulait dans sa grande baraque où elle allait jouer à l'hôtesse, et personne n'était là pour la harceler ou la contrarier.

Elle laissa sa mère régler la note et se remit un peu de rouge à lèvres avant de se lever.

**

Julien s'adressa au garçon avec beaucoup de douceur :

— Il dort maintenant, il ne t'entend plus. Il est parti…

L'enfant regardait son chat inerte sur la table, les yeux pleins de larmes. Pourquoi sa mère l'avait-elle emmené avec elle et lui infligeait-elle cette épreuve ?

— Je m'occupe de tout, ajouta-t-il. Vous pouvez retourner dans la salle d'attente.

La jeune femme entraîna son fils, qui devait avoir une douzaine d'années et, l'une soutenant l'autre, ils quittèrent le cabinet. Julien détestait toujours ces instants. Même pour abréger les souffrances d'un animal, pratiquer une euthanasie lui était pénible, et voir pleurer les gens l'émouvait, il ne s'était pas blindé avec les années. Heureusement, un peu plus tôt dans l'après-midi, il avait réussi à sauver une chienne dont l'estomac s'était retourné. Le maître lui avait carrément sauté au cou, éperdu de reconnaissance. Parfois, Julien jugeait durement les gens trop attachés à leur animal de compagnie, mais pour certains, la force du lien s'expliquait par la solitude… ou par les désillusions infligées par les humains !

Brigitte entra et lui annonça qu'il n'y avait plus de clients en attente.

— Encore une journée démente ! fit-elle remarquer d'un ton acide. Vous n'avez toujours personne en vue ?

— Si, j'ai une piste sérieuse. Un confrère qui ne veut pas s'installer seul et qui a déjà fait pas mal de remplacements, donc qui bénéficie d'une certaine expérience. Enfin, c'est plus exactement une consœur. Elle m'est recommandée par l'école vétérinaire de Nantes où elle a été très bonne élève.

— Une femme ? s'étonna Brigitte.

— Pourquoi pas ?

— Vous croyez que les gens apprécieront ?

— Si elle est compétente et chaleureuse, sûrement. Vous n'êtes pas misogyne, Brigitte ?

Elle haussa les épaules, agacée. Sans doute aurait-elle préféré un séduisant trentenaire qui l'aurait aidée à oublier le départ de Paul. Elle ne se remettait pas de sa défection qu'elle estimait scandaleuse. D'un point de vue professionnel, elle avait raison, mais son jugement exprimait des choses plus personnelles. Elle était déçue par son absence, et vexée qu'il ne se soit pas donné la peine de lui en parler directement. Quand Julien lui avait exposé la situation, elle avait failli s'en aller à son tour. Par chance, elle était très attachée à la clinique et refusait de laisser tomber Julien à son tour, affirmant qu'elle n'était pas une lâcheuse irresponsable.

— De toute façon, vous ne pouvez pas rester seul, alors plus vite cette femme viendra et mieux ce sera.

— Je la reçois demain matin, elle prend un train de nuit. Notre premier échange par téléphone a été assez concluant pour lui donner envie de se déplacer.

— Elle pourrait commencer tout de suite ?

— Oui, je crois.

— Et où logerait-elle ?

— Je n'en sais rien… À l'hôtel ? Le temps de s'organiser.

— Moi, je veux bien l'héberger, j'ai de la place. Enfin, seulement si elle est sympathique.

Brigitte possédait un agréable pavillon à la sortie de Castets et à deux pas de la clinique. Elle y vivait seule en affichant une indépendance de célibataire qui, en réalité, lui pesait beaucoup.

— Et comment s'appelle-t-elle, votre future associée ?

— Véronique Resnais. Mais ne mettons pas la charrue avant les bœufs, rien ne prouve qu'elle fera l'affaire, ni qu'elle se plaira ici. Quant à une éventuelle association, il faudra d'abord que je débrouille la situation avec Paul.

— Ah, celui-là ! Je le voyais comme un homme extraordinaire, droit et consciencieux.

— Je crois qu'il est vraiment désemparé.

— Il avait déjà évité le tribunal, et là, il s'est carrément enfui ! Lui !

— À certains moments, plaida Julien, on ne parvient plus à faire face. Surtout pour quelqu'un comme lui, qui n'accepte pas l'échec.

— Ne lui cherchez pas d'excuses.

— Et vous, ne soyez pas si intransigeante.

Au lieu de se fâcher davantage, elle eut un large sourire.

— D'accord… Mais pour tout vous dire, et là je vous fais une confidence, je l'aurais volontiers consolé.

— Je sais.

— Ah bon ? Ça se voyait tant que ça ?

— Nous sommes ensemble à longueur de journée, rappela-t-il gentiment.

— Vous me trouvez idiote ?

— Non ! Paul est séduisant. Et les femmes adorent voler au secours des hommes malheureux.

Cette fois, elle rit carrément.

— Ce doit être mon côté maternel. Bon, vous avez vu l'heure ? Reposez-vous un peu, sinon vous n'aurez plus les yeux en face des trous.

Il la regarda sortir, amusé par sa spontanéité. Il devait la ménager, il avait vraiment besoin d'elle, il n'imaginait pas la clinique sans elle en ce moment. Par chance, elle semblait surmonter sa déception concernant le départ de Paul, et elle finirait bien par trouver un homme à son goût. Elle était trop mignonne pour rester seule longtemps. Sauf que, évidemment, rencontrer le prince charmant à Castets relevait de l'improbable.

Ouvrant le fichier de la comptabilité dans son ordinateur, il l'enregistra sur une clef USB. Puis il bascula la ligne du téléphone sur son portable, éteignit les lumières et enfila son blouson. Travailler ici sans Paul avait quelque chose de désespérant, le remplacer était vraiment amer. À condition d'y parvenir ! Il se prit à espérer que cette Véronique Resnais aurait les qualités requises, sinon il devrait reprendre des recherches auxquelles il n'avait pas le temps de se consacrer.

En quittant la clinique, le vent glacé de la nuit le surprit désagréablement tandis qu'il déverrouillait l'antivol de sa moto. Malgré ses gants et son casque, il allait avoir froid sur la route de la bastide.

**

— Ah non ! s'emporta Léo. On va faire Noël ici, c'est bien plus grand que chez Lily, on pourra enfin avoir un sapin gigantesque et on décorera toute la maison, dedans et dehors. En débouchant dans la clairière, tu verras, ce sera féerique.

— Il a raison, approuva Jérôme. Noël chez Lily, c'est idiot. Tu dis qu'elle va se vexer ? Et alors ?

— Alors ça fera toute une histoire, soupira Anne, aussi bien avec elle qu'avec maman.

— Laisse-les s'agiter dans leur bocal.

— Elles auront froid.

— Et Lily ne pourra pas mettre une de ses robes décolletées jusqu'au nombril.

— Jérôme !

— Quoi qu'il en soit, je te rappelle que Ludovic t'a trouvé un bûcheron et que nous aurons de quoi faire des feux d'enfer dans les cheminées du salon et de la salle à manger.

— Maman va en faire une question de principe.

— Si vous voulez, je lui annoncerai la nouvelle, proposa Valère. Venant de moi, ça passera mieux.

Il l'énonçait simplement, comme une évidence dont il ne se réjouissait pas particulièrement. Inutile de nier que leur mère préférait Valère à Jérôme, et Lily à tous ses enfants. Depuis toujours, Anne venait loin derrière.

Goliath émit un grognement sourd qui les fit taire et ils perçurent le bruit de la moto de Julien qui arrivait. Quelques instants plus tard, quand il ouvrit la porte de la cuisine, une bouffée d'air glacé s'engouffra avec lui.

— Viens vite te réchauffer près du poêle ! s'exclama Anne.

Elle était encore un peu gênée en sa présence mais elle s'efforça de paraître naturelle. Aussi peu à l'aise qu'elle, il lui tendit tout de suite la clef USB, comme pour justifier sa visite.

— Tu as tout là-dedans, et merci de ton aide.

— Je m'en occuperai dès demain.

— Il faudra établir la fiche de paie de Brigitte et calculer ce que je peux lui verser en prime de fin d'année. Nous l'avons toujours fait.

— Oui, j'ai l'habitude.

Durant une dizaine d'années, elle s'était occupée de toute la gestion administrative de la clinique, sauf les derniers mois, quand Paul avait décidé de la lui retirer.

— Je vous sers un verre ? proposa Suki.

Assez fine pour percevoir la raideur de Julien, elle lui adressa un sourire chaleureux.

— Quelqu'un sait si Paul est bien arrivé à Paris ? s'enquit Jérôme avec une perfidie calculée.

— Oui, murmura Léo. Il est chez mes grands-parents.

Un silence contraint accueillit sa déclaration. Contre toute logique, Anne se sentit peinée que seul leur fils sache où se trouvait Paul. L'adolescent n'avait pas à porter la moindre part dans cette séparation, et elle se demanda ce qu'il éprouvait. Son père l'avait appelé, lui avait parlé, alors qu'elle était sans la moindre nouvelle de lui. Anne eut envie de l'interroger pour savoir quelles étaient les intentions de Paul, mais elle n'en fit rien. Si Léo avait été pris comme confident, il se trouvait déjà en porte-à-faux.

— Avant que tu n'arrives, reprit Jérôme, nous parlions de Noël. Tu as des projets pour le réveillon ? Si tu es seul, n'hésite pas à te joindre à nous !

Anne fusilla son frère du regard. De quoi se mêlait-il ?

— Je ne sais pas encore, répondit prudemment Julien.

L'année précédente, Paul l'avait invité mais il avait refusé, préférant être seul plutôt que dans une autre famille que la sienne. À ce moment-là, il était encore ébranlé par le départ de sa femme et des jumeaux, et il ne voulait imposer à personne son humeur sombre.

— On va faire une déco de folie ! affirma Léo.

Sa gaieté n'était pas feinte, ses yeux brillaient d'excitation.

— Il est possible que Charles soit là, ajouta-t-il à l'intention de sa mère.

— Un soir de Noël ?

— Ses parents sont d'accord, et en échange j'irai passer la Saint-Sylvestre chez lui.

Anne ne répondit rien, se gardant de donner trop vite son accord. Et si Paul voulait passer la fin de l'année et une partie des vacances scolaires avec son fils ? Ils n'en avaient pas discuté, Paul était parti trop vite.

— … oui, c'est une femme, je pense que les clients n'y verront pas d'inconvénient, était en train de dire Julien.

— Tu as déjà trouvé quelqu'un ?

— Ce n'est pas encore fait, mais j'espère. Je saurai ça demain.

— Elle est jolie ? lança Jérôme.

— Sur la photo de son CV, elle n'est pas mal. Une brune à cheveux longs.

— Si elle se révèle mieux que « pas mal », je suis prêt à t'amener Goliath en consultation !

Jérôme s'amusait, évidemment, surtout connaissant ses mœurs, mais Anne ne put s'empêcher de répliquer :

— Il ne te suivra nulle part.

Était-ce de l'exclusivité pour son chien ou de la jalousie envers cette femme inconnue qui allait remplacer Paul et partager le quotidien de Julien ?

— Les quiches sont en train de brûler, fit remarquer Valère.

Suki fut la plus rapide et les sortit prestement du four.

— Je ne me suis pas cassé la tête pour le menu, s'excusa Anne, mais on a une fricassée de champignons à l'ail en accompagnement, et Suki nous a préparé un pastis landais pour le dessert.

— J'ai suivi la recette à la lettre, précisa la jeune femme avec un sourire modeste. Un peu d'anisette, une pointe de rhum…

— Et de la fleur d'oranger ? insista Ludovic d'un air gourmand. Ma mère m'en faisait tous les dimanches quand j'étais gamin. J'adore ce gâteau !

Ils s'installèrent autour de la table en continuant à bavarder. Julien choisit de s'asseoir loin d'Anne et prit place à côté de Léo. Durant le dîner, ils s'efforcèrent d'éviter toute allusion à Paul pour ne pas mettre Léo mal à l'aise. Anne ignorait toujours ce que leur fils pensait de la fuite de son père, elle ne savait pas non plus comment Julien réagissait à cet abandon de poste qui le mettait en danger professionnellement.

— C'est encore un peu la bagarre entre les compagnies d'assurances, mais ça s'arrange pour nous, expliqua Valère à Julien. J'ai pu racheter du bon matériel, malheureusement la saison des mariages et des baptêmes est finie ! À Noël, les gens n'ont besoin de personne pour faire des photos de famille. Pour Suki, c'est plus compliqué parce qu'elle doit trouver un local. En fait, notre propriétaire n'avait pas une électricité aux normes, pas de différentiel ou je ne sais quoi, bref nous n'y sommes pour rien et nous subissons une perte d'activité dont nous serons heureusement dédommagés. Le vrai problème est que tout ça prend un temps fou.

— Mais grâce à Anne nous sommes très bien ici, tempéra Suki. J'ai l'impression d'être en vacances et j'adore cette maison.

— Moi aussi, renchérit Léo.

Anne lui sourit tout en se demandant s'il était sincère ou s'il faisait contre mauvaise fortune bon cœur. Avec la vente de la petite maison de Castets, la bastide devenait son foyer et non plus une villégiature de week-end où s'amuser avec Charles.

Après le café, Julien fut le premier à se lever pour prendre congé. Anne enfila une parka afin de l'accompagner jusqu'à sa moto.

— Il n'y a pas d'éclairage extérieur mais Ludovic a promis de poser un projecteur. Tout le monde met la main à la pâte, pourtant il reste encore beaucoup à faire…

— Vous avez tout l'hiver, vous y arriverez, l'encouragea Julien.

La lune et les étoiles baignaient la clairière d'une lueur fantomatique tandis que le vent sifflait dans les pins alentour.

— Rentre vite, Anne, tu vas avoir froid. Merci pour le dîner, et merci de ton aide pour la comptabilité. En ce qui concerne le bilan de fin d'année et tout le reste, considère-moi comme un de tes clients et envoie-moi tes honoraires.

— Tu plaisantes !

— Tu n'as aucune raison de perdre ton temps pour moi.

— Il n'en est pas question, Julien.

— Si, ça me gêne.

— Et moi, ça me vexe. Je l'ai fait pendant des années !

— Tu le faisais pour ton mari.

— Eh bien, ce sera pour un ami.

Il jouait nerveusement avec la bride de son casque et il ne céda qu'à contrecœur.

— À charge de revanche, alors. Si tu as besoin de quoi que ce soit…

— Je sais.

Dans la pénombre, elle vit qu'il souriait enfin. Elle se mit sur la pointe des pieds et lui déposa un baiser rapide sur la joue.

— Reviens quand tu veux, ça me fait toujours plaisir.

S'écartant pour le laisser enfourcher sa moto, elle frissonna.

— Anne, demanda-t-il sans bouger, qu'est-ce qui n'a pas fonctionné avec Paul ?

— Il ne le voulait pas vraiment, ou pas de cette manière-là. Peut-être que moi non plus, à la fin, parce qu'il y mettait trop de conditions, d'ultimatums.

— Bon sang, il avait tout entre les mains, un vrai carré d'as ! Lâcher ça pour une question d'orgueil…

— C'est sa nature, il n'accepte pas la contrainte. L'orgueil est ce qui lui a toujours permis d'avancer.

— Dommage pour lui, mais il s'en mordra les doigts. Un jour, il ne s'aimera plus lui-même, et il s'aigrira en découvrant qu'il a tout paumé parce qu'il ne voulait pas lâcher du lest. Vivre ici avec toi, ce n'était pas vraiment l'enfer.

Il y eut un crissement de pattes sur le sable, puis la silhouette de Goliath se glissa entre eux. Jérôme l'avait-il laissé sortir pour qu'il aille faire sa balade du soir ou parce qu'il trouvait qu'Anne s'attardait trop ? Julien eut un nouveau sourire et boucla son casque avant de démarrer doucement. Malgré le froid, Anne attendit de voir disparaître son feu arrière au bout du chemin.

Valère et Jérôme contemplèrent le tas de bois bien rangé contre le pignon de la maison, pas trop loin de la porte de la cuisine et déjà protégé par une bâche.

— Il travaille bien, ce type !

Ils entendaient le bruit aigu de la tronçonneuse, quelque part sur les terres d'Anne.

— Ludovic a des tas de copains formidables, constata Jérôme. J'ai l'impression qu'il connaît tout le monde dans la région. Dès qu'on a besoin d'un truc, il sait à qui s'adresser pour des prix imbattables. Mais c'est toujours de la main à la main, et Anne veut des factures.

— Elle n'a pas tort, ça nous a bien servi pour l'assurance d'avoir les doubles des nôtres dans ses dossiers.

— Certaines personnes préfèrent être payées de la main à la main. C'est le cas de ce bûcheron qui arrondit ses fins de mois en rendant service aux particuliers.

— Et s'il lui arrive un accident ?

— Ne vois pas la vie en noir.

— Tu as raison, le pire n'est jamais sûr, ironisa Valère.

— Ce que vous êtes chiants, dans la famille ! Même Anne, qui est pourtant la moins coincée, ne parle que de TVA, d'actif et de passif, de CSG déductible ou de crédit d'impôts ! Elle est parfois aussi sinistre qu'un percepteur.

— Tu n'en sais rien, tu n'en fréquentes pas.

Jérôme s'esclaffa tandis qu'ils gagnaient la lisière du bois et s'enfonçaient au milieu des arbres.

— Le temps est vivifiant, fit remarquer Valère en mettant ses mains dans ses poches. Pour les Landes, c'est un sacré mois de décembre.

— Si nous avons de la neige à Noël, Léo sera fou de joie. Avec un peu de chance il ne parlera plus de son billard et il fera de la luge sur les dunes !

Ils avançaient en se fiant au bruit de la tronçonneuse, curieux de voir le bûcheron à l'œuvre. Près de la clôture d'enceinte, ils aperçurent un énorme tas de bois, bien plus imposant que celui stocké à proximité de la cuisine.

— Anne aura de quoi se chauffer pendant des années !

— Depuis le temps que rien n'avait été nettoyé sur ces quatre hectares, je suppose que c'est normal. Mais je dis peut-être des bêtises, je n'y connais pas grand-chose. Quand je pense que nous avions un grand-père forestier !

— On ne l'a pas connu.

— Un grand-père, un arrière-grand-père, tous ces Nogaro qui exploitaient les pins…

— Tu ne vas pas t'y mettre ! protesta Jérôme. Anne a décidé de reconstituer notre arbre généalogique, photos à l'appui, comme si elle n'avait que ça à faire. Quel intérêt de contempler la bobine de nos ancêtres ?

— C'est sûrement instructif. Tu n'as pas de curiosité pour le passé de la famille ?

— Aucune !

Entre deux troncs, ils aperçurent le bûcheron qui s'activait. Durant quelques minutes, ils le regardèrent travailler avec admiration.

— Il a l'air infatigable, chuchota Valère. Je crois qu'on ferait mieux de ne pas le déranger, il pourrait croire qu'on le surveille.

Rebroussant chemin, ils pressèrent le pas.

— À mon avis, déclara soudain Jérôme, Julien est secrètement amoureux d'Anne.

— Non !

— Ben, si.

— Alors, qu'il le reste « secrètement », Anne n'a pas besoin de ça en ce moment.

— Pourquoi ? Plaire n'est jamais désagréable.

— La question n'est pas là, Jérôme ! Anne va devoir se remettre d'un divorce chaotique et douloureux, elle a besoin de compter sur ses amis, or Julien en est un. Ce serait de très mauvais goût qu'il se métamorphose en soupirant. Surtout lui, l'associé de Paul !

— Vu la façon dont Paul s'est tiré en le laissant dans les ennuis, il n'a pas à avoir d'états d'âme.

— Mais Anne serait déçue, choquée…

— Je n'en suis pas aussi sûr que toi.

— Quoi ? Là, c'est moi qui suis choqué.

— Petite nature, va !

— Tu ne trouverais pas ça amoral ?

— Non, je ne vois pas en quoi. Tu as de drôles d'idées, Valère. Combien d'hommes sont partis avec la meilleure amie de leur femme, et inversement ? Il faut du temps pour tomber amoureux, donc il s'agit souvent de quelqu'un de ton entourage, que tu as appris à connaître et que tu finis par désirer.

Valère eut une moue dubitative, mais il n'ajouta rien. Du coin de l'œil, Jérôme enregistra sa réaction tout en se demandant s'il serait intéressant d'encourager Anne ou pas. Elle finirait forcément par tirer un trait sur Paul et par faire des rencontres. Un parfait étranger représentait un danger potentiel. Quelqu'un qui n'aimerait pas la bastide, ou qui au contraire déciderait de tout y régenter. Quelqu'un qui ne supporterait pas d'avoir des hôtes, quelqu'un qui n'apprécierait pas la cohabitation avec le petit frère… Au moins, Julien était archi-occupé à longueur de journée, et il était bien placé pour savoir qu'Anne adorait sa maison. Il ne chercherait pas à la faire changer d'avis, il connaissait la situation actuelle ainsi que toute la famille. S'il le fallait, Jérôme l'aiderait à balayer les scrupules qui n'allaient pas manquer de le freiner.

Content de lui, il entraîna Valère dans la direction de la clairière.

※※

Suki finissait de pailler les pieds des rosiers sous l'œil attentif de Goliath, couché un peu plus loin. Le ciel restait plombé, menaçant, et la température avoisinait zéro degré. Malgré ses mains glacées, la jeune femme se redressa avec un hochement de tête satisfait.

— Vous ne gèlerez pas cet hiver, mes mignons…

Anne sortit de la maison et la rejoignit, agitant une doudoune.

— Si tu dois rester dehors, couvre-toi !

— J'ai fini, j'allais rentrer. Je crois que tu auras des roses magnifiques au printemps. Et tu verras, ça grandit vite, en deux ans les branches atteindront les fenêtres du premier.

Un bruit de moteur les interrompit et elles virent déboucher dans la clairière la vieille voiture de Gauthier.

— Papa ? Qu'est-ce qu'il vient faire ici ? s'inquiéta Anne.

Cette visite avait de quoi la surprendre, sachant que son père préférait éviter la bastide. Elle le regarda descendre, tout de suite rassurée par son joyeux sourire.

— Bonjour, les filles ! lança-t-il avec entrain.

— Je t'offre un café ?

— Volontiers. Le chauffage de la voiture est en panne, je suis transi.

Une fois dans la cuisine, il expliqua qu'il voulait voir Jérôme, porteur d'une excellente nouvelle le concernant. Poliment, Anne lui demanda comment allait leur mère, mais la lecture du cahier d'Ariane lui inspirait désormais des réserves et la mettait un peu sur la défensive.

Quand Valère et Jérôme arrivèrent à leur tour, revenant de leur expédition dans les bois, Gauthier prit à peine le temps de les embrasser avant d'annoncer fièrement :

— Jérôme, je t'ai trouvé du travail !

Sa déclaration fut suivie d'un silence qui l'obligea à donner des précisions.

— Il s'agit d'une opportunité incroyable. Figure-toi que le fils d'un de mes anciens collègues de l'Éducation nationale a monté une petite société fabriquant des produits bio. Des savons, des parfums d'intérieur, des nettoyants domestiques. Or sa boîte commence à décoller. Il a besoin d'un commercial pour démarcher toute la région des Landes et il cherche un homme d'une trentaine d'années, avec permis de conduire, maîtrise de l'anglais et beaucoup d'assurance. Exactement ton profil ! Tu aurais un salaire fixe, plus un intéressement aux ventes. Nous nous sommes rencontrés, je lui ai parlé de toi, et il est prêt à te recevoir. Voilà ses coordonnées…

D'un geste ample, Gauthier sortit une feuille de la poche de sa veste et la posa sur la table. Jérôme n'y jeta même pas un coup d'œil.

— Tu n'aurais pas dû te donner tout ce mal, papa. Je suis désolé mais ça ne m'intéresse pas.

Abasourdi, Gauthier regarda son fils sans comprendre.

— Quoi ? Mais c'est une chance inouïe ! Tu n'as aucune qualification, pas le moindre diplôme. Toi qui aimes bouger et convaincre, ce serait le job idéal.

— Qu'est-ce qui a bien pu te faire croire que je cherchais du travail ?

— Eh bien… c'est une évidence, non ? Tu es sans le sou, tu végètes ici en te berçant d'illusions, et ta mère m'a tanné pour que je te trouve un boulot, n'importe lequel !

— Elle a eu tort. Je déteste qu'on se mêle de mes affaires.

— Quelles « affaires » ? s'emporta Gauthier. Tu ne fais rien !

— Si si, plein de choses, même si vous ne voulez pas l'admettre.

Se tournant vers sa fille, Gauthier la toisa sans indulgence.

— C'est toi qui lui mets ces idées en tête ? Tu ne lui rends pas service ! Vous pensez vraiment que vous allez faire fortune avec vos petites chambres ?

— Elles ne sont pas si petites que ça, même si de ton temps on y logeait les bonnes, répondit perfidement Jérôme. Ta famille soignait bien son personnel...

— Sois sérieux pour une fois ! riposta Gauthier en tapant du poing sur la table.

Anne et Valère considéraient leur père avec effarement car ils ne l'avaient presque jamais vu se mettre en colère.

— Il est sérieux, finit par intervenir Anne. Notre projet aussi. Nous ne gagnerons peut-être pas beaucoup d'argent au début, mais le but n'est pas de s'enrichir.

— Tu ne vois donc pas que tu l'entretiens dans ses rêves, dans son refus de se confronter au monde du travail, aux réalités de la vie ? Il n'a pas de statut chez toi, il est bénévole. Il...

— Tu pourrais t'adresser à moi quand tu parles de moi ? intervint Jérôme d'une voix glaciale.

— Eh bien oui, je vais te le dire en face, il est temps que tu atterrisses ! Jusqu'ici tu t'es contenté de taper de l'argent aux uns et aux autres, et tes prétendus voyages ne t'ont pas mis de plomb dans la tête. À trente-cinq ans, quand on n'a strictement rien fait de son existence, on est un raté. Ce constat me navre, je te prie de le croire, je suis déçu et inquiet pour toi. Quant à ta mère, elle en est malade. J'ai frappé à toutes les portes pour te trouver quelque chose, je te l'apporte sur un plateau, et tu n'es pas content ?

— Non. Je n'irai pas vendre des savons ou des détergents bio aux deux bouts du département. Je ne deviendrai pas représentant de commerce pour te faire plaisir. Je ne démarcherai pas, je ne tirerai pas les sonnettes. C'est clair ?

Furieux, Gauthier toisa successivement Suki, qui gardait les yeux rivés sur la table, puis Valère, dont le visage n'exprimait rien, et enfin Anne, qui soutint son regard.

— Évidemment, dit-il à sa fille d'un ton aigre, toi, ça t'arrange qu'il reste là. Cette maison a le chic pour rendre tout le monde irresponsable !

Avant qu'Anne ne puisse répliquer, Jérôme lança rageusement :

— Ah non ! Tu ne vas pas nous ressortir ta litanie sur la maison. On sait que tu ne l'aimes pas et on s'en fout. On sait que tu en veux à Ariane de l'avoir léguée à Anne, et aussi à Anne de l'avoir acceptée. Vous ne parlez que de ça avec maman et Lily, à vous en coller des brûlures d'estomac. Et maintenant tu viens me faire la morale à demeure ?

Gauthier avait pâli sous la diatribe. Il se leva pesamment, comme s'il avait soudain vieilli, et marcha d'un pas raide jusqu'à la porte. La main sur la poignée, il parut attendre quelque chose. Anne se tourna vers Valère d'un air interrogateur. Son frère aîné était le moins impliqué dans toute cette histoire, c'était à lui de raccompagner leur père qu'on ne pouvait pas laisser partir seul.

Quand ils furent sortis tous les deux, Jérôme soupira.

— Eh bien voilà, c'est dit…

Il semblait guetter l'approbation de sa sœur qui lui adressa un sourire mitigé.

— Mais si, insista-t-il. Il n'est venu que pour me faire rentrer dans le rang et, accessoirement, faire le vide autour de toi. Il est resté dans la logique des bons et des mauvais élèves, sauf que ça ne marche plus. En revanche, il y a un truc qui fonctionne toujours : plus on veut me décourager, plus je m'accroche !

Quittant la cuisine à son tour, il claqua la porte, peut-être plus secoué qu'il ne l'admettait par cet affrontement.

— Je refais du café ? proposa Suki à mi-voix.

— Volontiers.

— Valère va apaiser votre père, ne t'inquiète pas.

— Pas cette fois-ci, j'en ai peur.

« Peur » était un grand mot, en réalité elle en avait assez de l'hostilité de ses parents, assez de se sentir coupable envers tout le monde, et elle n'était pas fâchée que son frère ait su riposter.

— Tu crois que j'exploite Jérôme ? demanda-t-elle néanmoins.

Suki eut un petit rire discret mais très gai.

— Bien sûr que non. Tu le loges, tu le nourris, et son copain aussi ! Tu lui as ouvert des horizons tout en le laissant faire ce qu'il veut. Rien ne pouvait mieux le satisfaire.

— Je vais l'associer pour de bon à notre projet. L'idée vient de lui, il réalise sa part de travaux, il mérite d'être traité autrement que comme un bénévole de passage.

— Ne lui mets pas une chaîne au pied, murmura Suki, il détesterait ça. Tu l'as entendu tout à l'heure, rentrer dans le rang lui fait horreur.

Anne en avait bien conscience, pourtant elle devait trouver un statut à son frère s'il était vraiment décidé à rester. Sur ce point, leur père n'avait pas tort. Mais d'ici là, elle avait un autre problème.

— Ça s'annonce mal pour un Noël ici en famille, soupira-t-elle.

Sa mère était tout à fait capable de refuser son invitation. Dans ce cas, il y aurait deux camps, Lily et Éric avec leurs filles seraient dans celui des parents, les autres dans celui d'Anne à la bastide.

— Nous l'avons toujours fêté tous ensemble…

Déjà, l'absence de Paul était pénible à imaginer, alors le reste devenait inconcevable.

— Les choses s'arrangeront, promit Suki.

Elle possédait un grand sens de la famille, un authentique respect des anciens et des traditions, jamais elle n'aurait osé parler à son beau-père comme Jérôme venait de le faire, pourtant elle se rangeait du côté d'Anne.

— Je crois que ton héritage les a un peu déboussolés, ajouta-t-elle.

— C'est le moins qu'on puisse dire !

— Mais tu en fais bon usage. Tu n'as rien à te reprocher puisque tu offres à chacun l'hospitalité pour la fête de Noël. À eux de choisir.

Anne décida que sa belle-sœur était la voix de la sagesse. Elle ferait de son mieux pour que Léo, ses frères et Suki soient heureux ce soir-là. Ceux qui voudraient les rejoindre seraient les bienvenus, tant pis pour les autres.

— En ce qui concerne les cadeaux, que doit-on prévoir ? interrogea Suki avec une nuance d'inquiétude.

— Des bêtises à trois sous dans du papier doré ! Aucun d'entre nous n'a les moyens de beaucoup dépenser en ce moment.

— D'accord. On n'a qu'à faire preuve d'imagination, c'est plus amusant.

— J'ai bien peur que nous ne puissions pas rivaliser avec toi, s'amusa Anne.

Avec trois fois rien, Suki savait réaliser des merveilles, elle allait sûrement s'y employer.

— Quel âge avait ton père quand la maison a été vendue ?

— Huit ou neuf ans.

— Donc, il a passé plusieurs Noëls de son enfance ici.

— Oui, et j'avais bêtement supposé que ça l'amuserait de s'y retrouver soixante ans plus tard. Mais je me suis trompée. Tu as entendu sa hargne pour dire que la maison rend tout le monde irresponsable ? Il la déteste toujours. S'il en avait hérité, il l'aurait vendue sur-le-champ, et il s'attendait à ce que je le fasse. Peut-être aurais-je dû ? Maman me traite d'égoïste parce que je n'ai pas partagé.

— Pourquoi l'aurais-tu fait ? Ta tante a voulu t'offrir une chance à toi seule. Il faut respecter la volonté des morts.

— Avoue qu'une part d'héritage vous aurait bien arrangés !

— Peut-être, mais mon magasin marchait bien, je n'avais pas à me plaindre, et ce sera pareil dès que je pourrai rouvrir. De son côté, Valère se débrouille toujours pour gagner un peu d'argent, nous ne sommes pas dans la misère. De toute façon, je ne regarde jamais dans l'assiette du voisin en la trouvant mieux garnie que la mienne. Et puis sois sans regret, Lily aurait claqué sa part en futilités, et Jérôme aurait été capable d'aller jouer la sienne au poker !

Suki eut de nouveau un de ses petits rires charmants avant de conclure :

— Pire encore, la maison aurait fini dans les mains d'inconnus. Toi, tu la gardes, tu y as trouvé ta place et tu la fais revivre, c'est ce qu'Ariane espérait. Dans mon pays, on dirait que tu honores tes ancêtres.

Médusée, Anne la dévisagea. C'était le plus gentil discours qu'elle ait entendu depuis l'ouverture du testament. Ce jour-là, elle avait pressenti que son existence risquait d'être chamboulée, mais pas d'exploser. Elle contempla Suki un moment encore puis se mit à rire elle aussi, soudain très gaie.

6

Ce matin, en allant ramasser du bois mort, je me suis fait l'effet d'une vieille sorcière traînant son balai. Avoir été une belle femme et découvrir chaque matin dans son miroir une dame âgée est une épreuve. Non pas que je veuille encore plaire – Dieu merci, j'ai eu mon lot de séduction –, mais chaque année qui passe creuse des rides, bloque les articulations, rend le souffle court, bref ajoute son lot de sournoises petites misères. Il n'y a plus que mon notaire pour me faire les yeux doux, comme s'il voyait toujours en moi la flamboyante Ariane Nogaro d'une autre époque. Pauvre Pierre Laborde ! Sa cour est si discrète que je peux l'ignorer sans le vexer. Il vient me voir chaque semaine, avec les chiffres de mes placements. Le rapport est toujours excellent, quelle que soit la période traversée, et je le soupçonne de me favoriser. À moins qu'il ne soit un très grand homme d'affaires malgré son apparence ordinaire. Récemment, je lui ai fait part de mes intentions concernant l'avenir de la bastide après moi et il a attiré mon attention sur les droits de succession. Quoi ? Tout cet argent dans la poche d'un État si glouton que je vais devoir vivre chichement jusqu'à mon dernier jour pour arriver à transmettre mon seul bien ? Hélas, il le faudra. J'ai expliqué à Pierre que, par chance, je n'ai que peu de besoins. Mais je ne peux m'empêcher de regretter la somme prêtée à Gauthier et jamais remboursée. Comme j'ai trop d'orgueil pour lui rappeler sa dette, je préfère encore me priver.

Mon médecin – quel âne ! – affirme que mon cœur est fatigué. Au sens figuré, certainement, il doit être épuisé par toutes les désillusions de l'existence. Mais au sens propre, ma vie n'a pas été dure. J'ai été servie durant des années et n'ai rien fait de mes dix doigts hormis un peu de broderie dans ma jeunesse. De toute façon, mourir d'un arrêt du cœur serait une bénédiction, la fin interminable de mon très cher Paul-Henri a été trop atroce.

Mon après-midi est soudain illuminé par une visite surprise d'Anne. Elle rayonne d'un mystérieux bonheur, et dans son petit visage bronzé par l'été, ses yeux verts semblent deux péridots. La meilleure des pierres pour chasser la mélancolie ! Elle a coupé court ses boucles blondes, elle est ravissante. Étrangère à notre famille, j'en mettrais ma main au feu, mais vraiment jolie. À peine descendue de voiture, elle se jette dans mes bras et m'annonce son mariage. Elle m'avait déjà parlé de ce Paul qui termine ses études de vétérinaire et qui est l'heureux élu. Je suis la première à qui elle annonce la nouvelle, ce qui me bouleverse. Je remarque sans le dire que non seulement il y a

« Anne » dans Ariane, mais aussi « Paul » dans Paul-Henri. Un signe du destin ?

Je l'écoute babiller, je la regarde sortir des gâteaux d'un carton de pâtisserie, et je m'étonne d'éprouver un tel plaisir à sa présence. Elle m'invite d'ores et déjà à la noce, le faire-part officiel me parviendra dès son impression. Je l'avertis qu'elle risque de mécontenter ses parents, ce qui la fait rire. « C'est mon mariage ! » lance-t-elle gaiement.

Après son départ, je reste longtemps songeuse. Gauthier et Estelle ne m'aiment pas et ils seront embarrassés de se retrouver face à leur créancière. Lily me méprise et je n'ai pas été conviée à rencontrer son mari. Je ne connaîtrai personne à cette réception, cependant j'ai l'usage du monde et je saurai faire honneur à ma nièce Anne. Ce sera aussi l'occasion rêvée de mener ma petite enquête, que je ne perds pas de vue. Je crois que je n'aurai pas besoin de poursuivre Estelle, elle va me tomber toute rôtie dans le bec.

Le soir s'étend sur la bastide. Un de ces crépuscules mordorés de l'automne qui rendent nostalgique. Tout est beau, ici, au soleil couchant. Je vais chercher une grosse veste de laine et ma chaise longue dont la toile se déchire. Une fois installée au coin de la maison, les yeux mi-clos, je me perds dans mes souvenirs. Je peux presque entendre les résiniers peler l'écorce des pins. Perchés sur leur drôle d'échelle à un seul montant, ils savaient s'arrêter au liber, cette peau entre écorce et bois. J'allais volontiers parler avec eux, ou plutôt je les faisais parler. Mon père me noyait sous des explications ennuyeuses, où il n'était question que d'essence *de térébenthine et de colophane alors que les résiniers et leurs femmes usaient de mots simples. La campagne de gemmage commençait toujours en janvier, pelage et cramponnage, puis en mars on donnait les premières piques, et jusqu'en octobre on récoltait la résine qu'on transvasait dans de grands paniers en bois. Au milieu des forêts de mon père, je me sentais toujours exaltée, en osmose avec cette nature généreuse qui nous donnait toute sa richesse. Je n'ai pas vu venir la ruine car personne n'en parlait à la maison. Ce genre de conversation ne pouvait avoir lieu devant les enfants, je ne sais même pas si mon père tenait ma mère au courant des difficultés qui s'accumulaient. Grèves des gemmeurs, révoltes, émeutes, puis ouverture brutale du marché français à la concurrence, baisse des cours... Certains gros propriétaires forestiers ont senti le vent tourner, ils se sont mis d'accord avec les industriels de la papeterie et ont réaffecté leurs forêts. Mon père s'est entêté jusqu'au bout et il a sombré. Je ne crois pas, avec le recul, qu'il ait été un homme très intelligent. Son grand-père et son père avaient largement profité des « arbres d'or », il n'a rien voulu changer et il a eu tort. Gauthier tient de lui, avec le même entêtement monotone, la crainte de toute nouveauté et l'absurde certitude d'être dans son bon droit.*

À présent, il fait nuit. Je prête en vain l'oreille, ma petite forêt chèrement reconquise reste silencieuse. Ailleurs, on abat les arbres, ici les miens vieillissent en paix.

— Est-ce que tu as payé le bûcheron ? demanda Valère en entrant dans le bureau d'Anne.

Surprise en pleine lecture, elle referma le cahier de moleskine.

— Oui, pourquoi ?

— Parce que c'est un filou ! Pour nous mettre en confiance, il a fait un petit tas près de la maison, mais l'essentiel de ce qu'il a coupé était rangé près de la clôture et il est venu le chercher cette nuit !

— Quoi ?

— On s'est fait avoir comme des bleus par le copain du copain de Jérôme. Ludovic « Je-connais-tout-le-monde » prétend qu'il n'a pas l'adresse de ce type, rencontré dans un bar, paraît-il, et donc on ne remettra pas la main dessus.

Anne dévisagea son frère puis secoua la tête, impuissante.

— Ne te fie plus à lui pour embaucher personne.

— Que dit Jérôme ?

— Tu le connais. Il pense que Ludovic est de bonne foi. Moi, je n'en jurerais pas.

— Il serait de mèche avec le bûcheron ?

— Ils ont pu faire moitié-moitié.

— Mais tu n'en as pas la preuve.

Accuser Ludovic pouvait se révéler injuste, et de toute façon Jérôme le prendrait mal. Anne le soupçonnait d'être un peu plus attaché à son amant qu'il ne le laissait voir.

— Au moins, soupira-t-elle, tout ce bois mort aura été nettoyé.

— Pas seulement. Il a aussi abattu deux jeunes arbres, sans doute pour compléter sa cargaison, et il a fait un trou sauvage dans le grillage pour son chargement.

— Mon Dieu…

— Jérôme a récupéré un rouleau de fil de fer à la cave, il est parti réparer les dégâts. Et Ludovic aimerait monter te voir pour te dire à quel point il est « désolé ».

— Non, c'est moi qui descends.

Quand elle passa près de Valère, il lui mit la main sur l'épaule d'un geste protecteur.

— Ça va aller ?

— Oui, mais je ne sais pas trop quoi penser de tout ça. Je suis obligée de faire confiance à Jérôme, sinon je vais me transformer en garde-chiourme. Et comme j'ai pris des clients supplémentaires pour augmenter un peu mes revenus, j'ai tous les bilans de fin d'année à établir.

Elle s'était accordée une petite pause en poursuivant la lecture du cahier d'Ariane, mais depuis l'aube elle avait travaillé d'arrache-pied.

— J'aurais dû surveiller ce bûcheron, se reprocha Valère. Je n'ai rien d'autre à faire…

— Aucun reportage photo en vue ?

— Ce n'est pas la saison. En plus, les gens ne savent plus où me trouver. J'irai demain à Dax distribuer mes nouvelles cartes professionnelles un peu partout.

À son tour, elle lui tapota gentiment le bras.

— Où en êtes-vous avec l'assurance ?

— Ils ont trouvé un local qu'ils doivent proposer à Suki. S'il lui convient, nous n'aurons pas à attendre la reconstruction de l'immeuble. Croisons les doigts !

Ils descendirent ensemble et trouvèrent Ludovic qui faisait les cent pas au pied de l'escalier. Dès qu'il aperçut Anne, il se précipita.

— Je suis tellement contrarié, si vous saviez ! Ce garçon avait l'air sérieux, sinon je ne vous l'aurais pas recommandé. Il m'a été présenté par des copains, je ne l'avais jamais vu de ma vie et je ne sais pas où il habite. Je vais aider Jérôme à réparer proprement votre clôture mais je voulais d'abord m'excuser auprès de vous, même si ce n'est vraiment pas ma faute. Heureusement, il ne s'agit que d'un tas de bois…

Anne estima qu'il en faisait trop, et que sa conclusion n'était pas très habile. Néanmoins, elle acquiesça avec fatalisme. Sans doute une grande maison apportait-elle son lot de grands soucis. À Castets, elle n'aurait pas pu être confrontée à ce genre d'ennuis.

Sortant ostensiblement une paire de tenailles de sa poche, Ludovic se dépêcha de sortir. Valère et Anne échangèrent un regard.

— Méfie-toi de lui, ma grande.

Elle était de son avis mais elle ne fit pas de commentaire.

— Je retourne travailler, décida-t-elle. Ce n'est pas le moment de se laisser aller !

Tant pis pour le cahier d'Ariane, elle lirait la suite plus tard. D'ailleurs, elle tenait à s'attarder sur chaque page, à se laisser le temps d'assimiler les révélations qu'elle y trouvait. Tout à l'heure, à l'évocation de ce jour où elle avait annoncé son mariage, une bouffée de tristesse lui avait fait monter les larmes aux yeux. Elle se souvenait parfaitement de sa joie, de son exaltation à l'idée d'épouser Paul. Elle s'était mariée pour la vie, avait prêté serment du fond du cœur, et aujourd'hui elle ne savait même pas où était Paul ni ce qu'il devenait. Seul Léo avait droit à un appel durant le week-end, mais Paul ne demandait jamais à lui parler.

Elle remonta l'escalier, une main sur la tête de Goliath qui la suivait toujours comme son ombre.

⁂

Paul traversa la cour d'honneur et quitta l'école vétérinaire de Maisons-Alfort. Son inscription à une formation diplômante pour changer d'orientation professionnelle était validée. Il se consacrerait par la suite à la recherche, et dans les trois domaines d'excellence proposés il avait choisi la recherche clinique, qui semblait la plus vivante.

Soulagé d'avoir réorganisé son existence, il se sentait moins mal que lorsqu'il avait débarqué à Paris quelques semaines plus tôt. Il reprit le métro pour rentrer chez lui, à savoir un grand studio meublé qu'il avait loué à peine arrivé. S'il voulait prendre un nouveau départ, il devait tout changer. De Castets, il n'avait emporté que ses vêtements et ses livres, aucun meuble ou objet personnel. Le commissaire-priseur chargé de tout vendre là-bas avait vidé la maison qui n'attendait plus qu'un acheteur. Son avocat lui avait fait remarquer que ces décisions étaient contestables vis-à-vis d'Anne, mais Paul s'en moquait. La seule façon pour lui de ne pas trop souffrir était de tourner la page définitivement. Pas de discussion au sujet de chaque meuble, pas de rencontre. Pour l'instant, il ne voulait plus voir Anne, pas même l'apercevoir. Néanmoins, il y serait contraint le jour du jugement, et cette fois il ne partirait pas en courant et liquiderait le problème.

Assez intelligent pour comprendre que son orgueil lui faisait subir sa blessure la plus douloureuse, il était pressé de se reconstruire, de retrouver confiance en lui. L'attitude d'Anne l'avait fait douter, l'avait mis en péril. Dans quelque temps, il irait mieux, il serait alors capable de recevoir Léo certains week-ends. Mais d'ici là, l'adolescent lui rappelait trop sa mère et sa vie d'avant.

Prendre Castets en horreur – et toutes les Landes avec, pourquoi pas ? – représentait une solution radicale pour oublier plus vite le passé. Son seul regret était d'avoir plus ou moins trahi Julien. Si celui-ci s'était plaint à l'ordre des vétérinaires, Paul n'aurait sans doute pas été accepté aussi facilement à Maisons-Alfort. Il avait délibérément laissé un confrère et associé dans les ennuis, avait abandonné sa clientèle sans préavis. D'un point de vue déontologique, il avait honte. Quant à son sens de l'amitié…

Il se promit d'appeler Julien le soir même, tant pis s'il était mal accueilli. Et tant pis si évoquer la clinique vétérinaire lui serrerait un peu le cœur. Comment s'en sortaient Julien et Brigitte ? Malgré toute sa volonté, il pensait à eux, à celui ou celle qui le remplacerait et s'assiérait à son bureau, à un chiot bâtard de dix mois qu'il avait sauvé de la mort et pris en affection.

Mais il allait voir un grand nombre de cas cliniques dans l'avenir, il allait améliorer ses connaissances des maladies animales et faire de la pathologie comparée au profit de la médecine humaine. Un beau programme pour lui qui aimait apprendre, et la certitude que ces études seraient effectuées dans le strict respect de l'animal.

En sortant du métro à la station Clichy, il remonta le boulevard des Batignolles jusqu'à la rue de Moscou. Il faisait nuit mais les enseignes des commerces et des restaurants déversaient des flots de lumière sur les trottoirs. Le quartier lui plaisait, il n'était ni trop près ni trop loin de ses parents et en plein cœur de Paris. La capitale ne lui rappelait pas Anne, il s'y sentait libre de devenir un autre homme. Un citadin, ce qui le changeait considérablement. Et la saison s'y prêtait, en plein hiver il ne risquait pas de regretter les plages et les dunes ! D'ailleurs, il n'en avait pas beaucoup profité ces dernières années, c'était plutôt Julien, amoureux de l'océan, qui avait servi de professeur à Léo pour plonger et surfer.

Le studio était tellement anonyme qu'il en devenait agréable comme une grande chambre d'hôtel. Spacieux et lumineux, son loyer était assez élevé mais Paul n'avait pas l'intention de mener grand train, il allait essentiellement se consacrer à sa formation.

Comme il était bientôt sept heures, il supposa que la journée s'achevait à la clinique et il décida d'appeler. Ainsi qu'il le prévoyait, il tomba sur Brigitte qui se montra glaciale en reconnaissant sa voix. Si elle l'avait pu, elle lui aurait sans doute raccroché au nez. Au lieu de quoi il l'entendit dire, d'un ton suave :

— Bonsoir, docteur Resnais, à demain !

Il sut qu'elle ne s'adressait pas à un client et qu'elle le narguait. Finalement, elle lui passa Julien de mauvaise grâce et sans prendre congé.

— Salut, vieux…, commença-t-il en hésitant. Je m'inquiétais pour toi.

— Trop aimable ! ironisa Julien.

— Je suis sincère. J'ai cru comprendre que tu as trouvé quelqu'un ?

— Oui. Véronique Resnais, une femme charmante.

— Tant mieux pour toi. Compétente ?

— On dirait. Mais c'est un peu tôt pour en juger.

— Tu as déjà opéré avec elle ?

— Ce matin. Elle a la main sûre et elle réagit vite.

— Génial. Elle est là pour longtemps ?

— Je ne sais pas. Il faudrait d'abord qu'elle se plaise ici et qu'elle plaise aux clients avant d'envisager la suite.

— Elle partage les gardes avec toi ?

— C'était dans mon offre d'emploi.

— Bien, tu me rassures… Écoute, je sais que j'ai mal agi envers toi.

— Tu peux le dire.

— J'avais besoin de me protéger. C'est égoïste, d'accord.

— Très !

— Tu es en droit de m'en vouloir.

— Je t'en veux, Paul. Et je t'ai trouvé con sur toute la ligne. Ta femme, ta clinique, une vraie débâcle…

— Je ne souhaite pas en parler, je suis passé à autre chose. C'est la raison de mon appel. Je vais suivre une formation pour faire de la recherche clinique sur les pathologies spontanées. Je me suis inscrit aujourd'hui à l'ENVA.

— Tu reprends des études à Maisons-Alfort ? s'étonna Julien.

— Ils ont des moyens incroyables. Là-bas, tu as l'impression d'entrer dans le saint des saints. J'ai de nouveau envie d'apprendre, d'aller plus loin, et je suis très motivé.

— Tu veux te prouver quelque chose ?

La question arracha un sourire à Paul. Julien le connaissait par cœur, il ne se trompait pas.

— Anne m'a préféré une vieille bicoque, il y a de quoi se sentir dévalorisé.

— Tu récris l'histoire.

— Tu crois ? Peu importe, maintenant. En tout cas, ne te fais pas de bile pour les parts de la clinique, je n'ai pas besoin d'argent puisque je ne me réinstalle pas. On mettra les choses à plat et on trouvera une honnête solution sans se presser. Ça te va ?

— Mieux que si tu me mettais le couteau sous la gorge.

Il y eut un petit silence, puis Paul lâcha :

— Tu vas me manquer, j'ai beaucoup aimé travailler avec toi.

— Les caïds de Maisons-Alfort te feront oublier Castets et ton pote Julien.

— Oui, c'est probable. Mais là, tout de suite, ça me rend un peu triste.

— Pas de pathos, tu veux ?

— J'ai dit « un peu ». Même Brigitte, toujours si chaleureuse, m'a répondu très sèchement. Je ne suis plus dans ses petits papiers.

— Elle avait le béguin pour toi.

— Brigitte ? Tu plaisantes ?

— Ah, tu ne vois vraiment rien, mon pauvre…

Paul ferma les yeux et imagina Julien assis sur le coin de son bureau, le téléphone coincé entre sa joue et son épaule, classant des fiches de ses mains libres. Brigitte devait être en train d'ôter sa blouse, d'éteindre les lumières. Une fin de journée en hiver dans le village de Castets, comme il en avait connu des centaines.

— J'espère que cette femme fera ton affaire. J'aimerais savoir que tout va bien pour toi. Tu me tiendras au courant ?

— Franchement, je n'en meurs pas d'envie.

— D'accord, je comprends. Mais si je t'appelle de loin en loin, je ne te harcèlerai pas ?

— Tant que nous aurons quelque chose en commun, à savoir une histoire de gros sous, tu peux le faire.

— Tu n'es plus mon ami, hein ? C'est mort ?

Dans le silence qui suivit, Paul entendit Julien soupirer.

— Nous avons vécu de belles choses ensemble, je ne l'oublie pas, finit-il par répondre. Mais l'amitié, c'est un peu comme l'amour, ça supporte mal les coups en traître. Qu'est-ce qui ne va pas chez toi ? Ton ego va te bouffer, tu t'en apercevras trop tard. En tout cas, je te

220

souhaite de réussir ta formation et de t'éclater à Maisons-Alfort.

— Ça ne te fait pas envie ?

— Retourner à l'école ? Non merci, j'ai donné et j'ai trouvé ça très long. J'aime ce que je fais, j'aime les gens, j'aime les animaux. Aucun pépin d'ordre senti-mental ne m'enlèvera ça, je l'ai prouvé.

— Avoue que tu as eu envie de tout plaquer quand ta femme est partie.

— Je ne suis pas passé à l'acte. J'étais déjà à moitié détruit, je ne tenais pas à finir le travail en me sabordant.

— Tu crois que tu es plus fort que moi ?

— Moins orgueilleux.

Paul médita une seconde la réflexion puis haussa les épaules, mais Julien ne pouvait pas le voir. Leur conversation touchait à sa fin et, à regret, il murmura :

— Bonne soirée, vieux…

— Attends une seconde. Je te signale que, dans l'urgence, j'ai repris Anne comme comptable.

— C'est logique, elle connaît ça par cœur. Elle pourrait même faire une estimation du matériel en cours d'amortissement, de l'état d'endettement et du chiffre d'affaires, ce sera utile pour qu'on se mette d'accord quand le moment sera venu.

— Parfait. Et maintenant, une dernière chose. Anne et toi, c'est tout à fait fini ?

— Définitivement.

— Je le note. Salut, vieux !

Julien coupa la communication tandis que Paul restait perplexe. La dernière question était-elle chargée

221

de sous-entendus ? Non, bien sûr que non ! Julien n'avait aucune vue sur Anne, mais peut-être avait-elle déjà rencontré quelqu'un ? Improbable… Toutefois, si c'était le cas, que ressentirait-il ? Il repoussa cette idée avec exaspération. Pour l'instant, il n'était pas guéri d'elle, il s'était seulement anesthésié. Et il avait mis la dose !

Son regard erra sur le studio. Des murs blancs, des étagères en teck, une moquette gris perle, et une grande fenêtre donnant sur la rue, à hauteur d'un réverbère. La cuisine était bien séparée, fonctionnelle, il pourrait y préparer quelques-unes de ses recettes. Malgré l'heure tardive, des commerces étaient encore ouverts sur le boulevard des Batignolles et il décida de descendre s'acheter de quoi dîner. En téléphonant à Julien, il avait fait son devoir, à présent il ne voulait plus y penser.

⁂

Lily avait décidé que ses filles se garderaient toutes seules pendant qu'Éric et elle s'offriraient un dîner au restaurant. Elle était passée le chercher au cabinet et l'avait emmené sur les bords du lac, au Pavillon Bleu où elle avait réservé.

— Ils ferment le 26 décembre, j'en ai profité, expliqua-t-elle pour justifier son choix dispendieux.

Elle aimait le luxe et ne s'en cachait pas, affirmant que lorsqu'on était un notable à Hossegor il fallait se montrer dans les bons endroits. Éric s'en moquait, mais il était toujours prêt à faire plaisir à sa femme. D'autant plus qu'elle était superbe dans une robe bustier rouge en soie sauvage, peu adaptée à la saison mais très élégante.

— J'ai craqué malgré son prix parce que j'étais sûre qu'elle te plairait. Et rassure-toi, je compte la remettre pour le réveillon !

— Ah bon, elle n'est pas à usage unique ? s'amusa-t-il.

Ce dîner impromptu le réjouissait, les occasions d'un tête-à-tête avec Lily n'étant pas si fréquentes. Avoir deux adolescentes turbulentes à la maison ne le gênait pas, mais leurs sempiternelles disputes exaspéraient Lily.

— À propos du réveillon, que fait-on finalement ?

— Maman aimerait que ce soit chez nous, comme d'habitude.

— Pourquoi ne pas changer, pour une fois ? Anne a l'air d'y tenir.

— Papa s'est disputé avec Jérôme et avec elle.

— Je sais, nous en avons parlé lui et moi. Il est prêt à faire un effort, quitte à traîner les pieds, car au fond il aimerait voir tous ses enfants réunis.

— Reste maman, qui est très remontée contre Anne. Elle pense que c'est sa faute si Jérôme refuse de travailler.

— Mais non ! Jérôme est un marginal dans l'âme, et je serais d'avis qu'on lui fiche la paix.

— Jusqu'au jour où il aura besoin d'argent.

— Depuis qu'il est rentré d'Angleterre, il n'a sollicité personne. Peut-être qu'il se plaît pour de bon chez ta sœur. Et je ne crois pas qu'il passe ses journées devant la télé.

— C'est marrant, ragea Lily, comme les hommes se défendent toujours entre eux !

Elle étudia la carte d'un air boudeur et finit par opter pour des fruits de mer. Bon prince, Éric commanda du champagne.

— Fêtons Noël en avance tous les deux !

De meilleure humeur, elle lui adressa un grand sourire et il en profita pour enchaîner :

— Si on va chez Anne, tu n'auras à t'occuper de rien. Pas de courses à faire, de couvert à mettre, pas de vaisselle.

Sur le point de répliquer, elle prit le temps d'y réfléchir.

— Et nos filles seraient ravies, poursuivit-il, parce qu'il y aura non seulement Léo mais son copain Charles qu'elles adorent. Un Noël dans une grande maison perdue au milieu des bois, c'est marrant. Et si nous buvons trop, ce ne sont pas les chambres qui manquent.

Cette fois, Lily le contempla avec curiosité.

— Tu te fais l'avocat du diable, on dirait !

— Ta sœur n'est pas le diable.

— Elle a pourtant manœuvré de façon diabolique. Je ne crois pas une seconde à sa pseudo-affection pour la vieille timbrée.

— Qui sait ?

— Oh, ne me fais pas rire, je connais Anne mieux que toi !

Elle pressa du citron sur une huître, la cueillit délicatement dans sa coquille tout en réfléchissant. La merveilleuse liberté dont jouissait Anne désormais la faisait bouillir de rage. Une belle maison rien qu'à elle, plus de mari sur le dos, un travail pas trop fatigant et un fils unique en pension... Mais lui en vouloir ne servait à rien, et se fâcher avec elle serait une erreur. Lily, qui s'offrait parfois une petite aventure sans lendemain et avait toujours peur de se faire prendre, aurait peut-être besoin d'elle un jour. Et puis n'avoir qu'à mettre les pieds sous la table un soir de réveillon était assez tentant. Si elle acceptait d'aller là-bas, sa sœur et ses frères se sentiraient obligés d'être aux petits soins pour elle. Mais comment convaincre leur mère ? Est-ce qu'Éric, qui était décidément pour la paix en famille, pourrait la faire changer d'avis ? Il avait toujours été le gendre préféré d'Estelle, qui le tenait en haute estime.

— Si tu arrives à persuader maman, je ne suis pas contre, dit-elle du bout des lèvres.

Éric eut l'air surpris d'avoir si vite gain de cause car elle l'avait habitué à d'épuisantes discussions.

— Je vais essayer, promit-il. Et pour les cadeaux, comment fait-on ?

— Je m'en charge !

Le shopping étant son activité favorite, elle allait s'en donner à cœur joie.

**

Brigitte considérait avec effarement l'énorme chien noir assis à côté d'Anne, tête basse et langue pendante. Elle venait d'avertir Julien de l'arrivée d'Anne en urgence, mais en attendant qu'il la reçoive elle ne se privait pas de l'observer. Elle trouvait la jeune femme plus mince que quelques mois plus tôt, et accusant ses trente-six ans. Comme quoi le divorce l'avait marquée elle aussi. Mais ses yeux verts étaient toujours aussi étonnants, rendus brillants par l'angoisse que lui causait son chien. Quelle race, ce molosse ? Difficile à dire, ce devait être un croisement improbable. Elle en avait entendu parler par Paul car c'était le seul animal qu'il allait soigner et vacciner à domicile. Elle se demanda si elle devait engager la conversation avec Anne. Mais comment faire pour rester naturelle, pour ne pas évoquer Paul ?

Véronique Resnais raccompagnait un client dont elle tendit la fiche à Brigitte pour le règlement. Puis elle se tourna vers Anne, qui était seule dans la salle d'attente.

— Je suis à vous dans une minute, dit-elle en souriant.

Le temps de désinfecter la table d'examen avant de recevoir l'animal suivant.

— Non, intervint Brigitte, cette dame est une patiente de votre confrère.

— Ah bon… Belle bête que vous avez là !

Avec un petit mouvement de tête, elle repartit vers son cabinet tandis qu'Anne la suivait des yeux, intriguée. Découvrir celle qui remplaçait son mari devait lui faire un drôle d'effet.

— Votre chien a un dossier chez nous, n'est-ce pas ?

— Oui, au nom d'Ariane Nogaro.

Brigitte entra le nom dans l'ordinateur et jeta un coup d'œil à la page qui s'affichait.

— Goliath, c'est ça ?

— Sa propriétaire est décédée et c'est moi qui l'ai récupéré. Vous pouvez l'enregistrer à mon nom.

— Très bien. Je transmettrai le changement au centre d'identification. Votre adresse ?

— C'est celle du dossier.

Mais Brigitte le savait bien. La fameuse bastide reçue en héritage et qui avait provoqué un véritable maelström dans leurs existences à tous. En revanche, sa dernière question était plus délicate et elle hésita à la formuler.

— Et, euh… Pour votre nom, je mets…

— Mon nom de jeune fille, Nogaro.

— Alors, je ne change que le prénom, et à peine !

Julien surgit à ce moment-là, flanqué d'un vieux monsieur qui portait un chaton dans les bras. Il confia son client à Brigitte et fit signe à Anne de le suivre.

— Tu as un problème avec Goliath ?

— Il a bu et vomi son eau toute la nuit.

— En effet, il n'a pas l'air bien. Fais-le asseoir, tu veux ?

Le chien se coucha de lui-même puis bascula sur le flanc, haletant.

— À ton avis, est-ce qu'il me laissera le toucher ?

— Je crois. Il n'est pas agressif et je vais lui tenir la tête.

Ils s'agenouillèrent ensemble de part et d'autre de l'animal. Julien palpa le ventre, qu'il trouva dur et plein de gargouillements, puis il prit sa température.

— C'est une gastro, décida-t-il. Il a dû manger un truc avarié qu'il a trouvé dans les bois. Je lui fais une

227

piqûre mais ça ira, ne t'inquiète pas. Tu as bien fait de venir tout de suite.

Pendant qu'il soignait le chien, Anne continua de le caresser et de lui parler d'une voix apaisante.

— Tu l'aimes bien, hein ? dit Julien en se redressant.

— Je m'y suis beaucoup attachée.

Il lui tendit la main pour l'aider à se relever et ils se retrouvèrent face à face, un peu trop près et les yeux dans les yeux.

— Vous n'avez plus besoin de moi, Julien ? demanda Véronique Resnais en passant la tête à la porte.

Embarrassée, Anne s'écarta mais elle sentit ses joues devenir chaudes.

— Non, non, allez-y ! répondit Julien en hâte.

Puis il se ravisa et fit les présentations, sans préciser qu'Anne était l'ex-femme de son ancien associé. Dès qu'elle fut partie, il alla se réfugier derrière son bureau, comme s'il voulait mettre de la distance entre Anne et lui.

— Tu le laisses à la diète complète pendant douze heures, et après tu lui donnes de l'eau de riz en petites quantités. Dans vingt-quatre heures, un peu de bœuf haché maigre. Ces comprimés lui feront un pansement gastrique, et s'il n'a pas d'autres vomissements ou diarrhées, tu pourras considérer qu'il est sorti d'affaire.

— Génial ! Je te dois combien ?

— Tu n'es pas sérieuse.

— Au moins le médicament, la piqûre…

— Tu sais bien que non. Je te raccompagne. Tu arriveras à le faire monter dans ta voiture ?

— Il est de bonne composition et il doit avoir envie de rentrer à la maison.

— Tous les chiens sont pareils, ils veulent sortir d'ici au plus vite. Aucune reconnaissance !

Il l'escorta jusqu'à la sortie, passant devant Brigitte qui fit mine de ne pas s'intéresser à eux.

— Je compte toujours sur toi pour le réveillon ? demanda-t-elle une fois que Goliath se fut péniblement casé sur la banquette arrière.

— Vous êtes en famille, j'ai peur de…

— Non, il y aura Charles, le copain de Léo, et aussi Ludovic, ce n'est pas un huis clos. Viens, tu me feras plaisir, je n'ai pas envie de te savoir seul un soir de Noël. À moins que ta consœur ne t'ait invité ?

— Elle a des projets, et nous ne sommes pas intimes.

— Vous pourriez vite le devenir parce qu'elle est très jolie.

— Tu trouves ?

— Oh, ne me dis pas que tu ne l'avais pas remarqué !

— Peut-être qu'elle n'est pas mon type. Et peut-être que je ne veux pas d'ennuis après avoir enfin trouvé quelqu'un…

— Paul t'a fait un sale coup, je sais.

— Nous nous sommes expliqués par téléphone.

— Il t'a appelé ? À moi, il ne donne aucune nouvelle. Je sais seulement par mon avocat que nous avons une nouvelle convocation chez le juge fin janvier. D'ici là, il faut qu'on s'entende sur le protocole d'accord, et franchement, il ne me fait pas de cadeau ! Mais je veux en finir, je ne discuterai pas.

— Ne signe pas n'importe quoi pour autant. Moi aussi, pressé de couper les ponts au plus vite, j'ai tout accepté, et aujourd'hui je m'en mords les doigts. Mon ex-femme me coûte cher et je ne vois pas les jumeaux assez souvent. Tu n'es coupable de rien, Anne. Tu n'as pas trompé Paul, il n'y a eu ni trahison ni mensonge, tu as juste décidé à sa place, et ça… Il m'a annoncé qu'il allait suivre une formation pour faire de la recherche clinique. Je pense que c'est un bon choix, il va adorer ça.

Il souriait, de ce sourire de gamin qui la faisait craquer. Il se pencha pour l'embrasser, lui effleurant à peine la joue, et resta debout dans le froid pour la regarder partir tandis qu'elle manœuvrait.

Sur la route du retour, elle essaya de définir la cause de cet instant de gêne entre eux, juste avant que Véronique Resnais n'apparaisse. Dès qu'ils étaient seuls et trop proches physiquement, une sorte d'attirance mutuelle devenait évidente et les plongeait dans l'embarras. L'irruption de Véronique y avait mis fin, mais Anne avait éprouvé un petit pincement de jalousie malvenue. La jeune femme avait évidemment tout pour plaire, de grands yeux sombres, de longs cheveux bruns, une silhouette irréprochable. Et la manière dont elle avait regardé Goliath était sympathique, chaleureuse. Les clients allaient l'apprécier, y compris ceux qui regrettaient Paul. Pour peu qu'elle soit compétente, elle aurait vite fait de séduire tout le monde. Julien aussi ? Il était seul depuis longtemps, et même si Anne lui plaisait elle représentait un territoire interdit. Véronique passant toutes ses journées à travailler avec Julien, une complicité s'établirait, une amitié naîtrait…

— Et plus si affinités ! marmonna Anne.

Elle jeta un coup d'œil au rétroviseur et constata que Goliath s'était endormi. La route de Castets à la bastide lui rappelait une foule de souvenirs, à commencer par ses visites à Ariane certains après-midi. Elle n'oubliait jamais de s'arrêter chez le pâtissier pour y acheter les gâteaux à la crème dont sa tante raffolait. Après son décès, Anne avait multiplié les allers-retours pour ranger la maison, trier et jeter. Par la suite, elle avait apporté quelques vêtements, s'était progressivement installée jusqu'à ne plus vouloir partir. À présent, elle n'allait plus jamais à Castets, préférant monter à Mimizan pour ses courses. Elle savait que Paul avait mis la maison en vente sans lui demander son avis et sans lui proposer de récupérer des meubles ou des objets. Sa manière de tourner la page s'était révélée plutôt violente, aussi bien avec elle qu'avec Julien à la clinique, mais peut-être était-ce pour lui un moyen de moins souffrir, et dans ce cas elle ne pouvait pas le lui reprocher. Restait Léo, qui ne faisait pas allusion au divorce de ses parents. Il était allé chercher ses affaires avec Jérôme et Valère, les avait rapportées à la bastide sans chagrin apparent. Mais comment savoir ce qu'il éprouvait exactement ?

À Uza, elle prit la départementale en direction de Lit-et-Mixe, inquiète de voir le ciel en train de s'assombrir. Les nuages gris anthracite semblaient chargés de neige et les cimes des pins étaient secouées par le vent. L'automne avait été froid, maussade, l'hiver s'annonçait glacial.

En s'engageant sur le chemin qui menait au portail, elle trouva les premiers flocons.

✳✳

Penché sur l'ordinateur portable de Léo, Jérôme hocha la tête.

— Cette annonce-là est correcte, approuva-t-il. Puisque tu voulais un billard américain, à ce prix-là tu fais une affaire.

— Reste à organiser la livraison.

Jérôme donna une bourrade affectueuse à son neveu, content d'être parvenu à s'entendre avec lui. Léo acceptait que le billard soit installé en bas, dans le petit salon, abandonnant la grande pièce du second qui pourrait ainsi devenir la plus vaste des chambres d'hôtes. En contrepartie, Jérôme avait promis de repeindre le petit salon et d'y réinstaller la double suspension de laiton aux globes d'opaline, très années 50, qui se trouvait encore là-haut.

— Tu t'offres le billard, et moi je te crée l'ambiance autour. Il faut un porte-queue, un marqueur de scores, une horloge… Voilà de bonnes idées de cadeaux pour Noël !

Léo avait l'air ravi, et ainsi tout le monde était d'accord. Bien entendu, Jérôme estimait que cette salle de billard serait accessible aux hôtes, mais il s'abstint de le dire. Anne était trop gentille avec son fils, elle avait failli accepter de lui sacrifier trente mètres carrés pour son seul plaisir !

Abandonnant Léo à sa transaction sur Internet, il monta rejoindre Ludovic. Leur relation se prolongeait au-delà de ce que Jérôme avait imaginé. Le jeune homme était certes attachant, débordant d'enthousiasme, et surtout très charmeur, mais Jérôme commençait à se poser des questions. Pourquoi Ludovic s'attardait-il autant ? Sa micro-entreprise n'avait donc aucun chantier en vue, aucun client ? Il ne prospectait pas, ne semblait même pas s'en soucier. Il le retrouva au second, en train d'étaler des bâches sur le plancher de la grande pièce.

— Je vais aller acheter de la peinture avant que les routes soient impraticables ! Tu as vu ce qui tombe ?

Depuis plus d'une heure, de gros flocons défilaient comme au ralenti devant les fenêtres.

— Ça ne peut pas attendre ? s'inquiéta Jérôme.

— Les conditions météo risquent d'empirer et j'ai besoin de deux ou trois trucs. De l'enduit, du mastic… Je préfère m'en débarrasser maintenant parce que, après, tout sera fermé pour le week-end de Noël.

— D'accord, je t'accompagne.

— Non, pas la peine. Tu devrais ouvrir les fentes du plafond pendant ce temps-là, et je n'aurai plus qu'à les reboucher en rentrant.

— Quelle énergie ! railla Jérôme.

Mais il était ravi de la manière dont Ludovic s'impliquait dans le chantier. Grâce à lui, les travaux avaient avancé bien plus vite que prévu, et Jérôme avait appris les bons gestes ainsi que des astuces de professionnel.

— Besoin d'aide ? demanda Valère en passant devant la porte ouverte.

Lui aussi voulait se rendre utile pour remercier Anne de son hospitalité.

— Ce sera une chambre magnifique quand vous aurez fini, constata-t-il, étonné par les dimensions de la pièce.

— Le fleuron de notre maison d'hôtes ! Et tu verras qu'on finira par gagner de l'argent, quoi qu'en pensent les parents.

— À ce propos, ils viennent pour le réveillon.

— Ah bon ? Je croyais que…

— C'est Éric qui les a convaincus. Tu sais bien qu'il est pour la paix en famille.

— Chez les Nogaro, il a du boulot ! persifla Jérôme. En tout cas, j'espère qu'ils ne joueront pas les rabat-joie parce que je compte picoler et rigoler.

— Te connaissant, je n'en doute pas. J'ai aussi une bonne nouvelle, le chien va mieux, Anne l'a ramené.

— Elle est dans son bureau ? demanda Ludovic. Je descends la voir, j'ai besoin d'argent pour les fournitures.

Il s'esquiva et les deux frères restèrent face à face. Au bout de quelques instants, Valère demanda carrément :

— Est-ce qu'il compte, pour toi ?

Sa question arracha un sourire contraint à Jérôme.

— Il y a quelques semaines je t'aurais dit non, mais maintenant, je ne sais pas trop. Je me suis habitué à lui, il est très gentil. Facile à vivre, gai, plein de bonnes idées. Il est moins déjanté que les copains qui l'ont précédé. Moins bavard aussi, je sais très peu de choses sur lui et ça m'agace.

— Il n'a pas de famille, pas de domicile ?

— À Soustons, un gourbi lui sert d'adresse pour son job. Côté famille je n'en ai aucune idée, il n'en parle pas. Ta curiosité est satisfaite ?

— Je ne voulais pas être indiscret, mais comme en ce moment on vit tous sous le même toit, j'étais… intrigué.

— Euphémisme. Les parents t'ont cuisiné à mon sujet ?

— Non.

— Eh bien ça ne tardera pas ! Ils n'oseront pas s'adresser à Anne, ils savent que Suki est muette comme une tombe, alors il ne reste que toi.

— Et ça te déplairait qu'ils sachent ?

— Que je suis gay ? Dans quel monde vis-tu, Valère ? J'ai trente-cinq ans, je me contrefous de ce qu'ils pensent ! Surtout avec leur étroitesse d'esprit. Tu as entendu papa, l'autre jour, il me voyait déjà en représentant de commerce vêtu d'un costard en polyester, d'une chemisette et de la cravate assortie, débitant mon boniment sur le savon bio ! Si ça ne s'appelle pas de l'aveuglement…

Valère ne put retenir un éclat de rire qui mit son frère en joie. Derrière les vitres, les flocons défilaient toujours, plus vite et plus serrés à présent.

— Ce sera un Noël blanc, c'est fantastique ! Si tu n'as pas besoin de moi, je vais aller faire quelques prises de vue. Une tempête de neige sur l'océan, tu imagines ?

Il sortit en hâte, soudain surexcité. La passion de la photo l'habitait toujours, c'était vraiment dommage qu'il soit limité à d'insipides reportages alors qu'il avait du talent. Mais il n'avait pas voulu quitter la région pour tenter sa chance à Paris, et ici les possibilités de réussite dans un métier artistique étaient minces.

Posté devant l'une des fenêtres, Jérôme alluma une cigarette. Au-delà de la clairière, les pins commençaient à blanchir, le paysage devenait magnifique. Décidément, Anne avait eu grandement raison de garder cette maison. Pour la première fois de sa vie, Jérôme se sentait ancré quelque part, avec l'envie d'y rester. Certes, il n'était pas chez lui, mais quelle importance ? Anne ne le chasserait jamais, il en avait la certitude. D'ailleurs, elle avait besoin de lui. Il s'était débrouillé pour être indispensable, forçant la reconnaissance de sa sœur. Mais ce qui n'était à l'origine qu'un calcul de sa part, une habile manœuvre, avait déclenché un véritable désir de réussite. Dans cette bastide, il était devenu quelqu'un, il existait enfin.

La cendre tomba sur la bâche déjà maculée de peinture et de poussière de plâtre. Jérôme tira une dernière bouffée de sa cigarette puis l'éteignit dans un gobelet. Il allait se mettre au travail pour faire une bonne surprise à Ludovic. Parce que, inutile de se cacher la vérité, il adorait le voir sourire.

❀

Julien s'était entendu avec Véronique pour prendre son après-midi et il avait filé à Dax en voiture, négligeant sa moto à cause de l'état des routes. Une fois arrivé dans son garage, où il avait rendez-vous pour faire monter des pneus neige, il était parti à pied vers les rues piétonnes du centre-ville en espérant que les nombreuses vitrines lui donneraient des idées. Les trottoirs enneigés et les chants de Noël diffusés par les haut-parleurs accentuaient l'ambiance festive et il se surprit à flâner avec plaisir. Pour Brigitte, c'était facile, il connaissait son eau de toilette favorite qu'il acheta dans une parfumerie. Pour sa consœur, ayant remarqué qu'elle arborait volontiers des bijoux fantaisie, il trouva un sautoir en perles de verre et de bois assez original. Un cadeau d'un prix modique, qui passerait pour un clin d'œil sans ambiguïté. Ensuite, il dévalisa un magasin de jouets, heureux de pouvoir gâter ouvertement ses jumeaux qui ne croyaient plus au père Noël. Imaginer la manière dont ils allaient se précipiter sur les paquets le week-end suivant le réjouissait d'avance. Restait à trouver quelque chose pour Anne, puisqu'il était son invité. À elle aussi, il ne voulait rien offrir de trop personnel, et il dut renoncer à de ravissantes boucles d'oreilles aperçues chez un bijoutier. Tout ce qui le tentait était disproportionné mais il s'amusa à se la représenter successivement dans une veste de mouton retourné, une robe du soir à paillettes, un blouson en loup. Faire un cadeau à une femme lui était toujours agréable, cependant il ne pouvait pas se ruiner pour Anne, même s'il en mourait d'envie ce serait très malvenu. Après une bonne heure d'errance, il dénicha enfin chez un antiquaire un cadre ancien où elle pourrait glisser une photo, et depuis la boutique il appela Valère pour savoir s'il possédait un cliché de la bastide de ce format-là. Tout content de ses achats, il s'arrêta encore chez un caviste où il choisit un magnum de champagne Roederer qui serait sa participation au réveillon.

Avant de rentrer chez lui, il fit un crochet par la clinique où il trouva Véronique et Brigitte en grande conversation dans la salle d'attente déserte.

— Le Dr Resnais a pu voir tout le monde ! lui lança triomphalement Brigitte.

— Mais la neige a découragé certains clients qui ont reporté leurs rendez-vous, précisa Véronique par souci d'honnêteté.

— À mon avis, pendant la garde de Noël vous ne serez pas trop dérangée, les urgences seront de vraies urgences, prophétisa Julien.

Il faisait référence aux clients trop anxieux – ou indélicats – qui appelaient en pleine nuit pour trois fois rien et qu'il fallait calmer avec diplomatie. Il offrit leurs cadeaux aux deux jeunes femmes en ayant un mot gentil pour chacune, et elles lui sautèrent au cou en même temps dans un joyeux chahut.

— Au moins, souligna Brigitte, vous vous êtes donné du mal ! C'est bien plus sympa que la traditionnelle boîte de chocolats.

Car chaque année, par manque de temps ou d'imagination, Paul et lui avaient toujours la même idée. Mais Paul n'était plus là et Julien se sentait en droit de changer les habitudes. Même si la véritable raison de son shopping à Dax s'appelait Anne.

— Si vous avez le moindre souci pendant cette garde, dit-il à Véronique, n'hésitez pas à me joindre.

— Je ferai le tri des appels ! affirma Brigitte.

Comme elle hébergeait Véronique, elles allaient passer ensemble la soirée et la journée du lendemain.

— J'ai invité des amis pour que ce soit plus gai, mais je vous promets qu'on ne boira pas trop.

— Je n'aime pas beaucoup l'alcool, déclara Véronique en souriant à Julien.

Un sourire très chaleureux qui le mit vaguement mal à l'aise. Travailler avec une jeune et jolie femme l'obligeait à installer une certaine distance. Il l'avait fait avec Brigitte dès le début, mais c'était facile car ils n'étaient pas sur un pied d'égalité. Avec Véronique, ce serait plus délicat.

— Il ne neige plus, constata Brigitte, mais on dirait que c'est en train de geler…

Elle actionna la commande des volets électriques et éteignit les lumières. Par chance, il n'y avait aucun animal en observation, les cages étaient vides et, en principe, la clinique pourrait rester fermée jusqu'au surlendemain.

— Allez, ne faites pas cette tête-là, nous aussi on a pensé à vous ! dit-elle en tendant la main par-dessus le comptoir qui séparait son bureau de la salle d'attente. Ce n'est pas follement original, mais je connais votre péché mignon et j'ai dit au Dr Resnais que vous ne résistiez pas à ces trucs-là. On a commandé sur Internet, et un peu plus ça n'arrivait pas à temps !

Le coffret de macarons Pierre Hermé avait un peu souffert de l'expédition mais Julien fut très ému qu'elles y aient pensé.

— Allez, les filles, on ferme ou on va se retrouver bloqués ici.

Un vent glacial s'était levé, givrant la couche de neige, et circuler ne tarderait pas à devenir dangereux. Julien regarda Brigitte manœuvrer avec précaution et s'éloigner en roulant au pas. Il était tout réjoui par la perspective de sa soirée, mais avant de gagner la bastide il devait passer chez lui pour se changer. Anne avait précisé que, vu le temps, tout le monde pouvait venir en pull et en bottes, néanmoins il voulait prendre une douche et se raser. Il se sentait un peu stupide, devinant d'avance qu'il n'oserait pas faire un pas vers elle. Bien sûr, il avait pris soin de demander à Paul si tout était fini entre eux, mais ce ne serait pas suffisant pour apaiser ses scrupules. Décemment, il ne pouvait pas courtiser Anne. Pas maintenant et pas avant longtemps.

**

Toujours raisonnable, Gauthier avait pris soin de mettre une paire de chaînes dans son coffre. Il n'en eut pas besoin sur l'autoroute, ni même sur la nationale 10 où la saleuse était passée, mais dès qu'il se retrouva sur les départementales, il dut s'arrêter pour les installer. Pendant qu'il s'escrimait, les doigts gelés, Estelle pestait copieusement dans la voiture, la ventilation du chauffage n'envoyant qu'un air à peine tiède.

De leur côté, Éric et Lily s'étaient équipés de pneus neige, et en partant d'Hossegor, Éric avait choisi de remonter au plus court à travers les forêts de Soustons puis de Messanges. Le paysage était certes féerique, mais il devait rouler très doucement, et lorsqu'il aborda la forêt de Lit-et-Mixe la neige se remit à tomber. À l'arrière, Maud et Clémentine étaient ravies, chantant à tue-tête. Changer de cadre pour le réveillon les charmait, les tourbillons de flocons les faisaient rire comme des folles, et la perspective de passer la soirée en compagnie du *beau* Charles les surexcitait.

L'arrivée sur la bastide était assez impressionnante car, au milieu de la clairière entièrement blanche, la façade illuminée par Léo semblait le décor improbable d'un conte de Noël. Derrière la fenêtre du salon, un grand sapin brillait de toutes ses guirlandes, on apercevait les flammes d'une multitude de bougies posées un peu partout.

Fidèle à elle-même, Estelle entra en maugréant contre le temps, immédiatement relayée par Lily qui lança à sa sœur :

— C'est tout de même le bout du monde, chez toi ! On aurait pu se tuer sur la route, et je préfère ne pas penser au retour… Je te préviens, on ne s'attardera pas après les douze coups de minuit. Tu mets le petit Jésus dans la crèche, et hop !

— Vous pouvez très bien dormir ici, répondit Anne sans s'émouvoir.

— Pour nous, il n'en est pas question, trancha Gauthier.

— Oh, ce serait trop génial ! s'exclama Clémentine en regardant son père d'un air suppliant.

Éric n'eut pas le temps de répondre, interrompu par l'arrivée de Julien qui tendit le magnum de champagne à Anne.

— Je crois qu'il est frais, je l'ai mis un peu au congélateur chez moi, et ensuite dans le coffre où il n'a pas dû se réchauffer.

Il passa discrètement le paquet du cadre à Valère qui s'éclipsa.

— Eh bien, on va trinquer, décida Jérôme. Nous avons fait du feu dans la cheminée de la salle à manger, qui a commencé par refouler et nous enfumer, mais maintenant, ça va. Allons donc nous y installer.

— Mais le sapin est au salon…, protesta Maud.

— On le voit très bien avec les portes ouvertes.

— Qui l'a décoré ? voulut savoir Julien. Toi, Léo ?

— Oui, avec Charles.

— Il est magnifique ! s'exclama Clémentine.

Lily, qui avait tenu à remettre sa robe bustier et qui frissonnait, se précipita vers la cheminée. Elle était la seule à être habillée aussi élégamment, les autres n'ayant fait aucun effort en raison du temps, et elle se sentait empruntée dans sa tenue de soirée.

— Si vous laissez les portes du salon ouvertes, on ne se réchauffera jamais, fit remarquer Estelle.

— On veut profiter du sapin ! insista Maud en tapant du pied.

Pendant que Jérôme servait le champagne, Valère revint et Julien put offrir son cadeau à Anne.

— Ton frère m'a aidé à lui donner une utilité, précisa-t-il avec son sourire craquant.

Elle découvrit la photo, prise à l'automne par Valère et qui lui rappela aussitôt la phrase du cahier d'Ariane : « Un de ces crépuscules mordorés qui rendent nostalgique. » Dans l'objectif de son frère, la bastide était superbement mise en valeur à la lumière du soleil couchant.

— C'est magnifique, murmura-t-elle en caressant le cadre ouvragé du bout des doigts.

— Non, je rêve ! s'exclama Estelle d'une voix aiguë. Nous sommes treize ?

Les yeux rivés sur la table, elle était en train de recompter les couverts.

— Depuis quand es-tu superstitieuse ? ricana Jérôme.

Il lui mit un verre dans la main avant d'ajouter, hilare :

— Et encore, tu ne connais pas le menu !

— On ne mange pas de la dinde ? voulut savoir Lily.

— Nous avons fait plus original, et surtout plus économique.

— À savoir ?

— Un cassoulet, annonça Anne d'une voix ferme.

— Pour le réveillon ? Du cassoulet ?

— Tout le monde aime ça, et comme nous sommes nombreux, c'était en effet moins cher que…

— Mais c'est toi qui nous as tannés pour venir chez toi ! trépigna Estelle. Quand on n'a pas les moyens de recevoir, on ne lance pas d'invitations ! Ou alors tu

243

n'avais qu'à demander, on aurait tout apporté. Parce que franchement, du cassoulet à Noël !

Agacée, Anne la regardait s'énerver, et finalement Gauthier intervint, un peu gêné :

— Moi, j'adore ça.

— Et ton cholestérol ? lui lança Estelle, furieuse.

— On y a pensé en évitant le foie gras en entrée, laissa tomber Jérôme. À la place, vous aurez des petits chèvres en salade. Ils viennent tout droit d'une ferme, vous allez vous régaler.

— Et Suki s'est occupée des desserts, renchérit Anne.

— J'ai fait une crème vanillée aux perles du Japon, susurra la jeune femme. C'est une recette traditionnelle à base de tapioca. Et aussi du yokan, qui ressemble à de la pâte de fruits mais qui est préparé avec des haricots. Dans mon pays, on ne mange des desserts que les soirs de fête.

Estelle gardait les lèvres pincées, se demandant sans doute si on se moquait d'elle.

— Ce menu est magnifique, déclara Julien avec enthousiasme. Je suis très heureux d'être des vôtres ce soir.

Il leva son verre en direction d'Anne et leurs regards se croisèrent. Elle lut dans le sien une gentillesse particulière, comme s'il voulait la consoler des propos désagréables de sa mère.

— Vous avez trouvé un remplaçant, paraît-il ? lui demanda Gauthier qui semblait pressé de changer de sujet de conversation.

— Oui, une jeune femme. J'espère qu'elle se plaira à Castets.

— À condition de ne pas aimer la ville, glissa perfidement Lily.

Elle frissonnait malgré la flambée et Anne lui proposa une veste qu'elle refusa tout net.

— Être un peu endimanchée, passe encore, mais ridicule, jamais !

Les quatre adolescents avaient profité de la discussion pour se regrouper dans le salon, autour du sapin qu'ils admiraient. Jérôme leur apporta quatre coupes de champagne à moitié pleines en précisant que ce serait tout pour la soirée. Le concert de protestations qu'il souleva le fit rire et il transigea en promettant un verre de vin à table, mais sans se faire remarquer des parents.

Comme à son habitude, Ludovic se tenait un peu à l'écart, souriant mais pas vraiment concerné. Jérôme le servit à son tour en lui chuchotant à l'oreille :

— J'ai une drôle de famille, hein ? Est-ce que la tienne ressemble à ça ?

— Il y a longtemps que je ne l'ai pas vue.

Une réponse laconique qui excluait toute autre question, et Jérôme n'insista pas. Dès qu'il s'aventurait sur un terrain personnel, Ludovic se fermait. Avait-il vécu quelque chose de douloureux dont il refusait de parler ? Parfois, il criait dans son sommeil et venait alors se blottir contre Jérôme qui refermait ses bras autour de lui. Un geste protecteur dont il n'avait pas l'habitude mais qu'il découvrait avec un plaisir étrange.

Anne fila vers la cuisine, suivie de Suki et de Julien qui voulait se rendre utile.

— Le cassoulet commence à gratiner, dit-elle en ouvrant la porte du four.

Tandis qu'une odeur délicieuse se répandait elle précisa, à l'intention de Julien :

— J'ai mis les lingots à tremper hier. Les confits, le jarret et les saucisses viennent d'un très bon charcutier de Dax, et je surveille la cuisson depuis quatre heures. Contrairement à ce que pense maman, je me suis donné du mal.

Julien prit une profonde inspiration et hocha la tête.

— Ça se sent !

— Et Suki a passé au moins tout l'après-midi sur les desserts, et…

Elle dut s'interrompre, la gorge serrée par une bouffée de tristesse qui lui faisait monter les larmes aux yeux. L'hostilité persistante de sa mère la blessait, et ce premier Noël sans Paul la perturbait. Elle avait souhaité réunir sa famille autour d'elle, hélas c'était décevant, comme chaque fois.

Julien et Suki échangèrent un coup d'œil navré, puis Julien fit un pas vers Anne, lui posa la main sur l'épaule.

— Tout ira bien, dit-il d'une voix apaisante. Les petites frictions avec les parents n'ont pas d'importance, ne te laisse pas atteindre.

Elle n'y parvenait pas. Depuis quelque temps elle appréhendait les révélations à venir dans le cahier d'Ariane. Et parce qu'elle devinait une très mauvaise surprise concernant sa mère, elle aurait voulu avoir de

246

bons rapports avec elle pour amortir le choc. Mais en avait-elle jamais eu ? Elle se souvenait surtout de son indifférence, de quelques heurts modérés, au fond rien de grave, néanmoins rien de tendre non plus. Depuis le décès d'Ariane et la grande affaire du testament, Estelle avait carrément sorti ses griffes, son agressivité devenait trop évidente pour être ignorée.

— Je vais poêler mes chèvres ! claironna Jérôme en faisant irruption. Puisque vous vous tournez les pouces, mettez donc de la salade dans les assiettes. Les *treize* assiettes…

Lui, au moins, savait se moquer de tout, et Anne envia son insouciance. Mais il n'avait aucune responsabilité dans l'existence, pour lui c'était plus facile. Elle se mit à disposer des feuilles de mesclun en chargeant Julien d'y verser un trait d'huile d'olive. Ils se suivaient le long du plan de travail, et à plusieurs reprises leurs bras ou leurs mains se frôlèrent. Arrivée à la dernière assiette, elle se tourna vers lui. Le regard qu'ils échangèrent fut d'abord prudent, puis ambigu, et finalement embarrassé. Aucun des deux n'avait oublié le baiser échangé un jour sur les marches du perron, aucun des deux ne le regrettait.

Anne finit par baisser les yeux, mais ce qu'elle éprouvait était du désir, et elle n'avait pas vraiment envie de le refréner.

— Notre Goliath a l'air d'avoir récupéré, dit-il en regardant le chien qui venait de s'asseoir derrière Anne.

Elle lui fut reconnaissante de ce « notre » qui ne l'impliquait pas seulement en tant que vétérinaire. Paul ne s'était jamais beaucoup intéressé à Goliath, peut-être parce qu'il lui rappelait trop Ariane, et en particulier le soir où il l'avait trouvée morte dans sa chambre avec le chien couché contre elle. À moins que, de façon plus insidieuse, Paul n'ait considéré que c'était *grâce* au chien si Anne avait pu s'installer dans la bastide sans avoir peur. Avant l'arrivée de Jérôme, il devait être persuadé que sa femme ne tiendrait pas seule dans une grande maison perdue au milieu des forêts. Mais Paul avait besoin de boucs émissaires, de responsables pour justifier l'échec de son mariage, et il ne se remettait pas en question. C'était la faute d'Anne, d'Ariane, de la maison ou du chien, pas la sienne. Et il leur en voulait au point de ne même pas téléphoner un soir de Noël ! Elle espéra qu'il le ferait au moins pour Léo, mais quoi qu'il arrive désormais elle ne voulait plus se torturer au sujet de Paul. Elle avait fait son choix, lui le sien, la page était tournée.

Relevant les yeux sur Julien, Anne vit qu'il la regardait toujours et elle se mit à sourire.

7

Un beau mariage ! Assez simple, si je songeais au faste des miens, mais l'époque n'était plus la même, et Gauthier réprouvait toujours le luxe.

Anne était magnifique dans sa robe de satin drapé, si fraîche et si radieuse que j'en fus retournée. Quant à Paul, que je voyais pour la première fois, il avait beaucoup d'allure dans son costume bleu nuit. Parents et beaux-parents avaient loué pour la réception un restaurant et son jardin dans les environs de Biarritz, et chacun se plaçait à sa guise. Il y avait là des confrères du jeune marié, avec lesquels il avait fait ses études, des camarades d'Anne rencontrés à l'école supérieure de comptabilité de Pau, et bien sûr des collègues de Gauthier et d'Estelle, tous enseignants. Lily se faisait remarquer dans une robe qu'elle prétendait ivoire mais qui était quasiment blanche et outrageusement décolletée, comme si elle avait voulu éclipser la mariée. Son mari, Éric, avait l'air d'un assez bon bougre, et à l'évidence il était très fier de sa femme.

J'observais tout ce petit monde avec amusement, sentant bien qu'on ne venait me saluer qu'à regret. J'étais l'incontournable tante, affublée d'un tailleur démodé mais très chic, la vieille toquée à qui on devait malgré tout le respect. Anne l'avait fait comprendre aux invités dès la sortie de l'église en m'embrassant la première. De même, au début de la réception, elle me présenta Paul et s'attarda un long moment près de moi.

Pour me mettre en condition, je me promenai de groupe en groupe, écoutant distraitement les conversations, je bus deux coupes de champagne coup sur coup, et enfin je cherchai Estelle des yeux. Installée à une table, près de la piste de danse encore déserte, elle se remettait de ses émotions en compagnie d'Éric et de Lily, agitant sous son menton un ridicule éventail de papier. J'attendis que le couple se lève puis je redemandai deux coupes au bar avant de venir m'affaler sur une chaise, près d'Estelle. Je lui proposai de trinquer aux jeunes mariés, ce qu'elle ne put refuser malgré sa répugnance pour l'alcool, ensuite je la félicitai sur la qualité de la réception et sur le choix de la robe de la mariée. Elle me rétorqua que, bien évidemment, Anne ne l'avait pas consultée, « trop rebelle pour faire comme tout le monde ».

J'avais peu de temps à ma disposition. Je savais qu'après deux minutes de politesses obligatoires, Estelle chercherait à me fausser compagnie sous n'importe quel prétexte. D'autres gens pouvaient aussi venir s'asseoir avec nous, or j'avais besoin d'intimité. J'enchaînai donc sur ce mot de « rebelle » en lui demandant tout à trac pourquoi elle n'aimait pas sa

fille cadette. Elle se récria, comme prévu, mais je pour-
suivis mes questions en baissant la voix pour prendre
un ton de confidence. Anne était-elle le fruit d'une infidélité ? Un souvenir honteux qu'elle aurait préféré
oublier mais qu'elle avait eu chaque jour sous les yeux
durant près de vingt ans ? Ah, quelle femme, même la
plus vertueuse, n'avait pas un jour cédé à la tentation ?
Une chance que mon frère n'ait pas tiqué sur les yeux
verts de sa cadette, mais moi qui connaissais tous nos
ancêtres, je ne voyais pas de qui la chère petite pouvait
tenir et j'en avais tiré mes conclusions.

La réaction d'Estelle fut plus violente que prévu. On
aurait cru que je lui avais lancé un seau d'eau froide à
la figure. Saisie, elle ouvrit démesurément les yeux tout
en chuchotant : « Comment le savez-vous ? Qui vous
l'a dit ? » Eh bien, elle-même, à l'instant, mais je ne le
lui fis pas remarquer. Je repris ma voix la plus suave
pour l'assurer qu'elle pouvait se confier à moi, ce qui
la soulagerait d'un poids sans doute trop lourd à
porter, d'ailleurs j'étais la mieux placée pour savoir à
quel point Gauthier pouvait être ennuyeux, et s'il y
avait bien quelqu'un qui ne la jugerait pas, c'était moi.
Elle me dévisagea d'un air las, écœuré. « Vous n'y êtes
pas du tout. On m'avait fait boire ! » Un deuxième
aveu involontaire, qui expliquait son dégoût des
boissons alcoolisées. Elle considéra sa coupe, dont elle
n'avait bu qu'une gorgée, et la poussa d'un doigt à
l'autre bout de la table, comme elle l'aurait fait pour
un insecte répugnant.

Mais elle était plus sotte encore que je ne l'avais cru
car, avec quelques questions habiles, j'obtins le récit

complet. Au point où elle en était, le besoin de se justifier la rendait soudain loquace. Hélas, si j'avais pu imaginer quelque aventure croustillante, l'élan honteux mais irrépressible d'une jeune femme frustrée, je n'eus droit qu'à une anecdote sordide. Un week-end de formation à Bordeaux entre instituteurs, des collègues peu scrupuleux qui avaient profité de son inexpérience pour lui faire découvrir le doux mélange de la bière et du whisky. Naïve, elle s'était prêtée au jeu par peur du ridicule. Un strip-poker alors en vogue avait suivi, copieusement arrosé lui aussi, et quand sa tête s'était mise à tourner, un collègue compatissant l'avait raccompagnée à sa chambre. Elle ne se souvenait pas de la suite, n'avait jamais pu s'en souvenir malgré tous ses efforts. Elle s'était réveillée nue au milieu de draps sales et froissés, et alors l'enfer s'était ouvert sous ses pieds.

Le silence contrit de ses camarades de jeu, dans l'autocar qui les ramenait à Biarritz, lui avait fait comprendre que le pire s'était effectivement produit. De retour chez elle, bien entendu elle n'avait rien dit. Comment avouer l'impensable à Gauthier ? Et lui raconter quoi, puisqu'elle ne se rappelait rien ? À des jours d'angoisse muette, à des nuits passées à prier sans pour autant oser se refuser à son mari, avait succédé l'abominable nouvelle : elle était enceinte. Durant sa grossesse, elle s'était raccrochée à un doute permis, mais en découvrant les jolis yeux verts du nouveau-né, elle l'avait pris en horreur sur-le-champ. Jérôme n'avait été conçu que pour effacer la faute, comme une réparation légitimement due à Gauthier.

J'avais appris la vérité, je pouvais m'en aller. J'abandonnai Estelle à ses remords sans fin, sachant qu'elle me haïrait pour ses confidences. Mais je n'y perdais rien puisqu'elle ne m'avait jamais accordé une once de sympathie. Au moment où j'allais m'éclipser, les premiers accords d'une valse de Strauss m'en empêchèrent. Je restai pour voir Anne et Paul effectuer leurs premiers tours de piste, et je formai le vœu, sans trop y croire, que leur couple soit toujours heureux. Mais dans la conversation que j'avais eue avec le jeune marié au début de la réception, puis lors des quelques mots échangés avec ses parents, il m'avait semblé que ce fils unique très choyé avait une haute opinion de lui-même, peut-être trop haute pour être supportable au quotidien.

De retour chez moi, je savourai une belle fin de journée sur ma chaise longue. Qu'allais-je faire de la révélation arrachée à Estelle ? Rien, sans doute, car ce serait trop cruel pour Anne. Mieux valait lui laisser le temps de fonder sa propre famille en ayant des enfants à son tour avant de lui infliger une vérité fatalement pénible. À laquelle, néanmoins, elle avait droit. Ne doit-on pas savoir de qui l'on vient ? Mais comment faire pour retrouver la bande de joyeux fêtards qui avaient abusé d'Estelle vingt-deux ans plus tôt ? Et lequel choisir parmi eux ? Cet homme-là, où qu'il soit, pensait-il parfois à cette lointaine et sinistre soirée de beuverie ? Sûrement pas, puisqu'il en ignorait la conséquence. Et puis, même sans aimer outre mesure mon frère, je n'envisageais pas de le déposséder de son rôle de père, un rôle qu'il avait tenu sans faillir.

Lorsque Anne parviendrait à un âge plus mûr et qu'elle aurait fait son chemin dans la vie, je pourrais peut-être lui parler. Mais serais-je encore là pour le faire ? Ces cahiers sont le moyen de lui raconter son histoire, à condition qu'elle les trouve un jour. Ce qui signifiera qu'elle n'a pas jeté toutes mes possessions dans une benne à ordures sans leur accorder un regard. À elle de trier, de garder, peut-être de rester, car elle sera mon unique héritière, je l'ai décidé depuis longtemps. Et savoir, ô ironie du sort, que finalement elle n'est peut-être pas une Nogaro n'y change rien !

Je dis « peut-être » parce que, depuis que la question de ses yeux verts me trotte dans la tête, j'ai pris quelques renseignements. Comme toujours dans ces cas-là, c'est vers Pierre Laborde que je me suis tournée et il a effectué les recherches pour moi. Je sais bien ce qu'on dit sur le gène récessif des yeux bleus, et je sais aussi que Gauthier a les yeux marron, comme moi et presque tous ceux de notre famille. Comme Estelle. Aussi en avais-je déduit l'infidélité mathématique. Sauf que je ne connais pas la famille d'Estelle – qui m'a toujours semblé sortie de nulle part – et que Pierre m'a apporté tout un dossier très instructif dont il ressort qu'il peut y avoir des exceptions. J'en ai pris bonne note, admettant qu'un doute était donc permis, mais mon instinct me disait d'interroger Estelle et je n'ai pas été déçue ! Elle demeure persuadée depuis le premier jour qu'Anne est le fruit d'une ignominie. Rien ne la fera changer d'avis, même des preuves scientifiques n'y parviendraient pas. Et si elle avait tort ? Si

elle s'était rongée pour rien depuis toutes ces années ?
Si elle avait injustement pris cette enfant en grippe ?

Hébétée, Anne s'arrêta de lire. Au bout de quelques instants, elle feuilleta la fin du cahier, qui ne comportait plus que quelques pages et s'interrompait brutalement. Elle le referma, le garda contre elle. Restait-il quelque chose à apprendre ? Pas maintenant, elle n'en avait pas le courage. Ce qu'elle venait de découvrir la laissait désemparée au point de ne pas arriver à mettre ses idées en ordre. Colère ? Compassion ? Dégoût ? Que devait-elle éprouver ? Elle n'était probablement pas la fille de Gauthier, pas la nièce d'Ariane, ses ancêtres ne s'appelaient pas Nogaro. Inimaginable.

Elle sortit de son lit et s'emmitoufla dans sa robe de chambre. S'approchant d'une fenêtre, elle effaça la buée pour regarder dehors. Tout était uniformément blanc et gelé sous un ciel plombé qui annonçait une nouvelle chute de neige. La veille, seuls ses parents avaient eu le courage de reprendre leur voiture, heureusement équipée de chaînes, mais tous les autres avaient dormi là. Léo avait cédé sa chambre à ses cousines et s'était installé sur le tapis du salon avec Charles, dans des sacs de couchage. Lily et Éric étrennaient une des chambres d'hôtes tout juste finie au second, tandis que Julien, au premier, avait pris l'ancienne chambre de Gauthier lorsqu'il était enfant, sommairement meublée d'un lit de camp.

Debout devant la porte, Goliath remuait la queue pour signifier qu'il voulait sortir. Anne eut envie de le prendre dans ses bras, de le serrer contre elle pour trouver un peu de réconfort, mais c'était un très gros chien, pas une peluche, et elle lui ouvrit. Descendant à pas de loup afin de ne pas réveiller les garçons, elle leur jeta un coup d'œil au passage et les vit couchés dos à dos au pied du sapin toujours allumé. Elle fila à la cuisine qu'elle pensait trouver dans un désordre indescriptible, mais elle découvrit Suki et Julien en plein rangement.

— Vous êtes tombés du lit ?

— Avec le magasin, j'ai pris l'habitude de me lever tôt, se justifia Suki. Et je ne voulais pas que tu fasses ça toute seule.

— Alors tu as réquisitionné Julien ?

— Non, protesta-t-il en riant, c'est un appel de ma consœur qui m'a réveillé. Elle avait un petit souci avec une urgence, mais on a pu régler ça par téléphone. Une fois debout, j'ai eu envie d'un café.

— Avoue plutôt qu'on est très mal sur le lit de camp.

— Je ne m'en suis pas aperçu, j'ai dormi comme un bébé. Toi, en revanche, tu as une petite mine.

— Viens t'asseoir, suggéra Suki. Thé ou café ?

— D'abord, je vous aide.

— Mais non ! On a presque fini, prends donc ton petit déjeuner tranquillement. C'est vrai que tu es toute pâle…

La sollicitude de Suki était touchante, pourtant Anne se sentait hors d'atteinte, glacée à l'intérieur. Elle fit sortir Goliath puis s'assit sur la chaise la plus proche du poêle qui ronflait, sans doute allumé par Julien.

— Il ne te reste plus beaucoup de bûches, fit-il remarquer.

— Je sais. Une triste histoire de bûcheron malhonnête.

Comme elle ne s'expliquait pas davantage, au bout de quelques instants il proposa :

— Je peux te donner le numéro d'un marchand de bois sérieux. Il me livre deux fois par an et j'en suis content.

Elle hocha la tête distraitement, toujours perdue dans ses pensées, puis soudain elle fit signe à Julien de s'asseoir près d'elle.

— Toi qui as fait des études scientifiques, tu devrais pouvoir m'expliquer le truc des gènes concernant la couleur des yeux.

Un peu surpris, il la dévisagea, attendant la suite.

— Tu sais, insista-t-elle, deux parents aux yeux bleus, ou aux yeux marron, ne peuvent faire que…

— Non, il y a des exceptions. Comment te décrire ça ? Bon, le gène responsable de la coloration dominante de l'œil s'appelle EYCL 3, et il est situé sur le chromosome 15. Il existe deux variétés, la couleur brune et la couleur bleue.

— Oui, oui, d'accord, mais ce n'est pas ça qui m'intéresse, c'est…

— Oh, tu veux que je te parle de la couleur verte ? dit-il en riant. Écoute, mes souvenirs de cours sont un peu flous, mais il y a un autre gène, le EYCL 1, situé cette fois sur le chromosome 19. L'allèle dominant de ce gène détermine la couleur verte, et l'allèle récessif la couleur bleue. Mais il y a encore d'autres gènes qui interviennent et qui s'influencent, c'est bien plus compliqué que ce qu'on croit généralement. En fait, rien n'est tout à fait impossible. Ai-je répondu à ta question ?

— Alors, dit-elle lentement, moi, par exemple…

Mais elle n'acheva pas, découragée, ne sachant plus que croire. Si tout était envisageable, elle pouvait très bien être la fille de Gauthier, pas forcément celle de cet inconnu haïssable. Ariane avait eu raison d'écrire « peut-être », raison de penser qu'Anne ne connaîtrait jamais l'entière vérité. Sa mère avait été abusée, elle avait éprouvé le besoin viscéral d'en vouloir à quelqu'un et sa rancune s'était focalisée sur le bébé. Néanmoins, elle ne pouvait être sûre de rien, et personne ne le serait jamais.

— Toi, finit par déclarer Julien qui s'inquiétait de son silence, ce qu'on peut dire à propos de tes yeux, eh bien c'est qu'ils sont superbes !

Suki déposa une tasse de thé fumant devant elle et la scruta quelques instants.

— Tu as un problème, Anne ?

— Non, non, tout va bien.

Pour ne plus être observée, elle se leva, alla remplir de croquettes la gamelle du chien qu'elle fit rentrer. Avec lui s'engouffra de l'air glacé et elle se dépêcha de reprendre sa place près du poêle.

— Drôle d'hiver pour les Landes, marmonna-t-elle.

Elle n'avait pas souvenir d'un Noël aussi froid, et surtout aussi fou. L'année précédente, comme toutes les autres, le réveillon avait eu lieu chez sa sœur. Sans neige. Et bien sûr, quelques petits accrochages avec sa mère s'étaient produits, mais rien de significatif. Paul prenait toujours sa défense ou faisait diversion. Une famille ordinaire. Qu'elle avait fait voler en éclats. Est-ce qu'elle le regrettait ? Non, plus maintenant. Elle eut brusquement conscience de la maison autour d'elle, au-dessus d'elle, si vaste et si... *bienveillante*. Le cadeau d'Ariane n'était pas empoisonné, il était royal. Mais pour Estelle, il devait être insupportable de voir Anne désignée comme l'héritière des Nogaro, un paradoxe dérisoire, et sans doute craignait-elle que la vieille dame ait laissé quelques confidences derrière elle. Après avoir détesté sa belle-sœur grâce à qui, pourtant, elle était bien logée, et à qui elle devait de l'argent, elle s'était mise à avoir peur d'elle, de ce qu'elle pourrait révéler même au-delà de la tombe. D'où son insistance à voir Anne tout vendre en vitesse, d'où sa répugnance à mettre les pieds ici. Tout s'expliquait, tout prenait sa place.

— Tu es partie très loin, fit gentiment remarquer Julien.

— Oh, non, je suis là et bien là, très contente d'y être !

Un vrai cri du cœur, qui l'étonna elle-même. Elle se décida à regarder franchement Julien puis se souvint qu'elle portait sa vieille robe de chambre et qu'elle ne s'était même pas donné un coup de peigne. Mais la façon dont il lui rendait son regard, son sourire, lui ôta toute envie de monter se doucher. Elle mit ses mains autour de la tasse de thé, s'aperçut qu'elle avait faim.

⁎⁎

Brigitte engloutit une tranche de la bûche au café qu'elles n'avaient pas terminée la veille. Selon les prévisions de Julien, il n'y avait eu que peu d'appels, rien de sérieux à part un cas un peu plus compliqué, avant l'aube, pour lequel Véronique avait dû joindre son confrère. Il lui avait donné son avis et suggéré de régler le problème par téléphone, estimant qu'il n'y avait pas lieu de se déplacer. Elle était assez admirative devant lui, enviait son expérience et la sûreté de son diagnostic.

— Ce sont les années de pratique, affirma Brigitte. Avec Paul, que vous remplacez, ils ont soigné des milliers d'animaux malades ou accidentés !

— Pourquoi est-il parti aussi brusquement, ce Paul ?

— Désaccord d'ordre privé. Le problème concernait sa femme, pas son travail. Mais il n'avait pas à s'en aller du jour au lendemain, il a eu une attitude très décevante alors que c'est un type bien.

— Julien et lui sont fâchés ?

— Même pas ! Je crois que Julien a compris. Lui aussi a divorcé, il sait ce que c'est.

— Il m'est très, vraiment très sympathique…

Brigitte la dévisagea, esquissa un sourire.

— À ce point-là ? Alors, je dois vous mettre en garde. Mais, avant, expliquez-moi ce qu'une jolie fille comme vous est venue faire dans ce trou perdu.

— Merci du compliment ! Disons que je souhaitais changer d'horizon après un gros chagrin d'amour l'année dernière. J'ai fait toutes mes études à l'école vétérinaire de Nantes, qui n'est qu'à une demi-heure de l'Atlantique, et l'océan me manquait. Les remplacements, ça va un moment, aujourd'hui j'aimerais me fixer. Or Julien m'a laissée entendre qu'une association serait éventuellement possible, donc je tente ma chance. La région m'enthousiasme, je vais pouvoir faire du surf ! Et de toute façon, je ne me sens pas citadine, je suis née dans un village de Bretagne trois fois plus petit que Castets ! Maintenant, je vous retourne la question, que faites-vous ici ?

— Je suis originaire du coin. J'avais la passion des animaux mais je n'étais pas douée pour les études. Ma seule possibilité était de suivre une formation d'assistante de cabinet vétérinaire, qui se terminait par deux stages obligatoires. Le second était ici, je n'en ai plus bougé. Ce métier me plaît énormément, je considère que j'ai eu de la chance de tomber sur Paul et Julien.

— Si tout se passe bien, ce sera désormais Julien et moi. Ça ira quand même ?

— À vous de faire vos preuves, répondit Brigitte en riant. Et à la clinique il y a tout pour ça, de belles installations, une salle d'op ultramoderne…

— Du matériel récent et une hygiène impeccable, c'est ce qui m'a séduite en arrivant. Restait à découvrir l'ambiance, or elle est bonne !

— Il faut qu'elle le reste.

Elles échangèrent un regard circonspect, puis Véronique suggéra :

— Allez-y pour la mise en garde.

— Julien n'est pas un cœur à prendre.

— Il a quelqu'un dans sa vie ?

— Non, je viens de vous le dire, juste dans son cœur. Je le connais bien, j'ai vu qu'il était tombé amoureux, mais ce n'est pas une histoire simple pour lui.

— Bon, je comprends le message. Même si je trouve ça dommage !

— Au contraire. En vous cantonnant à des rapports professionnels, tout ira bien à la clinique. Il fut un temps où j'ai eu mes illusions aussi, avec Paul. À force d'être ensemble toute la journée, je m'étais mise à loucher sur lui. Quelle idiotie ! Finalement, je suis contente qu'il ne se soit rien passé parce que ce serait devenu ingérable. Des hommes, il y en a partout, pourquoi se compliquer la vie sur son lieu de travail ?

Brigitte insistait un peu lourdement, mais sans doute n'avait-elle pas tort. Le départ en catastrophe d'un des deux associés avait dû désorganiser la clinique et, à peine le calme revenu, un nouveau trouble n'était pas souhaitable. Véronique le comprenait tout en le regrettant. Julien était un homme séduisant, comment l'ignorer ? Lors de leur première rencontre, elle était tombée sous le charme en dix minutes. Il n'avait pas encore fini d'expliquer les conditions de son remplacement que déjà elle était prête à signer les yeux fermés. L'endroit lui convenait, le confrère aussi, mais l'homme bien davantage. Posé, chaleureux, bien élevé… et un sourire de gamin tout à fait désarmant. Peut-être qu'avec le temps, son histoire « pas simple » se terminerait-elle ? Elle pouvait attendre, elle n'était pas pressée, et pendant ce temps-là elle apprendrait beaucoup à ses côtés.

— Si Julien est content de moi, déclara-t-elle avec assurance, je chercherai un logement.

— D'ici là, vous pouvez rester chez moi.

Véronique la remercia d'un sourire chaleureux tout en se demandant si son hospitalité était dictée par une simple gentillesse, une envie de compagnie, ou un désir plus sournois de la surveiller.

— J'ai l'impression que la neige fond, annonça Brigitte qui regardait par la fenêtre. Si c'est ça, nous aurons beaucoup de travail demain.

— Tant mieux !

Elle avait hâte de montrer ce qu'elle savait faire, hâte de devenir indispensable.

⁂

Le redoux eut lieu dans la nuit du 26 au 27 décembre, et au matin les forêts de pins avaient retrouvé leur couleur verte. Heureuse d'avoir moins froid dans la maison, Anne en profita pour s'installer à son bureau dès huit heures, pressée de mettre à jour quelques dossiers en attendant que Léo et Charles réclament à grands cris leur petit déjeuner. Elle tenait à être disponible pour son fils avant qu'il ne parte passer la Saint-Sylvestre chez les parents de Charles, comme prévu. Sachant que les adolescents aimaient faire la grasse matinée, elle pensait avoir du temps devant elle et elle fut très surprise de voir débarquer son fils en pyjama, mal réveillé et l'air courroucé.

— Devine qui vient de me tirer du lit pour m'engueuler… Papa ! Non seulement il ne se donne pas la peine d'un petit coup de fil pour Noël, sans parler d'un cadeau, faut pas rêver, mais il a demandé au proviseur d'avoir le double de mes résultats scolaires ! Et, bien sûr, il les trouve mauvais. J'ai eu droit à ma petite leçon de morale.

Anne prit le temps d'enregistrer les chiffres de son dossier en cours tout en faisant signe à son fils de s'asseoir.

— C'est vrai que ton bulletin n'est pas terrible, mon grand. Je voulais t'en parler aussi mais j'ai préféré laisser passer Noël. Ton père a eu la même idée, j'imagine.

— Tu savais qu'il se faisait adresser mes notes ?

— Non. Je ne l'ai pas eu depuis un moment au téléphone. Maintenant, qu'il s'intéresse à ta scolarité me semble légitime.

— Il aurait dû me prévenir !

— Pourquoi ? Tu aurais mieux travaillé ?

Léo haussa les épaules et s'affala dans le fauteuil. Elle lui laissa quelques instants pour se calmer, puis ouvrit un tiroir et en sortit le courrier de la pension.

— Ton bulletin était accompagné d'une lettre. Le proviseur admet que le bouleversement de ta situation familiale peut expliquer une baisse générale de tes notes, toutefois il te trouve dissipé et peu motivé. Il va falloir que tu te reprennes au deuxième trimestre.

Elle parlait d'un ton ferme mais conciliant, et Léo se détendit un peu.

— Tu ne dois pas en vouloir à ton père, chéri. Il remplit son rôle, même s'il est loin d'ici.

— Ça, c'est lui qui l'a voulu ! Tu ne m'enlèveras pas de la tête qu'on ne divorce pas à cause d'une maison. Surtout d'une aussi chouette maison !

— Ne le juge pas.

— Ce n'est pas parce que c'est mon père qu'il a forcément raison. Il m'a dit qu'il allait faire de la recherche. Peut-être en avait-il envie depuis longtemps ? Tu as vu à quelle vitesse il est parti d'ici ? Tout vendre et se tirer comme un voleur, quel égoïsme !

— Chacun ses problèmes, Léo. Tu auras les tiens un jour et tu verras que tout n'est pas blanc ou noir, vrai ou faux. Pour le moment, je voudrais que tu travailles mieux, ton avenir en dépend. Est-ce que Charles a de mauvais résultats lui aussi ?

— Non…

— Alors si tu tiens à poursuivre ta scolarité dans la même classe que lui, tu sais ce qui te reste à faire.

Elle comprit qu'elle avait visé juste en voyant le visage de Léo s'assombrir. Charles était l'un des repères de son existence, l'idée d'être séparé de lui allait le motiver.

— Courrier ! claironna Jérôme en entrant brusquement.

Il lança des enveloppes en vrac sur le bureau d'Anne et croisa les bras.

— Il m'arrive une tuile, annonça-t-il. Et pas qu'à moi…

Après avoir jeté un coup d'œil vers Léo, il s'adressa à sa sœur :

— Ludovic est parti.

— Ah bon ?

Éberluée, elle l'observa une seconde. Il avait les mâchoires crispées, les yeux étincelants de rage.

— Je dis « parti », mais en fait il s'est enfui. En me laissant un mot très… explicite.

Sortant une feuille froissée de sa poche, il l'agita sous le nez d'Anne sans qu'elle puisse lire.

— C'est un minable petit voyou, un escroc, et il m'a bien eu !

— Jérôme…, murmura-t-elle avec un geste en direction de Léo.

— Oh, mais ton fils peut entendre, il est concerné !

— En quoi ?

— Ludovic a embarqué des souvenirs. Les chandeliers, une théière en argent, les espèces que tu lui avais données pour acheter des fournitures qu'il n'est finalement pas allé chercher sous prétexte du gel, le nouvel appareil photo de Valère et l'ordinateur portable de Léo, restés tous les deux dans le salon.

— Quoi ? hurla Léo.

— Voilà ce qui arrive quand on ne range pas ses affaires, ricana Jérôme. Ce salopard m'aurait sûrement dévalisé aussi, mais par chance je n'ai rien à moi !

Au-delà de sa fureur, Anne comprit qu'il était vraiment blessé. S'était-il attaché à Ludovic ?

— Je suppose qu'il était de mèche avec son copain le bûcheron, lui lança Léo. Tu as vraiment des amis formidables !

— Toi, la ferme.

— Ne vous disputez pas, temporisa Anne. Le portable de Léo était une antiquité, je pensais le changer de toute façon.

— Comment se fait-il que Ludovic t'ait laissé le tien ?

— Je l'avais avec moi dans ma chambre, hier soir j'ai un peu travaillé. Or dans ma chambre, il y a Goliath. Est-ce que tu as parlé à Valère ? Il va en faire une maladie…

— D'autant plus que sans effraction ton assurance ne marchera pas. Je ne sais pas comment le lui annoncer.

— C'est pour lui que ça m'ennuie le plus, murmura Anne. Il n'avait pas besoin d'un nouveau coup dur. Je suis consternée, Jérôme.

— Pas autant que moi, tu peux le croire !

Lui qui tournait tout en dérision semblait avoir perdu son humour. Anne fit discrètement signe à Léo de s'en aller, mais il n'avait pas besoin d'encouragement, il était pressé de raconter l'histoire à Charles et il sortit aussitôt.

— Il n'a rien pris d'autre ? voulut-elle savoir.

— Je ne pense pas. En trouvant ce chiffon de lettre sur son oreiller j'ai d'abord fait le tour de la maison pour évaluer les dégâts, ensuite j'ai eu besoin de marcher pour ne pas donner des coups de poing dans les murs ! Évidemment, tout le monde dira que c'est bien fait, que je suis tombé sur plus filou que moi. Mais j'avais fini par avoir confiance, ou plutôt par me laisser endormir, parce que, en réalité, je ne sais rien de lui. Rien du tout, et j'avais bien dans l'idée que ce n'est pas normal de parler aussi peu de soi. Je me suis imaginé des trucs, un passé difficile, une enfance malheureuse, n'importe quoi ! En tout cas, j'irai dès aujourd'hui à Soustons, même sans grand espoir de le retrouver. Il a dû abandonner le trou à rats qui lui servait de local. S'il ne l'a pas fait, je suis tout disposé à lui casser la figure.

— Vraiment ?

— Il m'a pris pour un idiot, Anne. Il a joué les amoureux et j'ai marché, trop content ! Faut croire que je vieillis, avant c'était moi qui menais le jeu… Je n'ai pas toujours été honnête. À Londres, je me suis mal conduit, mais je n'en ai jamais été réduit à voler de l'argenterie. Je suis désolé pour toi, et plus encore pour Valère. Si je ne

267

remets pas la main sur cette crapule, je ne sais pas comment je pourrai vous dédommager…

— Tu ne t'es jamais demandé pourquoi il nous aidait si gentiment ?

— Bien sûr que si ! Sauf que la raison était évidente, il n'avait pas de quoi bouffer et pas la queue d'un client pour sa micro-entreprise. Il ne savait même pas comment il passerait l'hiver, alors quand j'ai proposé de l'héberger, il a sauté sur l'occasion. Après, j'ai eu la vanité imbécile de supposer qu'il restait pour mes beaux yeux. Quel con je fais !

— Mais enfin, il a appris un métier ? À le voir travailler, on comprend tout de suite que ce n'est pas un amateur du dimanche.

— Il a surtout un grand poil dans la main. Il est paresseux comme une couleuvre, il préfère chaparder que bosser. Ici, il me montrait comment faire, et ensuite il me regardait ! Si je n'avais pas eu un faible pour lui, je lui aurais demandé de débarrasser le plancher.

— Un petit faible ou un gros, Jérôme ? Tu es vexé ou tu as de la peine ?

— Les deux, soupira-t-il. Je suis humilié d'avoir été pris pour un pigeon, et je dois aussi reconnaître que… euh, oui, c'était devenu autre chose pour moi qu'un petit coup en passant. Comme je n'ai pas souvent éprouvé de tendresse, eh bien ça ressemblait peut-être à de l'amour, va savoir !

La tête baissée, il avait lâché l'aveu du bout des lèvres. Anne eut l'impression de revoir son petit frère enfant, parfois boudeur, souvent démuni, dissimulant ses pensées secrètes sous un rire artificiel. Il aimait provoquer, se moquer des autres ou de lui-même. Il ne se livrait pas et, malgré sa légèreté apparente, n'avait jamais l'air vraiment heureux.

— Je vais parler à Valère, annonça-t-il en se redressant. Après, je file.

Elle le laissa partir, et au moment où il sortait, Goliath se faufila dans le bureau. Couché aux pieds d'Anne, il posa sa tête sur ses pattes avec un soupir de satisfaction.

— Tu es toujours là quand il faut, toi, dit-elle en se penchant pour lui grattouiller les oreilles.

Les problèmes s'accumulaient, pourtant elle ne voulait pas se laisser dépasser. Pour Valère, il s'agissait d'une catastrophe, mais elle n'y pouvait pas grand-chose, même si c'était arrivé sous son toit. En ce qui concernait Léo, elle n'avait pas du tout prévu de changer son ordinateur et ne l'avait prétendu que dans le but de l'apaiser. Son budget allait s'en ressentir car elle avait peu de marge de manœuvre. Enfin, et même si c'était le moins important, elle s'attristait de la disparition des grands chandeliers en argent, conservés parce qu'ils semblaient faire partie de la maison. Tant pis, elle possédait d'autres souvenirs d'Ariane et elle s'en contenterait.

— Sans compter les fournitures du chantier qu'il n'a pas achetées, ce voyou…

Posant les coudes sur le bureau, elle mit sa tête dans ses mains. Elle s'en sortirait quoi qu'il arrive, elle l'avait décidé le jour où elle s'était installée ici pour de bon. Au besoin, elle travaillerait quinze heures par jour, recruterait de nouveaux clients. Avec ses revenus de comptable, elle arriverait à tenir le coup, mais elle serait obligée de s'en remettre entièrement à Jérôme pour la partie

« maison d'hôtes ». Or il n'avait pas que de bonnes idées, il était même parvenu à introduire le loup dans la bergerie ! Elle devrait garder un œil vigilant sur lui, et aussi trouver le moyen de le rémunérer d'une façon ou d'une autre. N'avait-il pas fait remarquer avec amertume qu'il n'avait rien à lui ?

— Et moi, dit-elle au chien, je ne sais pas qui je suis ! Nogaro, pas Nogaro ?

Elle n'avait pas encore trouvé le courage de lire les dernières pages du cahier. Était-elle au bout des mauvaises surprises ? Elle jeta un regard distrait au courrier éparpillé sur son bureau. Factures, cartes de vœux, publicités, sauf une enveloppe qui attira son attention. Il s'agissait de l'écriture de Paul, reconnaissable entre toutes. Elle l'ouvrit en se demandant quelle nouvelle désagréable elle allait encore apprendre. Lorsqu'elle déplia le simple feuillet blanc, un chèque s'échappa.

Ci-joint le Noël de Léo, embrasse-le pour moi. J'ai diminué la somme prévue parce que ses notes sont désastreuses, et je l'appellerai d'ici un jour ou deux pour lui remettre les idées en place. Aide-moi dans ce sens, faisons bloc tous les deux. J'ai réglé le trimestre à venir directement au proviseur. J'espère que tu vas bien et que tu te plais toujours dans ton bric-à-brac géant où tu dois geler. Tendres pensées, Paul.

Elle relut plusieurs fois les derniers mots, perplexe. Tendres pensées ? Ne restait-il rien d'autre de ce qui avait été un grand amour, un amour fort et solide ? Dans cette lettre, Paul arrangeait quelques détails concernant leur fils, glissait une pointe d'aigreur envers elle et sa maison, terminait par une formule toute faite. Il ne s'était pas seulement éloigné physiquement, il se mettait hors de portée affectivement.

— Quelle bonne matinée…

À présent, elle n'avait vraiment plus aucune envie de travailler. Mais elle allait s'y contraindre parce que trop de choses étaient en jeu, trop de gens, elle-même, son frère, son fils en dépendaient.

***

Julien ouvrit la baguette en deux, disposa trois tranches de jambon qu'il badigeonna de moutarde, puis ajouta des cornichons. Une façon de se nourrir un peu sommaire. Il aurait préféré un steak frites salade dans son bistrot habituel mais il était repassé chez lui pour sortir sa lessive de la machine à laver et mettre le sèche-linge en route. La dame qui s'occupait du ménage chez lui était en vacances, or ses jumeaux allaient venir passer deux jours à la maison et tout devait être en ordre pour les accueillir.

Il ouvrit une bière, but quelques gorgées à même la canette puis jeta le reste dans l'évier. Mieux valait se faire un café, une impressionnante liste de rendez-vous l'attendait dès treize heures trente. Heureusement, Véronique l'aidait beaucoup, et sans occuper tout à fait la place de Paul, elle avait conquis un certain nombre de clients. Le plus dur était fait. Au début, il avait eu peur qu'elle soit rejetée, mais finalement les gens s'habituaient. D'un point de vue professionnel, il n'était pas mécontent, elle apprenait vite et savait déjà beaucoup de choses.

Néanmoins, Paul lui manquait. Toutes ces dernières années, chaque fois qu'il avait eu un doute il s'était tourné vers son confrère pour lui demander son avis, et inversement. Même si l'idée de la clinique venait de Paul, ils avaient toujours été sur un pied d'égalité, l'un complétant l'autre, parce qu'ils étaient de la même promotion et avaient démarré ensemble. Avec Véronique, c'était lui l'ancien, lui qui servait de référence. Elle était jeune et manquait d'expérience malgré toute sa bonne volonté. Durant quelques mois il risquait de se sentir seul en cas de diagnostic difficile, d'opération délicate en urgence.

Après avoir bu son café, il se prépara une deuxième tasse. Il allait devoir remiser sa moto sous une housse dans son garage, comme toujours quand ses enfants étaient là. Elle rejoindrait les planches de surf et le matériel de plongée, inutiles pour l'instant. Encore quatre mois au moins avant de retourner vers les plaisirs de l'océan. Mais l'hiver ne lui déplaisait pas, il aimait bien toutes les saisons dans les Landes. Comment Paul avait-il pu quitter cette région sans regret ?

Penser à Paul le ramena inexorablement à Anne. À ce qu'il avait ressenti le soir du réveillon, et surtout le lendemain matin dans sa cuisine. Il était amoureux d'elle, son cœur s'affolait dès qu'elle entrait quelque part. En robe de chambre, ses petits cheveux courts ébouriffés et ses mains serrées sur sa tasse de thé, elle lui avait paru vulnérable, presque fragile alors qu'il la savait solide. Il avait eu envie de la prendre dans ses bras, de la serrer contre lui, de lui dire des mots tendres. Ce serait peut-être possible un jour, mais ce jour n'était pas venu. Tandis qu'elle cherchait la meilleure place pour accrocher la photo de la bastide dans son cadre ancien, il l'avait suivie à travers le rez-de-chaussée. Une rapide allusion au divorce, qui devait être prononcé fin janvier, avait été son seul mot à propos de Paul. Lui manquait-il ? Avait-elle des regrets concernant sa vie de couple, de famille ? Il existait forcément une blessure, combien de mois ou d'années mettrait-elle à cicatriser ?

Il fila vers la chambre des jumeaux, s'assura que les lits étaient faits, que la veilleuse fonctionnait, que les cadeaux de Noël s'empilaient bien sur les oreillers. Passer du temps avec ses enfants allait lui procurer un grand plaisir, en revanche il n'éprouvait plus rien pour leur mère. À l'époque de leur séparation, il avait cru ne jamais s'en remettre, mais le temps avait fait son œuvre, comme toujours, et il était guéri d'elle au point de se demander pourquoi il l'avait aimée et pourquoi il était resté seul après qu'elle l'a laissé tomber. Bon, il était sentimental, il n'y pouvait rien, les aventures d'une nuit ne le satisfaisaient pas, il préférait vivre une véritable histoire. S'il voulait que ce soit avec Anne, il lui faudrait encore beaucoup de patience.

— J'en ai à revendre ! déclara-t-il à voix haute.

L'écho de sa phrase résonna puis s'éteignit dans la maison silencieuse. La solitude finissait par lui peser, pourtant il s'en accommoderait encore le temps nécessaire. Pour avoir Anne, ce serait le prix à payer.

**

Un franc soleil d'hiver éclairait Biarritz d'une lumière radieuse. Installé dans son fauteuil favori, Gauthier lisait son journal face à la baie vitrée donnant sur le port des pêcheurs. Ces derniers avaient quasiment disparu, leurs pittoresques cabanes appelées « crampottes » se transformaient peu à peu en boutiques, et la principale activité du port était la plaisance. Mais les restaurants et les bars maintenaient de l'animation, même en hiver, et Gauthier emmenait régulièrement Estelle manger du poisson ou des fruits de mer, arrosés d'un vin d'Irouléguy.

Ce matin, il ne parvenait pas à se concentrer sur la lecture de son quotidien. Ses pensées l'entraînaient invariablement vers la bastide Nogaro, vers Anne, vers Jérôme. La déception infligée par son fils cadet était toujours vive. Avec quel mépris il avait refusé ce travail de commercial ! S'imaginait-il pouvoir dédaigner une offre d'emploi ? Et Anne qui l'entretenait dans ses illusions… Croyaient-ils vraiment, tous les deux, à la réussite de leurs chambres d'hôtes ? Certes, on commençait à en voir un peu partout, le concept séduisait, en proposant un hébergement moins cher que l'hôtellerie traditionnelle, plus intime et plus original. Mais pouvait-on gagner sa vie en louant trois chambres durant six mois de l'année ? Qui donc allait faire le ménage, changer les draps entre deux clients, préparer les petits déjeuners ? Gauthier s'inquiétait, toutefois il reconnaissait qu'au moins Jérôme semblait plus stable. Contrairement à Estelle, qui lui rebattait les oreilles de sa rage contre Anne, il estimait que le frère et la sœur pouvaient s'aider mutuellement. Après tout, elle l'avait obligé à faire quelque chose de ses journées, et pour sa part il lui évitait de se retrouver seule dans cette sinistre bâtisse. Seigneur, quelle idée de vivre là ! Il se souvenait encore de ses terreurs nocturnes lorsqu'il était enfant. Au crépuscule, les trop grandes pièces se peuplaient d'ombres inquiétantes, et aucune lumière ne chassait tout à fait son angoisse. Il se sentait isolé, loin de tout, perdu au milieu d'une immense forêt. Plus tard, en découvrant ce vers de Baudelaire : « Grands bois, vous m'effrayez comme des cathédrales », il avait été parcouru d'un frisson. Il détestait être issu d'une famille de forestiers dont, fort heureusement, il n'avait pas eu à reprendre le flambeau. Leur ruine l'avait soulagé en provoquant la vente de la maison et le départ pour Biarritz. Était-il possible qu'Anne éprouve un réel attachement à la terre ? Quelque chose, dans le poids de son hérédité, la liait-il aux arbres ? Ces fichus pins, en rangs par mille, que Gauthier jugeait asphyxiants.

Il plia son journal sur ses genoux et resta les yeux dans le vague. Anne avait commis une erreur en imposant son choix stupide à Paul, néanmoins il s'agissait de sa vie et personne ne pouvait la vivre à sa place. L'aigreur d'Estelle devenait fatigante. Avait-elle toujours été aussi désagréable avec Anne ou n'était-ce que depuis l'héritage ? Pauvre Ariane, pauvre folle, certes elle avait semé le chaos, mais paix à son âme. Après tout, elle n'avait jamais réclamé son dû, la somme empruntée par Gauthier et Estelle ayant été délibérément *oubliée*. Il éprouvait une vague culpabilité à cet égard, mais chaque fois qu'il en avait parlé à sa femme elle s'était récriée. Ariane avait de quoi vivre, la preuve, elle a laissé des économies en plus de la maison.

— Tu t'endors ? demanda Estelle en déposant un plateau sur la table basse devant lui. J'ai fait un gâteau basque aux cerises noires.

Elle avait disposé deux belles tranches sur des soucoupes et préparé du thé vert.

— Je pensais aux enfants.

— J'imagine lesquels !

Pour éviter une énième discussion, il s'abstint de répondre mais elle insista :

— Tu te fais du souci pour Jérôme, hein ? Tant qu'il restera sous l'influence de cette punaise d'Anne…

— Cette *punaise* d'Anne ? s'insurgea-t-il. Tu t'entends ?

— Pardon, se reprit-elle aussitôt, mais tu ne m'ôteras pas de l'idée qu'elle a multiplié les sottises et que son influence est catastrophique. Elle a toujours été frondeuse, insolente, provocatrice, il n'y avait que Paul pour la calmer, or elle s'en est débarrassée !

— Je te trouve très injuste. Quand on y réfléchit, Paul n'était pas très amusant.

— La vie n'est pas qu'une vaste partie de rigolade.

Il la dévisagea, toujours surpris qu'Anne puisse la faire si facilement sortir de ses gonds. La plupart du temps, elle se rangeait à son avis, n'aimait ni s'opposer ni même discuter.

— Ce réveillon était horrible, rappela-t-elle. Du cassoulet ! On a failli se tuer sur le verglas pour du cassoulet !

— Non, pour le plaisir d'être en famille, tous ensemble.

Elle se mordit les lèvres et se tut, sans doute vexée par son rappel à l'ordre. Bon sang, ils étaient toujours d'accord sur tout, pourquoi cet héritage l'avait-il rendue enragée ?

— Fais un effort avec Anne, suggéra-t-il, ou elle finira par se demander ce qu'elle t'a fait.

— Mais rien, marmonna-t-elle. C'est bête ce que tu dis…

Les yeux baissés, elle se mit à servir le thé.

**

Paul avait réveillonné chez ses parents le soir de Noël, dans une ambiance un peu tendue. Son père, qui le connaissait bien, jugeait absurde son départ précipité de Castets, et envisageait avec circonspection sa nouvelle orientation professionnelle vers la recherche. Pour ne pas avoir à en parler davantage, Paul s'était abstenu de retourner chez eux durant quelques jours. Il refusait de se remettre en question, d'admettre ses torts. Dans le naufrage de son mariage, il était une victime, il n'en démordait pas. En revanche, le retour aux études lui plaisait pour de bon. Il se sentait rajeuni, le nez dans les livres et griffonnant des fiches à longueur de journée. Sa capacité d'apprendre était intacte, il avait l'impression de s'enrichir, de s'épanouir. À Maisons-Alfort, il restait en contact avec les animaux, et surtout il rencontrait des gens intéressants. Bien décidé à se bâtir une autre vie, il ne regardait pas en arrière. Son studio lui convenait parfaitement, clair, moderne et bien agencé, avec quelque chose d'anonyme qui lui permettait de faire table rase du passé. Chaque fois qu'il pensait à Anne, il se raisonnait et la chassait tant bien que mal de son esprit. Mais il songeait souvent à son fils pour lequel il devait rester un père attentif, même de loin. Lorsqu'un souvenir de la clinique lui traversait la tête, il le repoussait aussitôt pour éviter toute nostalgie. Décidé à dédommager Julien de sa fuite, il ne comptait pas évoquer le rachat de ses parts avant au moins un an. Laisser à son confrère et ami le temps de rétablir la situation lui paraissait équitable, néanmoins il avait fait un calcul approximatif et se demandait comment Julien allait se débrouiller pour tout absorber. Leur mise de fonds initiale était dérisoire au regard de ce que valait la clinique aujourd'hui.

Se sentir libre et sans attache ne lui apportait pourtant pas l'exaltation prévue. Lui qui aimait l'ordre avait certes réussi à organiser au mieux son quotidien, mais l'absence d'Anne créait un vide. Passer ses soirées seul, dormir et se réveiller seul lui paraissait anormal. Déjà, à Castets, il l'avait mal supporté les derniers temps, et Paris n'y changeait rien. Du plus loin qu'il se souvienne, après quelques amourettes sans intérêt, il avait voulu Anne, conquis Anne, épousé Anne puis vécu avec elle. Exactement comme pour ses études, son diplôme puis son installation. Un métier, une femme, un fils, il avait toujours su où il allait, plein de confiance en lui. Et désormais, tout était à refaire ! Jamais il n'aurait cru que ça puisse lui arriver, à lui qui planifiait tout. Prendre un nouveau départ professionnel ne l'effrayait pas, mais fonder une autre famille… Une famille sans Anne ? Dorénavant, elle ne serait plus que « la mère de son fils » ? Le constat lui donnait le vertige, vite il se replongeait dans ses notes de cours.

Régulièrement, son père l'appelait, persuadé que Paul avait besoin de soutien. Mais il n'en avait aucun besoin, il ne voulait pas être celui qu'on plaint. Pire encore, son père chantait les louanges d'Anne et reprochait à Paul sa rigidité, son incapacité à s'adapter aux désirs des autres. D'après lui, Anne était une « femme formidable ». Vraiment ? Elle était aussi celle qui avait perdu tout désir pour son mari, une humiliation difficile à supporter.

Une seule fois, un soir où il rentrait en métro, il s'était demandé s'il n'avait pas tort, s'il n'aurait pas pu agir autrement. Ces questions s'étaient imposées par surprise mais n'avaient fait que l'effleurer. Non, il était dans son bon droit et ne voulait plus regarder en arrière. Anne était la seule fautive, il ne s'était pas laissé entraîner dans sa stupide aventure, il s'en félicitait.

8

Anne et Suki avaient attendu toute la soirée, folles d'inquiétude. Il était près de minuit, et elles n'avaient toujours aucune nouvelle. Une petite pluie fine et froide déposait des myriades de gouttelettes sur les carreaux, les isolant du monde extérieur, et le poêle avait beau ronfler, Suki avait les mains glacées.

— Ce n'est pas qu'une question d'argent, murmura-t-elle, c'est aussi une question d'honneur, je suppose…

— Pour Jérôme ? Il est triste et il est vexé de s'être fait avoir. De là à se lancer dans cette ridicule expédition !

— Peut-être, mais Valère ne pouvait pas le laisser partir tout seul.

— Même à deux, ils ne feront pas le poids. Si j'ai bien compris, Ludovic a toute une bande de copains qui sont des voyous, comme lui, et qui vont bien rigoler en voyant arriver les deux touristes !

Anne n'était pas seulement angoissée, elle ne décolérait pas. Jérôme s'était bien gardé de la prévenir de ses intentions, il s'était éclipsé en entraînant Valère. Pour récupérer les objets volés ? Ils n'avaient probablement aucune chance de les retrouver. Quant à donner une leçon à Ludovic, ils risquaient de tomber sur beaucoup plus fort qu'eux.

— De toute façon, ils ne savaient même pas où chercher.

— Ils voulaient faire la tournée des bars, expliqua Suki.

À elle, Valère avait donné une brève explication avant de partir, promettant de rentrer vite. Mais ils étaient partis juste après le déjeuner et restaient injoignables depuis.

— Je refais une théière ? proposa Anne.

Elle se demandait à quel moment il lui faudrait appeler le commissariat de Dax ou l'hôpital. Pour la énième fois, elle regarda sa montre, soupira. Avant de mettre la bouilloire en route, elle prêta l'oreille mais ne perçut aucun bruit de moteur.

— Goliath entendra avant nous, rappela Suki qui avait vu son manège. Ah, ils auraient dû l'emmener !

— Je ne tiens pas à ce qu'il prenne un coup de couteau ou qu'on l'embarque à la fourrière.

— Et puis, sans lui, on aurait peur.

— Tu trouves la maison effrayante, Suki ?

— Non, mais elle est très isolée. Depuis la route, si on ne fait pas attention, on peut très bien rater le chemin.

— C'est ce qui en fait tout le charme. Nos clients adoreront.

S'ils avaient des clients un jour. Si Jérôme ne finissait pas devant un tribunal à force de se mettre dans des situations impossibles.

— Le magasin sera prêt à la fin du mois, annonça soudain Suki.

— Génial ! Pourquoi ne me l'as-tu pas dit plus tôt ?

— L'assureur m'a téléphoné en fin d'après-midi, mais j'avais la tête ailleurs.

— Ailleurs ? répéta Anne, interloquée.

Elle savait l'importance de cette réouverture pour sa belle-sœur, et tous les espoirs qu'elle mettait dans ce nouveau départ.

— Je me fais trop de souci pour Valère, avoua Suki d'une toute petite voix.

— Ils vont revenir, affirma Anne.

Oui, mais quand et dans quel état ? Il leur était forcément arrivé quelque chose, sinon ils auraient appelé.

— Tu vas enfin retrouver tes fleurs, c'est formidable.

— Et mes engelures, dit Suki avec un sourire réjoui. Nous aurons aussi un logement, juste à côté. Plus grand que l'ancien et tout neuf ! Dès que Valère sera revenu, on va pouvoir faire des projets.

Elle ne parlait pas de l'appareil photo volé, n'avait pas eu un mot de reproche envers Jérôme. Pourtant, Valère ne pourrait pas reprendre son activité professionnelle sans ce Nikon dernier cri qui valait une fortune et auquel il n'avait même pas eu le temps de s'habituer. Anne tirait des plans sur la comète pour parvenir à dédommager son frère et lui permettre de redémarrer. Mais elle avait refusé tout net le plan de

Jérôme, jamais à court d'idées tordues, qui avait proposé d'organiser un faux cambriolage. Tous ces problèmes la démoralisaient, elle avait trop de poids sur les épaules et personne avec qui le porter. L'époque où Paul veillait à tout lui semblait déjà loin, maintenant elle était seul maître à bord et son navire menaçait de prendre l'eau.

Un grondement sourd de Goliath les fit se précipiter ensemble à la porte. La lumière des phares balaya la façade, puis il y eut des claquements de portières. Anne posa une main sur le collier du chien, puis elle reconnut avec soulagement les silhouettes de ses frères. Ils marchaient lentement, d'un pas mal assuré, l'un soutenant l'autre.

— Qu'est-ce qui vous est arrivé ? s'écria Suki en courant vers eux.

— On a besoin d'un remontant, grommela Jérôme.

Il entra le premier, se laissa dévisager par sa sœur.

— Oui, admit-il, on a morflé. Tes chandeliers sont dans la voiture, avec l'appareil photo. Pour le reste, c'était trop tard.

Anne avait vu ses yeux au beurre noir, sa lèvre fendue, son blouson déchiré. Elle se tourna vers Valère, que Suki enlaçait frénétiquement, découvrit les points de suture sur l'arcade sourcilière et le bras en écharpe.

— Mon Dieu…, souffla-t-elle.

Avant de poser la moindre question, elle alla fouiller dans un des placards, en sortit une bouteille de cognac et leur servit un petit verre à chacun.

— Cul sec, dit-elle sérieusement.

Valère vida le sien d'un trait. Il semblait secoué, au bord de l'épuisement.

— Ils nous ont pris pour des rigolos, déclara Jérôme, alors qu'ils avaient affaire aux célèbres frères Nogaro !

Son rire s'étrangla, sans doute à cause de sa lèvre fendue.

— Commence par le début, suggéra Anne.

— Eh bien, on a cherché Ludovic un peu partout et on ne l'a déniché qu'en fin de journée, au fond d'un bar pourri. Il n'était pas tout seul, il se saoulait à la bière avec sa petite bande. Tu aurais vu la tête qu'il a faite en nous apercevant ! Ma parole, il avait dû s'imaginer que je laisserais tomber.

— Le ton est monté très vite, renchérit Valère. Mais il ne voulait pas de scandale en public, je suppose qu'il ne tient pas à se faire remarquer, or le patron du bouge paraissait sur le point d'appeler les flics. On est partis s'expliquer dehors.

De nouveau, Jérôme tenta de sourire mais ne put que grimacer.

— Ton mari est plutôt bon dans une bagarre, dit-il à Suki.

— Il a bien fallu que je protège mon petit frère, maugréa Valère.

— Quand tu tapes le premier, et à condition de ne pas faire semblant, tu décourages tes adversaires ! Les « amis » de Ludovic ont fini par s'égailler comme des moineaux. Et une fois seul, il a été beaucoup plus coopératif…

— Mais vu la pagaille qu'on mettait dans la rue, les flics se sont pointés. On a été embarqués tous les trois, puisqu'il ne restait plus que nous, et une fois au commissariat, au lieu de raconter l'histoire en entier et de porter plainte contre Ludovic, cet abruti de Jérôme a calé, il s'est dégonflé ! Gros sentimental, va…

— Il venait de dire qu'il allait rendre l'appareil photo, protesta Jérôme. Mieux valait tenir que courir, non ? Les flics nous ont emmenés à l'hôpital où on a passé des heures.

— Vous auriez pu appeler !

— J'ai perdu mon téléphone dans la baston et celui de Valère a été réduit en miettes. De toute façon, on n'avait pas terminé notre affaire. En sortant de l'hosto, Ludovic a tenu sa promesse, il nous a conduits à sa nouvelle adresse, d'ailleurs pas plus reluisante que l'ancienne. Il n'avait pas encore négocié le Nikon, ni les chandeliers, assez malin pour comprendre qu'il devait trouver les bons clients pour ce genre de marchandises. Mais trop tard pour le portable de Léo, trop tard pour le fric qui a déjà été dépensé. On a récupéré nos biens et on s'est tirés.

Valère regarda Jérôme, secoua la tête.

— Je t'ai vu lui dire au revoir, soupira-t-il. En ce qui me concerne, je me suis dispensé de prendre congé.

— Qu'ont trouvé les médecins ? s'impatienta Suki. Vous avez quelque chose de cassé ?

— Jérôme, c'est le nez, mais sans déplacement. Moi, deux côtes.

— Et ton bras ?

— Entorse du poignet, rien de sérieux. Et ces points de suture ne devraient quasiment pas laisser de cicatrices.

Tandis que Valère rassurait sa femme, Anne observa Jérôme avec intérêt. N'était-il donc pas guéri de Ludovic ? Encore attiré malgré tout ? Ayant récupéré l'appareil photo – certes, un gros souci de moins –, il semblait avoir vidé le contentieux.

— Tu comptes le revoir ? lui demanda-t-elle d'un ton neutre.

— Pas ici, si c'est ce qui t'inquiète, répliqua-t-il.

— C'est toi qui m'inquiètes.

De façon surprenante, Valère s'interposa, posant sa main valide sur celle de sa sœur.

— Laisse-le…

Elle n'insista pas, remettant la discussion à plus tard. Pour sa part, elle n'aurait jamais pu pardonner à un amant traître et voleur, mais elle n'était pas à la place de Jérôme.

— À l'hôpital, on nous a donné des calmants qui sont restés dans la voiture. J'en prendrais bien un, j'ai la tête comme une marmite en ébullition !

— J'y vais, décida Anne.

Elle fit signe à Goliath de la suivre et sortit. Il pleuvait toujours, pourtant elle resta immobile quelques instants, la tête levée vers le ciel noir, laissant les gouttes couler sur ses joues. Puis elle alla récupérer le sac de médicaments, le Nikon et les chandeliers. Comme ces derniers étaient très lourds, elle essaya d'en coincer un sous son bras et sentit qu'on le lui retirait.

— Je t'aide, dit doucement Jérôme. Ces trucs sont en argent massif et pèsent un âne mort…

— Ça me fait plaisir qu'ils reviennent. Leur place est ici, ils font partie du décor.

— Je savais que tu y tenais, j'ai été content de les retrouver.

— Vous y avez mis le prix, Valère et toi.

— Comment faire autrement ? Je n'en dormais plus la nuit. Mais on a eu de la chance.

— Vous auriez pu être sérieusement blessés. Ou placés en garde à vue.

— Et alors ? Nous n'étions pas en tort.

— Ne parle pas de ton bon droit, ça me rappelle Paul !

Elle se mit à rire, se sentant soudain plus légère. La tension de la soirée retombait peu à peu, à présent elle éprouvait une sorte de fierté pour ce qu'avaient fait ses frères.

— Tu vas me trouver con, mais maintenant que l'histoire est réglée je n'arrive plus à lui en vouloir.

— À Ludovic ?

— Il a été presque… soulagé que ça finisse comme ça. Et puis, dans la mêlée, il aurait pu me tomber dessus à un moment, mais il ne l'a pas fait. Je le connais un peu, malgré tout, et je crois qu'il se laisse entraîner par sa petite bande. Il est retombé dans l'ornière, d'accord, seulement il avait goûté à autre chose entre-temps, et maintenant il doit se poser des questions. Ici, il n'a pas été malheureux avec moi, avec nous…

Anne hésita. Elle ne voyait pas le visage de Jérôme dans l'obscurité, néanmoins elle avait perçu l'émotion de sa voix.

— Tu l'aimes ? demanda-t-elle seulement.

Son frère ne répondit rien. Il empoigna le deuxième chandelier et se dirigea vers la maison.

**

Le cœur battant la chamade, Lily s'était réfugiée dans les toilettes du Baya. Elle était en train de déguster un cocktail exotique tout en minaudant avec sa dernière conquête lorsqu'elle avait aperçu Éric, de l'autre côté de la vitre, s'apprêtant à entrer dans le bar. Que venait-il faire là, grands dieux ? Elle avait choisi Capbreton, où il n'allait jamais, exprès pour éviter une mauvaise rencontre !

Un regard au miroir lui apprit qu'elle était livide. La dernière chose qu'elle souhaitait était de se faire surprendre en galante compagnie par son mari. Éric n'était ni jaloux ni méfiant parce qu'elle s'était toujours montrée prudente, ainsi avait-elle pu s'offrir en toute quiétude quelques aventures sans lendemain. Elle connaissait les habitudes d'Éric, les horaires du cabinet, il n'aurait pas dû quitter Hossegor à l'heure du déjeuner. Le mardi, jour où elle était censément à son club de remise en forme, il invitait parfois un de ses partenaires de golf ou un confrère, mais il choisissait toujours un bistrot proche de son cabinet pour ne pas perdre de temps.

Bon, elle avait été idiote de ne pas s'éloigner davantage. L'été, elle allait volontiers vers Contis-Plage ou même jusqu'à Mimizan pour mettre de la distance entre ses frasques et les regards indiscrets. Pourquoi avait-elle accepté ce rendez-vous au Baya ? Parce que le bar, romantique, se prolongeait d'un restaurant et d'un hôtel ? Gaie comme une collégienne faisant l'école buissonnière, elle s'était promis une journée de rêve car son nouveau flirt lui plaisait beaucoup. Et maintenant, elle était stupidement coincée dans les toilettes, persuadée qu'Éric l'avait aperçue ! Lui se trouvait en compagnie de deux hommes de son âge, d'ailleurs elle en connaissait un de vue, qui pouvait l'avoir remarquée lui aussi. Mais enfin, à ce moment-là ils n'étaient pas encore entrés dans l'établissement et ils parlaient entre eux, peut-être n'avaient-ils pas tourné leurs regards dans sa direction. De toute façon, elle allait s'éclipser, fuir, bien décidée à tout nier en bloc si Éric l'interrogeait. Tant pis pour celui qui l'attendait devant les cocktails à peine entamés.

Lorsqu'elle réussit à gagner sa voiture, qu'elle avait eu la présence d'esprit de garer discrètement à l'écart, elle démarra sur les chapeaux de roues. Jamais plus elle ne prendrait un tel risque ! Et si elle cédait de nouveau à la tentation, ce serait très loin d'ici. En attendant, et pour parer à toute éventualité, elle devait s'inventer un solide alibi. Car si Éric avait la mauvaise idée d'aller poser des questions au club de remise en forme, on lui répondrait qu'elle n'y mettait pas souvent les pieds.

Filant au nord, elle dépassa Hossegor et Seignosse puis s'arrêta sur le bord de la route, au-delà de

Vieux-Boucau-les-Bains, pour écrire un SMS au malheureux qu'elle venait d'abandonner. Il ne lui pardonnerait sans doute pas cet affront, dommage, mais enfin un de perdu, dix de retrouvés !

Elle redémarra, plus lentement cette fois, et parcourut la trentaine de kilomètres qui la séparaient de Lit-et-Mixe en réfléchissant. Pourquoi avait-elle un tel besoin de ces rendez-vous secrets, de ces infidélités ? Elle ne se sentait exister que lorsqu'elle séduisait. La conquête lui procurait une illusion de liberté, la délivrait de l'ennui du quotidien, lui fournissait la preuve qu'elle était encore jeune et désirable. Pourtant, pas une seconde elle n'envisageait de quitter Éric. Il l'aimait, lui assurait une vie confortable, la laissait faire ce qu'elle voulait. En quelque sorte un mari modèle, qui hélas ne la faisait plus vibrer depuis longtemps.

Elle s'engagea sur le chemin de la bastide, agacée par avance d'avoir à solliciter l'aide de sa sœur, mais elle n'avait rien trouvé de mieux. En débouchant dans la clairière, elle fut frappée comme chaque fois par l'élégance de la façade. Cette maison était tout de même remarquable, et Anne avait décidément trop de chance.

Avant de descendre de voiture, elle jeta un regard inquiet au chien venu l'accueillir.

— On dirait Cujo, le chien enragé du roman de Stephen King ! lança-t-elle à sa sœur qui arrivait.

— Il n'est pas méchant, je te l'ai déjà dit. Tu passais dans le coin ?

— Non, je voulais te voir, j'ai besoin d'un service.

— Eh bien, allons nous mettre au chaud. On finit juste de déjeuner. Tu as déjà mangé ?

— Attends une seconde, Anne. Je… Il faut que je te parle en privé.

— Il n'y a que Jérôme. Valère et Suki sont partis à Dax visiter leurs nouveaux locaux.

— Même Jérôme, c'est trop.

Anne la scruta, attendant qu'elle s'explique.

— J'ai fait une bêtise, lâcha-t-elle très vite. J'ai accepté un rendez-vous avec un… un ami. Enfin, non, plutôt une rencontre. Tu vois ce que je veux dire ?

— Pas vraiment.

— Oh, ne te fais pas plus cruche que tu n'es ! Je suis quasiment tombée sur Éric, je ne sais pas s'il m'a vue, mais dans le doute je vais lui raconter que j'étais ici, que j'ai déjeuné avec toi. D'ailleurs, c'est vrai, tu vas me mettre une assiette, même Jérôme pourra témoigner !

— Tu trompes Éric ? demanda Anne sans intonation particulière.

— Tout de suite les grands mots ! Tu sais ce qu'un homme prétendrait, à ma place ? Qu'un « petit coup de canif dans le contrat », ça ne compte pas. Moi, c'est pareil. Nous avons dix-huit ans de mariage, tu te rends compte ? Je suis sûre que tu n'as pas toujours été fidèle à Paul.

— Eh bien, si !

— Ma pauvre, tu n'as pas dû rire tous les jours, je te comprends de l'avoir quitté.

— C'est lui qui est parti.

— Ne récris pas l'histoire, tu as abandonné le domicile conjugal.

Sur le point d'ajouter une vacherie, elle se souvint qu'elle était là pour demander de l'aide.

— Mais je t'accorde que Paul ne devait pas être marrant à vivre. Tellement sûr de lui, de ce qu'il est, de ce qu'il pense ! Je me suis toujours demandé pourquoi tu l'avais choisi.

— Par amour, et nous avons été très heureux.

Agacée, Lily resserra son manteau autour d'elle.

— Admettons, tu es une sainte. Mais moi pas ! Écoute, petite sœur, n'oublie pas que j'étais seulement en train de boire un verre avec un monsieur. Tu ne couvriras pas un grand crime en acceptant de dire que j'étais chez toi.

— Comme tu viens de le faire remarquer, je suis ta sœur. Et tu savais en venant ici que tu pouvais compter sur moi. Alors, ne cherche pas à me manipuler puisque je suis d'accord quoi qu'il arrive.

Une lueur d'amusement brillait dans les yeux d'Anne, ce qui acheva d'exaspérer Lily.

— J'ai froid, et j'ai faim. Tu me l'offres, ce déjeuner ?

Elles gagnèrent la cuisine où Jérôme était encore attablé devant une assiette de fromages. Lily marqua un temps d'arrêt en découvrant son visage tuméfié qui lui faisait une tête de boxeur au dernier round d'un match.

— Mon Dieu, qu'est-ce qui t'arrive ?

— J'ai rencontré une porte, maugréa-t-il.

— Elle devait être blindée !

Lily s'assit et désigna ce qui restait d'une omelette dans un plat.

— Je peux ? Non mais, sincèrement, Jérôme, tu t'es battu ?

— Ça ne te regarde pas.

— Vous menez une drôle de vie, ici, soupira Lily.

Dévorée de curiosité, elle essaya en vain d'imaginer ce qui avait pu se produire. Il devait se passer des tas de choses excitantes dans cette grande maison perdue au fond des bois et, une fois de plus, elle se dit qu'elle aurait adoré en hériter. Longtemps, elle avait jugé sa vie bien plus amusante que celle de sa sœur. Comptable à domicile et coincée dans sa petite maison de Castets, il n'y avait alors rien à lui envier. Mais avec la bastide, Anne avait pris une autre dimension, elle existait par elle-même, avait acquis son indépendance et réalisait des projets tandis que Lily se morfondait dans son existence de femme au foyer. Ou plus exactement de femme oisive depuis que ses filles avaient grandi.

— Tu viens nous donner un coup de main pour la décoration des chambres ? ironisa Jérôme.

— Je suis là pour le plaisir de vous voir et parce que l'hiver est un peu morne à Hossegor, répliqua-t-elle posément. Les travaux sont finis ?

— À peu près. Si tu veux avoir une idée de nos prestations, va visiter notre site Internet qui est magnifique et que j'ai créé tout seul. J'en suis très fier ! Nous ouvrons officiellement fin mars, avec l'arrivée du printemps. Et si ça marche, j'ai encore plein d'idées…

— Tu en as toujours eu, mais pas forcément des meilleures ! riposta Lily.

— Arrête, on dirait les parents. Je sais bien que ça vous fait braire, pourtant nous allons réussir, Anne et moi. Et on finira par mettre une plaque commémorative à la mémoire de la brave tante Ariane !

Il la narguait, sans doute heureux de souligner que toutes les prédictions de la famille se révélaient fausses. Lily se contenta de terminer son assiette, s'abstenant de jeter de l'huile sur le feu. Elle avait obtenu ce qu'elle voulait d'Anne, c'était le principal.

— C'est bientôt l'anniversaire de maman, je compte organiser un petit truc chez moi, déclara-t-elle. Vous viendrez ?

Anne lui lança un regard indéchiffrable avant de déclarer :

— J'ai pris de nouveaux clients et j'ai beaucoup de travail.

— Dis carrément que tu n'as pas envie de faire la fête avec nous !

— Eh bien… pas vraiment. Chaque fois que je vois maman, elle est odieuse. À Noël, elle a plombé l'ambiance, et ça me visait directement. Crois-moi, vous serez mieux sans moi.

— Tu sais bien que tout ce qui touche la tante Ariane la rend enragée.

— Vous rend *tous* enragés, rappela Jérôme. Tu t'es mise de la partie toi aussi.

— Oh, je t'en prie ! Tu es entré dans le camp d'Anne parce que ça t'arrangeait bien. Si mes souvenirs sont bons, tu es arrivé en France sans un sou et sans la moindre intention de travailler. Pour toi, cette maison était du pain bénit, tu as fait semblant de trouver tout à fait normal qu'Anne en ait hérité, tu n'étais pas jaloux parce que tu étais intéressé.

— Au début, peut-être, reconnut-il sans s'émouvoir. Mais c'est différent maintenant.

— Parce que tu as ripoliné trois murs et planté deux clous ? ricana-t-elle. Tu n'as aucun avenir ici, Jérôme, tu es chez Anne, pas chez toi ! Vous avez beau vous moquer de maman, elle n'a pas tort quand…

— Maman est une emmerdeuse. Tu la défends parce que tu es sa préférée, c'est bien confortable.

— Enfin, regardez-vous tous les deux ! s'emporta Lily en perdant toute mesure. Tu t'es fait défoncer la gueule par qui, Jérôme ? Un de ces voyous que tu affectionnes ? Et Anne qui a largué son mari pour conserver son héritage ! Vous n'allez pas vous poser en modèles, hein ?

Anne échangea un coup d'œil avec Jérôme puis reporta son attention sur sa sœur.

— Il ne me semblait pas que tu étais venue pour faire une scène.

Cette mise en garde calma Lily. En effet, elle était là parce qu'elle avait besoin d'Anne, aussi se força-t-elle à lui sourire.

— Je m'énerve, désolée. Je peux prendre du fromage ? Finalement, ta cuisine est assez douillette grâce au poêle. J'avais peur d'avoir froid !

— Vu comment tu t'habilles…, ironisa Jérôme.

Pour son rendez-vous au Baya, elle avait mis une robe courte et des escarpins à talons, pas vraiment une tenue de campagne en hiver. Et bien sûr, Jérôme l'avait remarqué. Pourvu qu'Anne ne lui dévoile pas le but réel de sa visite ! Il adorait semer la zizanie, il était tout à fait capable de glisser une allusion à Éric. Heureusement, quoi qu'il puisse dire, elle avait *vraiment* déjeuné avec eux.

— Je fais du café ? proposa Jérôme.

Pendant qu'il s'activait, Lily se détendit un peu. Et pour la première fois depuis son arrivée, elle regarda autour d'elle. Le poêle Godin, les grands placards cérusés, le billot sur lequel des générations avaient dû couper des pièces de viande : tout concourait à une atmosphère désuète, chaleureuse, vaguement familière. Par la fenêtre, on apercevait au-delà de la clairière les pins serrés les uns contre les autres sous le ciel gris. Assise en tailleur sur le vieux banc, Anne semblait perdue dans ses pensées et caressait d'une main distraite son gros chien. Quand Jérôme posa les tasses sur la table, l'odeur du café se répandit dans la cuisine. Brusquement, Lily éprouva une tristesse inexplicable. Sa sœur et son frère avaient l'air serein alors qu'elle-même se sentait perpétuellement insatisfaite. Anne divorçait et se débattait dans des problèmes matériels, Jérôme était un raté qui n'assumait même pas son homosexualité vis-à-vis de leurs parents, et malgré tout ils étaient bien dans leur peau !

— Je dois rentrer, décida-t-elle, maussade.

Mais rien de particulier ne l'attendait chez elle. Rien de nouveau, rien d'excitant. Elle consulta son téléphone portable avant de se lever, constata que la messagerie était vide. L'homme qu'elle avait laissé tomber au bar du Baya ne s'était pas donné la peine de la joindre, c'était presque vexant.

En reprenant la route d'Hossegor, elle se demanda si elle ne serait pas bien inspirée de changer radicalement son mode de vie. L'idée ne fit que l'effleurer, incapable de se remettre en question elle pensait déjà à autre chose trois kilomètres plus loin.

⁂

Le 30 janvier, Anne sortit du palais de justice avec l'impression d'avoir reçu une douche glacée. Le juge avait prononcé le divorce en quelques instants, tout était réglé. À ses côtés, Paul semblait sonné lui aussi. Venu de Paris le matin, il devait reprendre le train en fin d'après-midi.

Par la rue Saint-Pierre, ils gagnèrent la place de la Cathédrale, déambulèrent un peu en silence, chacun cherchant quoi dire à l'autre, puis tombèrent d'accord pour aller boire un thé au Salon Valmont, rue des Carmes. Dans le décor de pierres apparentes et de poutres massives, ils choisirent une table à l'écart et s'installèrent face à face, s'observant avec curiosité.

— Mon Dieu, finit par bredouiller Paul, c'est un peu dur de se retrouver comme ça…

Anne avala sa salive puis hocha la tête en guise de réponse. L'instant lui paraissait surréaliste, issu d'un mauvais rêve. Jamais leur mariage n'aurait dû s'achever de cette façon, elle ne parvenait pas à y croire. Pire que tout, en regardant Paul elle n'avait pas envie de se jeter dans ses bras.

— Tu vas bien ? demanda-t-il d'un ton concerné.

— Oui, réussit-elle à répondre platement. Et toi ?

— La formation que je suis est passionnante. Et puis, être à Maisons-Alfort me réjouit. C'est mythique !

— Tu t'habitues à la vie parisienne ?

— Le changement a été un peu rude au début, maintenant je me sens à l'aise.

— Tu vois tes parents ?

— Pas souvent. Mon père t'adore, il n'a pas apprécié notre séparation. Mais comment lui expliquer ? Notre histoire ne le regarde pas.

— Et tu te plais dans ton studio ?

— Beaucoup. C'est le cadre idéal pour travailler. À ce propos, je crois avoir un acheteur pour Castets, je t'en parlerai si ça se concrétise.

Les questions d'argent restaient en suspens. Paul ne lui avait fait aucun cadeau, il considérait que la maison et la clinique étaient le fruit de son travail, qu'il n'avait donc pas à partager. Anne avait demandé à son avocate de ne pas s'obstiner, peu désireuse d'envenimer la situation. Après tout, elle était capable de gagner sa vie et elle venait de faire un héritage. Sa seule exigence avait été de percevoir une pension alimentaire pour Léo jusqu'à sa majorité. Après, il s'arrangerait directement avec son père.

— Tu n'auras pas la place de loger Léo quand il viendra en week-end ?

— J'y ai pensé, il pourra dormir chez ses grands-parents. Tout le monde sera content.

Il lui répondait mais se gardait bien de l'interroger, comme si tout ce qui concernait la vie d'Anne – une vie en dehors de lui, une vie dans *sa* bastide – ne l'intéressait pas. Discrètement, il consulta sa montre.

— Encore une bonne demi-heure avant d'aller à la gare. Tu veux un gâteau ?

— Je n'ai pas faim, merci.

Lui non plus, sans doute, car il ne commanda rien. La conversation languissait, ils semblaient n'avoir plus rien à se dire.

— Surveille de près les notes de Léo, finit-il par déclarer.

— Oui, bien sûr, tu n'as pas besoin de me le dire. Je pense qu'il va faire un effort, ne serait-ce que pour rester avec Charles. Mais il a des excuses pour les mauvais résultats du trimestre dernier. Notre séparation l'a forcément perturbé.

— Je pourrais te répondre de t'arranger avec ta conscience mais je ne cherche plus la bagarre.

Elle se raidit devant cette attaque imprévue. Jusque-là, Paul avait eu l'air calme et résigné alors qu'il n'avait rien digéré du tout. Il la tenait pour seule responsable de leur divorce, il n'en démordrait pas. Dès le début, elle aurait dû comprendre qu'en le contrariant elle s'en était fait un ennemi, et qu'il ne lui pardonnerait pas d'avoir été rejeté. Son orgueil et sa mauvaise foi lui permettaient sans doute de ne pas trop souffrir, il s'en servait pour se préserver.

— Moi non plus, Paul, je ne veux pas d'affrontement. Essayons de rester…

— … amis ? Tu plaisantes, j'espère !

— … en bons termes.

L'éclat de rage qui avait brillé dans ses yeux s'éteignit. Il fouilla sa poche, déposa un billet sur la table.

— Plus tard, peut-être. Là, c'est trop frais. Nous sommes divorcés depuis quarante-cinq minutes, ne m'en demande pas trop ! Bon, j'y vais, je m'achèterai des journaux à la gare.

Debout à côté d'elle, il parut danser d'un pied sur l'autre puis se pencha, lui déposa un rapide baiser sur la tempe et partit sans se retourner. Elle le suivit des yeux, espérant un petit signe d'adieu qui ne vint pas. Quand se reverraient-ils, et dans quel état d'esprit ? Avec lui, Paul emportait quinze ans de sa vie. Elle se sentit vide, dépossédée. Avait-elle vraiment voulu en arriver là ? Elle se souvint d'un autre après-midi, à Dax, où elle avait appris chez le notaire qu'elle était l'unique héritière d'Ariane. Le premier choc passé, elle avait compris confusément qu'une porte venait de s'ouvrir et qu'elle pouvait tout changer si elle en trouvait la force. C'était sa chance, elle l'avait saisie et ne l'avait plus lâchée, même quand Paul s'était dressé en travers de sa route.

Sa tasse était vide, elle aurait dû partir mais une immense lassitude l'empêchait de bouger. Au fond de son sac, son téléphone se mit à sonner et elle se dépêcha de répondre, persuadée que Paul, pris de regrets, allait enfin lui dire un mot gentil.

— Je te dérange ? demanda Julien. Jérôme m'a dit que tu étais au tribunal cet après-midi…

— Oui, c'est terminé. Tu as besoin de quelque chose ?

— Pas moi, toi ! Tu ne dois pas rester seule, Anne. Je sais que c'est un mauvais moment, je suis passé par là.

— Ce n'est pas très gai, concéda-t-elle d'un ton amer.

— Alors, je t'invite à dîner pour te changer les idées.

— Je ne sais pas si…

— Pas de discussion ! Écoute, j'ai encore deux clients à voir, ensuite j'arrive. Profites-en pour faire un peu de shopping et retrouve-moi vers huit heures à la Table de Pascal, c'est rue de la Fontaine-Chaude.

Il coupa la communication avant qu'elle ait le temps de protester. Après tout, aller au restaurant lui ferait du bien, elle n'avait quasiment pas quitté la bastide depuis des semaines.

Tout en flânant dans les rues piétonnes, elle essaya de ne pas penser à Paul, à sa froideur, à la tristesse de leur divorce. S'aimer pour toujours, puis ne plus s'aimer, oublier et recommencer… Les serments éternels se révélaient périssables. Paul, qui avait tellement compté pour elle, finirait par lui devenir étranger. Leurs destins ne se confondaient déjà plus, chacun allait de son côté, seul Léo les réunirait parfois comme deux associés.

Perdue dans sa nostalgie, elle se souvint soudain du nouveau magasin de Suki. Revenant sur ses pas, elle gagna la rue Saint-Vincent et trouva sans difficulté le local en question, mais la vitrine avait été passée au blanc d'Espagne, elle ne pouvait rien voir. En tout cas, l'emplacement était bon pour un fleuriste. D'ici peu, sa belle-sœur et son frère quitteraient la bastide et reprendraient une vie normale. En croisant les doigts, Anne forma le vœu de leur réussite. Et qu'eux, au moins, continuent de s'aimer.

Elle poursuivit sa balade, jetant des coups d'œil distraits aux boutiques de mode. Comme il faisait moins froid que les semaines précédentes, se promener n'était finalement pas désagréable. Arrêtée à un croisement, elle aperçut son reflet dans une vitre. Son manteau lui parut informe, ses bottes mal cirées. Elle n'avait pas voulu s'apprêter pour ce jugement de divorce qui était tout sauf une fête, mais maintenant, elle le regrettait. À cause de Julien ? Le moment était mal choisi pour jouer les coquettes, pourtant elle traversa en avisant un salon de coiffure. Il y avait trop longtemps qu'elle ne s'était pas occupée d'elle. Elle fit rafraîchir sa coupe et s'offrit une manucure sans remords. Lorsqu'elle sortit de là une heure plus tard, elle se sentait déjà mieux. Elle prit encore le temps de s'acheter un pull, puis de choisir un mascara dans une parfumerie qui allait fermer. Finalement, elle arriva un peu en retard à la Table de Pascal où Julien l'attendait.

— Et voilà ! lança-t-elle avant de s'asseoir face à lui. J'ai dépensé de l'argent en futilités mais ça m'a remonté le moral.

— Joli pull… Ce vert te va très bien. Tu as fait quelque chose à tes cheveux ?

— Je sors de chez le coiffeur. Consolation garantie pour toutes les femmes. Pour les hommes, c'est quoi ?

— Prendre une cuite avec les copains ou aller se faire malmener par les rouleaux de l'océan quand c'est la saison. Comme mon divorce a eu lieu en juin, j'avais choisi cette thérapie, et j'ai failli me noyer !

Il souriait gentiment et elle fut contente d'avoir accepté son invitation. Chez elle, Jérôme aurait trouvé moyen de placer quelques commentaires acides sur Paul.

— Regarde l'ardoise et dis-moi ce que tu aimerais manger.

Le restaurant se voulait bistrot 1900, avec une atmosphère chaleureuse et gaie. Anne s'aperçut qu'elle avait faim, et aussi très envie de boire quelque chose.

— Je prendrais bien un foie de veau en persillade accompagné d'un verre de blanc.

— Parfait. J'opte pour les aiguillettes de canard farcies au foie gras, et je vais nous commander une bouteille de pouilly.

Il fit signe au serveur puis, lorsque celui-ci s'éloigna, il demanda tout naturellement :

— Ça s'est bien passé, au tribunal ? Si tu n'as pas envie d'en parler, je comprendrai.

— Cette fois, il n'y a pas eu de problème, Paul est resté ! Concernant notre protocole d'accord, il n'a pas été très... altruiste, mais je suppose que c'est sa façon de se venger. Il est persuadé que je ne m'en sortirai pas financièrement et il veut me le prouver.

— Dans ce genre de situation, les hommes ont tendance à penser que l'argent est un bras de levier. Un comportement courant assez moche.

— Comment t'y es-tu pris, toi ?

— Ma femme voulait partir, et même si ça m'était très douloureux qu'elle soit tombée amoureuse d'un

303

autre, je ne me voyais pas la « punir » pour ça. Elle n'a jamais travaillé, n'a aucune qualification, je craignais qu'elle se retrouve à la merci de son amant. Nos enfants aussi ! Pour les protéger tous les trois, j'ai préféré me montrer généreux. Le contraire m'aurait paru sordide.

— Et aujourd'hui ?

— Elle touche toujours une pension confortable qui lui permet d'élever nos jumeaux sans attendre le bon vouloir d'un autre que leur père. Comme je gagne bien ma vie, ça me va. Mais bientôt il y aura le souci du rachat des parts de Paul pour la clinique, et là…

Il eut un geste fataliste avant de se remettre à sourire.

— On verra bien !

— Il ne te met pas au pied du mur, j'espère ?

— Non, il a promis d'être patient. Sauf qu'en ce moment, il ne fait pas toujours ce qu'il dit.

— C'est miraculeux que votre amitié ait résisté à…

— Oh, détrompe-toi ! l'interrompit-il en riant carrément. Le miracle n'a pas eu lieu, nous ne sommes plus des amis. D'un point de vue professionnel, son attitude a été lamentable. On ne laisse pas tomber un associé en vingt-quatre heures. Surtout si on l'aime bien et qu'on n'a rien à lui reprocher. Paul reste à mes yeux un vétérinaire exceptionnel, mais en tant qu'homme il a perdu toute mon estime. Je trouverai le moyen de racheter ou faire racheter ses parts parce que je refuse que la clinique se casse la gueule. C'est autant mon affaire que la sienne, on dirait qu'il l'a oublié.

Le serveur apporta leur commande et leur souhaita un bon appétit. Étonnée de pouvoir parler aussi facilement et aussi librement avec Julien, Anne se sentait bien. Leur attirance mutuelle restait à l'arrière-plan, ils n'avaient pas d'autre choix que se comporter en bons copains pour l'instant. Ils se mirent à manger en échangeant de brefs regards complices puis, une fois rassasiée, Anne eut envie de se confier davantage.

— Je suis en train d'achever la lecture d'une sorte de journal que ma tante a tenu durant des années. Je l'ai trouvé un peu par hasard dans la maison, mais elle ne l'avait pas vraiment caché. Je crois qu'elle me le destinait.

— Et tu découvres des choses intéressantes ?

— Oh, là là, si tu savais ! D'ailleurs, tu vas savoir, j'ai besoin de le dire à quelqu'un, ça m'étouffe. Figure-toi que je ne suis peut-être pas la fille de mon père.

— C'est une blague ?

— Je ne pense pas.

Il la contempla avec stupeur jusqu'à ce qu'elle ajoute :

— Voilà pourquoi je t'ai posé des questions sur la couleur des yeux.

— Justement, je t'ai expliqué que tout est possible.

— Oui, le doute est permis et je n'aurai jamais de certitude. Tu penses bien que je ne vais pas demander à mon père un prélèvement de son ADN.

— Il est au courant ?

— Non ! Et je ne compte pas aborder le sujet. Ni avec lui ni avec ma mère. Pour elle, il ne s'agit même pas d'une aventure, c'est juste le mauvais souvenir d'un soir de beuverie avec des collègues qui ont profité d'elle.

— Quel truc ignoble… Comment ta tante l'a-t-elle appris ?

— Ariane était très perspicace. Pas ce que j'appellerais une brave femme, mais une femme intéressante et observatrice. Personne ne l'aimait dans la famille, personne ne cherchait à la comprendre. On la traitait de folle et on la laissait de côté, ça me serrait le cœur. Même Paul la méprisait alors qu'il la connaissait à peine. Comme elle avait des tas de choses à raconter, elle a préféré les écrire.

— Tu as lu son journal en entier ?

— Presque. J'arrive à la fin mais je prends mon temps pour digérer ce que j'apprends. Et c'est étrange, chaque fois que je me plonge là-dedans une catastrophe vient m'interrompre. Il y a eu tant d'événements ces derniers mois…

— Est-ce que tu le regrettes ?

— Pas du tout. Je voulais sans doute que ma vie change, même si je n'en étais pas consciente. J'ai été amplement servie !

Ils commandèrent un dessert et finirent la bouteille de pouilly tout en continuant à bavarder. Quand ils constatèrent qu'ils étaient les derniers clients, ils se levèrent à regret et elle laissa Julien régler l'addition. Une fois dehors, il insista pour la raccompagner à sa voiture.

— Mais on passe d'abord devant la fontaine chaude, suggéra-t-il en la prenant par la main.

Ils longèrent les arches qui encadraient la célèbre fontaine, fascinés par la vapeur qui s'élevait au-dessus du bassin.

— L'eau jaillit à soixante degrés, rappela Julien.

Arrêtés devant l'une des grilles, ils restèrent quelques instants appuyés l'un contre l'autre.

— Il y a quelque chose que je dois t'avouer, finit-il par murmurer.

Elle se crispa, devinant où il voulait en venir et n'ayant aucune envie de l'entendre. Il dut percevoir sa raideur car il lui lâcha la main et se remit en marche.

— Viens, Anne, tu vas avoir froid. Je ne suis pas mufle au point de choisir le soir de ton divorce pour te draguer. Je voudrais seulement que tu saches que, depuis qu'on s'est embrassés, j'y ai souvent repensé en me sentant coupable mais… toujours aussi attiré. Alors, un jour ou l'autre, je vais vouloir recommencer. Enfin, tenter ma chance. Si ça devait nous fâcher, je préférerais que tu me le dises maintenant, comme ça je me tiendrais tranquille dans l'avenir.

Sa déclaration était si simple qu'elle prit Anne au dépourvu. Elle chercha en vain une repartie et voulut s'en tirer par une pirouette.

— Je suis censée te répondre un truc spirituel ?

— Réponds juste qu'on verra, et je serai très heureux.

— D'accord, on verra.

Il reprit sa main sans rien ajouter. Elle trouvait agréable de marcher à côté de lui, soulagée par sa franchise. Il ne lui avait rien demandé d'impossible, ne l'avait pas obligée à se prononcer. Cette soirée pourrait rester un bon souvenir, et avoir une suite… ou pas. Julien lui plaisait et elle aurait détesté apprendre qu'il regrettait leur flirt, même si pour l'instant elle n'envisageait pas d'aller plus loin. Elle était presque sûre que quelque chose d'important finirait par arriver entre eux, quand le moment serait venu. Et elle s'aperçut qu'elle l'espérait.

✳✳

Jérôme avait failli renoncer. Dix fois, il avait été sur le point de faire demi-tour, mais l'envie était trop forte. Il s'en voulait de sa faiblesse, pressentait qu'il allait se mettre de nouveau dans les ennuis, pourtant il éprouvait une sorte de jubilation incompréhensible. Ludovic lui avait donné rendez-vous dans le petit village d'Azur, à cinq minutes de Soustons. Le pub s'appelait le Last et servait toutes sortes de bières. Fin janvier, il n'était pas question de profiter de la terrasse, mais à l'intérieur, une cheminée centrale abritait une belle flambée.

Ils arrivèrent ensemble, Ludovic sur un vieux Solex qu'il arrêta à côté de la voiture d'Anne.

— C'est ton nouveau moyen de locomotion ? lui lança Jérôme, hilare.

Son rire sonnait faux, il n'avait pas réussi à être naturel.

— J'ai vendu ma vieille bagnole pour bouffer.

— Manquerais-tu de combines juteuses ?

— J'essaie de me dégager de tout ça.

— Vraiment ?

— Crois ce que tu veux.

Avec sa tête d'ange, l'air boudeur lui allait bien, comme n'importe quel air d'ailleurs.

— On entre ? proposa Jérôme. Je t'offre un verre.

— Je te conseille la Blonde, une bière locale au maïs qu'ils brassent eux-mêmes. Et puis, tu vas voir, l'endroit est super, ils ont même une bibliothèque ! Quand je veux lire gratis, je viens ici.

Installés au bar, ils commandèrent des pintes et savourèrent quelques gorgées en silence.

— Tu voulais qu'on parle ? risqua enfin Jérôme. La dernière fois, il me semble qu'on s'était tout dit, non ?

Il désigna ce qui restait d'hématomes sur son visage en ajoutant :

— À propos, je n'aime pas tes amis.

— Rassure-toi, je ne les vois plus. Je te le répète : je me range.

— Et qu'est-ce que tu comptes faire ?

— J'ai trouvé du travail chez un entrepreneur en bâtiment. Je commence demain, c'est ce que je voulais t'annoncer.

— Belle résolution ! Ça va durer combien de temps ?

— Le temps qu'il faudra. J'ai besoin de me remettre le pied à l'étrier.

— Tu vas lui piquer quoi, à ton entrepreneur ? Ses clients, son matériel ?

Ludovic tourna la tête vers lui et le regarda bien en face.

— Tu as tort de te moquer. J'ai eu trop d'ennuis, j'en ai soupé, je ne veux pas finir en taule.

Il se tourna vers la cheminée et parut s'absorber dans la contemplation des flammes.

— Et puis, finit-il par ajouter, si ça s'arrange pour moi j'aimerais bien qu'on puisse se revoir. Tu me manques.

Il avait lâché les trois derniers mots dans un souffle. Jérôme fut surpris du plaisir que lui procurait cet aveu, pourtant c'était exactement ce qu'il était venu chercher, sans oser l'espérer. Depuis longtemps, il ne mettait aucun sentiment dans ses aventures, ce que lui inspirait Ludovic était nouveau pour lui. Il n'éprouvait pas de rancune à son égard, il avait même envie de le protéger alors qu'il était incapable de se protéger lui-même. Qu'est-ce qui avait changé dans sa tête ?

Embarrassé par son silence, Ludovic bredouilla :

— Je n'aurais pas dû te le dire. Vu la manière dont on s'est quittés, il n'y avait pas beaucoup de chances que…

— Non, en effet.

Jérôme lui tapota le genou d'un geste maladroit, submergé par le désir de l'embrasser. Il déposa de la monnaie sur le comptoir et descendit de son tabouret.

— Viens, on s'en va.

Il l'entraîna jusqu'à la voiture, le fit monter, brancha le chauffage.

— Où habites-tu, en ce moment ?

— Nulle part. Mon employeur a prévu une piaule pour moi, mais ces derniers jours j'ai dormi sur la plage.

— En plein hiver ? Tu es cinglé.

— Je ne veux plus squatter avec cette bande d'abrutis.

Les possibilités qui s'offraient à Jérôme n'étaient pas nombreuses. Jamais Anne n'accepterait le retour de Ludovic à la bastide, et il n'avait pas les moyens de l'aider matériellement. Être prêt à lui donner de l'argent le fit sourire. Heureusement qu'il était sans le sou !

— Demain n'est plus très loin, dit Ludovic d'un ton de défi. J'aurai un toit, et une paie à la fin du mois.

Jérôme l'attrapa par le cou, l'attira à lui et l'embrassa avec avidité.

— Tu me manques aussi, petit con, lui chuchota-t-il à l'oreille, mais je n'ai plus confiance en toi.

— Je sais. Je regrette.

— Ça ne suffit pas. Je ne peux rien faire de toi. Tu as été mal inspiré de voler ma sœur.

— J'ai eu l'occasion de vendre ce que j'avais pris. J'avais un client en or pour le Nikon mais je l'ai fait lanterner.

— Tu attendais que je te retrouve ?

— Peut-être. Je pensais que tu viendrais. Te venger ou me chercher. Je voulais m'expliquer avec toi et te rendre tes affaires, mais tu es arrivé avec ton frère, ça a dégénéré.

Ludovic se jeta sur lui et lui rendit son baiser passionné. Dès qu'il en eut le courage, Jérôme le repoussa.

— Arrêtons de nous donner en spectacle, il y a d'autres voitures sur ce parking.

— Petit-bourgeois, va !

— Voyou.

Ils échangèrent un sourire hésitant.

— Maintenant, reprit Jérôme, ma famille te déteste. Te fâcher avec eux a été une sacrée bêtise.

— Je ne peux pas obtenir une deuxième chance ?

— Il va falloir faire tes preuves, et laisser passer du temps.

— Beaucoup ?

— Aucune idée. Si tu veux, je t'emmènerai dîner un de ces jours. Quand il fera moins froid sur les plages !

— Mais je vais avoir…

— Non. Si tu ne veux pas être licencié à peine embauché, ta chambre chez ton employeur ne doit te servir qu'à dormir. Tu as un téléphone ?

— Même plus. Ma carte est vide.

— Prends le mien. Je t'appellerai depuis la ligne fixe de la maison.

Il lui mit l'appareil dans la main, attendit un remerciement qui ne vint pas. Se penchant au-dessus de lui, il ouvrit la portière. S'ils restaient ensemble une minute de plus, il allait craquer pour de bon et faire des promesses impossibles à tenir. Avant de sortir, Ludovic demanda :

— Tu promets qu'on se reverra ?

— Je n'ai pas besoin de promettre. Je suis amoureux, ça devrait te suffire.

Le visage du jeune homme s'éclaira d'un sourire qui semblait vraiment sincère. Mais Jérôme s'était déjà fait avoir et il avait décidé de se montrer prudent. Pour une fois, il allait se contraindre à la patience. Par la suite, peut-être pourrait-il jouer les Pygmalion, un rôle inattendu qui ne lui déplaisait pas mais nécessitait un minimum de recul. Ludovic était-il capable de s'amender, de changer ? Il le regarda grimper sur son Solex, démarrer en pédalant. Au-delà du désir, il se sentait touché, ému. Avant cette lamentable histoire, ils avaient partagé de bons moments tous les deux. Sous sa carapace de petit dur et ses mauvaises habitudes, ce garçon était intéressant, malin, attachant. Il méritait mieux que l'existence minable qu'il menait, et il avait dû comprendre confusément, mais trop tard, que Jérôme pouvait lui offrir autre chose.

Au lieu de démarrer, il inclina le rétroviseur vers lui. Pouvait-on l'aimer pour lui-même ? À trente-cinq ans, ses rides d'expression étaient déjà bien marquées. Son visage n'avait rien d'exceptionnel, rien de comparable avec le profil parfait de Ludovic. Il n'était ni riche ni puissant, il vivait chez sa sœur, sans statut social. Sa culture laissait à désirer, il avait été un mauvais élève et ne s'était pas intéressé à grand-chose jusqu'ici. Au lit, il était plutôt doué, un bon point, mais ça ne suffisait pas dans une véritable histoire d'amour. Et c'était ça qu'il voulait à présent. Un truc qui le fasse vibrer, exister. Il se sentait prêt à donner plus qu'à recevoir, une grande première pour lui.

Perplexe, il remit le rétroviseur en place. Ces quelques mois dans les Landes l'avaient peu à peu transformé. Tout à l'heure, en faisant la morale à Ludovic, il s'était aperçu qu'il prenait un certain plaisir à ne plus être l'éternel rebelle. Tout comme il avait découvert la satisfaction de se rendre utile à la bastide. Si sa voie n'était pas celle du commercial de l'étape, ainsi que son père l'aurait souhaité, en revanche il ne voulait plus être un parasite, un bon à rien. Il était largement temps d'enterrer la jeunesse où il s'était trop longtemps attardé et de passer à autre chose.

**

Suki allait et venait, virevoltait, s'adossait à un mur, reprenait sa marche. Son nouveau local l'enchantait, elle en imaginait l'agencement dans ses moindres détails.

— Et là, dit-elle à Valère, je mettrai des étagères de fer forgé en forme d'escalier. J'y disposerai les orchidées. Dans la vitrine il y aura des bouquets tout faits, prêts à être achetés, des compositions simples mais élégantes. J'intercalerai quelques-unes de tes photos si tu veux bien, dans des cadres de couleurs différentes, assorties aux fleurs.

— Ce sera magnifique.

— J'ai tellement regretté d'avoir manqué la période de Noël ! Je me serais fait plaisir avec la décoration… Et je vais rater la Saint-Valentin aussi, le magasin ne sera prêt que fin février.

— Prévois quelque chose de spécial pour l'ouverture.

— Oh, oui !

Fébrile, elle prenait des notes et faisait des croquis dans un petit carnet. Il la rejoignit, l'entoura de ses bras.

— Je m'occuperai de l'appartement pendant que tu arrangeras tout ici, proposa-t-il.

— J'ai hâte d'y être ! Mais la bastide me manquera un peu, c'est une maison extraordinaire. Les gens vont l'adorer, je suis sûre qu'Anne et Jérôme auront beaucoup de succès. C'est une bonne année qui commence pour toute la famille…

Resserrant son étreinte autour d'elle, il chuchota :

— Alors pourquoi ne veux-tu pas faire ce test ?

— Non, non, non !

Elle se dégagea sans peine, lui glissant des mains comme une anguille. Elle était si menue et si frêle qu'il eut une bouffée d'angoisse.

— Suki, tu es trop maigre.

— Ne t'inquiète pas, mon amour. Je mange, je prends soin de moi.

— Mais tu n'as pas envie de savoir ?

— Je refuse d'être déçue encore une fois, je ne pourrais pas le supporter. Quinze jours de retard, ce n'est rien, il peut y avoir mille autres raisons. Nous avons été très perturbés par l'incendie et toutes ses conséquences, je subis peut-être le contrecoup. On verra dans quelques semaines, d'ici là, je ne veux pas y penser.

Résolue à changer de sujet, elle se remit à parler du magasin. Quand il lui avait suggéré d'acheter un test de grossesse, elle s'était mise en colère. Son désir de maternité la laissait traumatisée, il le savait bien et s'en voulait d'insister. Mais elle serait tellement heureuse si son vœu était enfin exaucé ! Il n'aspirait qu'à son bonheur, même s'il attachait beaucoup moins d'importance qu'elle à la venue d'un enfant. Être père ne lui semblait pas une nécessité absolue, sa vie avec Suki lui suffisait.

— J'ai dix mètres carrés de plus que dans l'ancienne boutique, ça compte ! Je fais placer le comptoir là, avec la caisse de ce côté, les dérouleurs de papier d'emballage et de rubans ici, le présentoir des cartes de vœux… Et tout le mur du fond sera en miroir, on aura l'impression d'être dans un labyrinthe de fleurs !

Elle esquissa quelques pas de danse, fit une arabesque puis courut vers lui.

— Tu sais quoi ? L'incendie a été notre chance ! Un mal pour un bien. On redémarre du bon pied et tout ira pour le mieux. Cet endroit est plein d'ondes positives, je le sens !

En là voyant si exaltée, il fut certain que, contrairement à ce qu'elle affirmait, elle pensait au bébé. Si elle connaissait un nouvel échec, le magasin parviendrait-il à lui servir de dérivatif ? Il la reprit dans ses bras, l'empêchant de s'échapper cette fois.

✳✳

Lily avait tenu à accompagner Anne pour ses achats. Meubler et décorer les chambres d'hôtes sans se ruiner demandait un peu d'imagination, et Lily connaissait toutes les bonnes adresses de Bayonne et de Biarritz. À la fin de la journée, la voiture d'Anne se retrouva chargée jusqu'au toit.

— Tu aurais dû prendre du tissu au mètre plutôt que d'acheter des rideaux tout faits, déplora Lily en l'aidant à fermer le coffre. Maman t'aurait cousu ça en moins de deux, elle a toujours sa machine.

— Je ne veux rien lui demander. Surtout pour ma maison ! Je l'entends d'ici…

— Arrête de te poser en victime. Maman ne demande qu'à rendre service.

— Pas à moi.

Lily leva les yeux au ciel, mais sans insister. Elle éprouvait de la reconnaissance envers Anne pour avoir couvert son escapade au Baya. Éric n'avait pas manqué de raconter en riant qu'il avait cru apercevoir dans un bar une femme ressemblant à la sienne, preuve que Lily l'obsédait ! Moqueuse, elle l'avait traité d'idiot avant de lui faire remarquer qu'elle déjeunait ce jour-là à la bastide avec sa sœur et son frère. Mais par mesure de sécurité, elle avait jeté la robe, de peur qu'il la reconnaisse.

— Fais attention sur la route, tu es en surcharge ! recommanda-t-elle.

Anne rapportait des tables de chevet, des lampes, des tapis et du linge de maison. Elle avait vidé son compte en banque mais tout serait prêt pour le premier jour du printemps, comme prévu.

Avant de quitter Biarritz, elle fit un crochet par le port des pêcheurs et se gara non loin de l'immeuble de ses parents. Toute la journée, tandis que Lily la traînait dans les boutiques et la saoulait de son bavardage, elle y avait pensé. Devait-elle avoir une conversation avec sa mère ? Au moins lui dire qu'elle savait ce qui s'était passé avant sa naissance, vider ce contentieux de trente-six années, cesser de faire semblant. Elle pouvait l'appeler, lui demander de descendre sous n'importe quel prétexte et s'expliquer avec elle loin des oreilles de son père. Mais à quoi cela servirait-il aujourd'hui ? Sa mère n'allait pas se mettre à l'aimer pour autant ! Et elle serait sans doute horrifiée qu'Anne connaisse la vérité.

Les yeux rivés sur les fenêtres de l'appartement, elle hésita un long moment. Elle se souvenait très bien que lorsqu'elle avait annoncé son intention de trier les papiers d'Ariane, sa mère lui avait dit de tout jeter sans perdre son temps. Par crainte des confidences posthumes de sa belle-sœur ? Eh bien, oui, à travers son journal Ariane avait livré la vérité. Était-ce un mal ou un bien ? Au moins, Anne comprenait pourquoi elle avait été traitée différemment, pourquoi elle n'avait pas eu droit à la tendresse maternelle dont Lily et ses frères jouissaient. Même une fois Anne mariée, sa mère avait continué à lui lancer des piques durant les fêtes de famille. Paul prenait sa défense, il dédramatisait, mais parfois Anne se sentait mal à l'aise et se demandait ce qu'elle avait bien pu faire pour exaspérer sa mère. À présent, elle n'avait plus à se poser de questions sur elle-même, elle n'était pas en cause. Ariane l'avait innocentée, lui offrant ainsi un cadeau supplémentaire.

Elle distingua la silhouette de son père qui passait devant la baie vitrée du séjour. Non, décidément, elle allait se taire. Ses parents vivaient une retraite paisible, autant les laisser tranquilles. Qu'elle soit ou non la fille de Gauthier ne changeait rien. Il était son père de toute façon.

En démarrant, elle se sentit légère, comme apaisée. Elle allait pouvoir lire la fin du cahier.

9

Le temps file, le débit du sablier s'accélère. Je n'ai pas écrit depuis longtemps dans ce journal, n'ayant rien de nouveau dans mon quotidien. Chaque matin, j'ai le bonheur d'ouvrir les yeux chez moi, et c'est la même joie qui se renouvelle.

Anne et Paul ont eu un garçon qu'ils ont appelé Léonard. Un choix étrange car mon grand-père Nogaro se prénommait ainsi. L'ai-je cité devant Anne quand nous feuilletions les albums de photos ? En tout cas, elle m'a invitée au baptême, ce que Lily n'avait pas jugé bon de faire pour ses filles. C'est la dernière fois que j'ai vu Gauthier et Estelle, toujours aussi peu aimables à mon égard. Et toujours muets sur l'argent qu'ils me doivent ! De plus, Estelle me regarde avec horreur, regrettant sans doute amèrement ses confidences involontaires.

Récemment, j'ai demandé à Pierre Laborde où en sont mes avoirs. Grâce à mon sens de l'économie et mon existence frugale, je suis à la tête d'un petit magot qui devrait suffire à Anne pour se libérer des droits de succession si elle décide de garder la bastide. Ouf !

Elle vient régulièrement m'apporter des gâteaux et me faire la conversation. On dirait presque qu'elle y prend plaisir. Hormis mon fidèle notaire, elle est mon seul lien avec le monde extérieur. Deux fois, je l'ai invitée à dîner en compagnie de son mari. Je ne suis pas persuadée que cet homme l'épanouisse, au contraire, j'ai l'impression qu'elle est comme une princesse endormie.

Anne, petite Anne, qu'as-tu fait de ta fantaisie ? Ne laisse aucun homme te la voler et t'éteindre lentement au nom de l'amour. Près de Paul, je te vois trop sage dans ton rôle d'épouse et de mère. Il ne m'apprécie guère, ne vient chez moi qu'à contrecœur. Cette histoire de maison reconquise le dépasse, ne l'intéresse pas. Mais peut-il s'intéresser aux autres ? Il est si satisfait de lui-même !

Je constate que, désormais, je m'adresse directement à toi. Mais tu auras compris, depuis la première ligne, que mes cahiers te sont destinés, et à toi seule.

Mon cœur donne des signes de fatigue, la vieillesse est là. Souvent, quand j'écris, les lettres se brouillent, et derrière mes fenêtres les arbres sont devenus flous. J'ai acheté un chien. Plus exactement je l'ai adopté dans un refuge. Il est tout jeune mais déjà énorme, croisement improbable de deux races géantes. Personne n'en voulait, paraît-il. À peine arrivé, il a pris possession des lieux, il est le cerbère de la bastide et mon ange gardien.

Ton père – ô surprise ! – est passé en coup de vent l'autre jour. En voyant le chien il a dit que j'étais folle, son expression favorite, puis il m'a demandé si je ne serais pas mieux dans une confortable maison de retraite plutôt que seule ici, loin de tout. J'imagine qu'il était téléguidé par Estelle, la bonne âme, et qu'à eux deux ils envisagent de m'envoyer à l'asile puis de mettre mes biens sous tutelle. J'exagère ? Pas sûr. Sa visite n'avait aucun autre but, il n'a même pas accepté un café.

Tu as rencontré Goliath et tu l'as trouvé beau. Pas de commentaire acerbe, aucune stupeur, nul jugement. Tu constates que j'ai un chien, tu trouves ça bien. Ah, je sais pourquoi je t'aime ! Quand nous parcourons la maison ensemble et que je te raconte les fêtes qu'on y donnait autrefois, tu m'écoutes sans ennui, tu demandes des détails. Tu m'as interrogée à plusieurs reprises sur l'exploitation du pin des Landes à l'époque de la résine, et tes questions sont pertinentes. Lorsque nous disputons une partie de crapette et qu'on se crève les yeux sur nos cartes, tu ne me fais pas remarquer que la maison est mal éclairée par des ampoules trop faibles sous des abat-jour noircis.

Je ne vais pas très bien. Je l'ai lu dans ton regard lors de ta dernière visite. Tu as dû me trouver fatiguée – et je le suis – mais tu n'as rien dit, par délicatesse, te souvenant que je tiens les médecins pour des ânes. Je n'aurai pas recours à eux, incapables qu'ils seraient de me rendre ma jeunesse. Je crois avoir fait mon temps, et c'était du bon temps, crois-moi ! L'heure est donc venue de te parler de ce rubis en forme de goutte, unique souvenir de mon cher Paul-Henri et seul bijou que j'ai conservé comme « poire pour la soif ». Il est caché au fond de la cave, scotché dans le cul d'une bouteille de romanée-conti, elle-même dissimulée parmi d'autres grands crus. Parfois, j'en débouche un, j'en prends un verre... Tu peux tous les boire, non pas à ma santé mais à la paix de mon âme. Quant au rubis, on ne porte plus ce genre de bijou aujourd'hui, vends-le donc, il est à toi.

Ton mari doit venir vacciner Goliath ce soir. Le vent jette la pluie par rafales sur les carreaux, il fait un temps affreux. J'ai une douleur dans le bras gauche et dans la poitrine. La Faucheuse est-elle déjà à ma porte ? Si c'était le cas, sais-tu ce que j'aimerais pour mon enterrement ? Ce si beau requiem de Mozart, dont le Lacrimosa *m'a toujours tiré l*

Un trait tremblé barrait la fin de la page, les suivantes étaient vierges. Anne avait la gorge serrée par l'émotion, ayant l'impression d'avoir vécu les derniers instants d'Ariane avec elle. Ce soir-là, exactement un an auparavant, sa tante avait succombé à un infarctus massif alors qu'elle était sans doute en train d'écrire les derniers mots. Goliath l'avait veillée car Paul l'avait trouvé couché contre elle, sur le tapis de sa chambre. Le cahier était tombé plus loin, personne ne l'avait remarqué. Par la suite, le chien l'avait traîné dans son panier parce qu'il portait l'odeur de sa maîtresse, et Anne ne l'y avait déniché que des mois plus tard.

Réprimant un sanglot, elle mit sa tête entre ses mains et resta un long moment immobile, bouleversée. Tout le récit des deux cahiers de moleskine s'adressait à elle. *Rien* qu'à elle. La jeunesse d'Ariane, ses mariages, sa longue quête, et les secrets de sa famille. À présent, Anne savait tout, et ses parents ne sortaient pas grandis de l'histoire.

Le *Lacrimosa* du requiem de Mozart ? Il n'avait pas été joué à l'enterrement, mais elle allait se le procurer et le faire résonner dans toutes les pièces de la maison ! Elle devait bien ça à Ariane qui l'avait aimée bien davantage qu'une nièce, plutôt comme la fille qu'elle n'avait pas eue. Et comme la seule héritière possible du passé des Nogaro, qu'elle soit de leur sang ou pas.

Elle se redressa, pensa à la cave. Enfilant en hâte sa robe de chambre, elle sortit sans bruit dans le couloir, le chien sur ses talons. Il était plus de minuit, Jérôme dormait, Valère et Suki aussi, elle n'allait pas réveiller toute la maison pour une hypothétique chasse au trésor. Dans la cuisine, elle prit une lampe torche et ouvrit la porte donnant sur l'escalier de pierre.

— Ça n'est pas rassurant, marmonna-t-elle, reste avec moi, Goliath…

En bas, il y avait une première cave voûtée, puis une arrière-cave où se trouvaient les fameuses bouteilles couvertes de poussière dans leur casier. Elle répertoria un margaux, quatre sauternes, deux château-d'yquem, trois rieslings et un pommard, mais pas de romanée-conti. Un peu déçue, elle continua de fureter et découvrit quelques crus moins prestigieux sur une clayette rouillée, une boîte à outils hors d'âge dans laquelle elle se cogna la cheville, un rouleau de grillage et une pioche. Repassant dans la première cave, elle dirigea le faisceau de sa lampe le long des murs. À part les pots de peinture et les bâches de Jérôme, il n'y avait que quelques bouteilles vides empilées dans un coin. Elle s'approcha pour mieux les voir et laissa fuser une exclamation de dépit en découvrant l'étiquette qu'elle cherchait. Jérôme avait dû boire ce vin rare en douce, sans doute avec Ludovic, et jamais elle ne saurait si un rubis y était caché. Ces deux abrutis ne l'avaient évidemment pas trouvé, sinon ils n'auraient pas pu s'empêcher de s'en vanter. À moins que Ludovic n'ait fait main basse dessus sans rien dire à Jérôme. Il en était tout à fait capable et c'était peut-être la raison de son départ précipité, les autres vols servant à masquer celui-ci.

Elle saisit la bouteille et, en la retournant à tout hasard, eut un coup au cœur. N'y avait-il pas quelque chose au fond du cul du verre ? Elle braqua le faisceau de la lampe, distingua une petite boule à peine visible. Avec les années, la colle du scotch avait formé une sorte de magma qui adhérait parfaitement aux parois. Elle essaya en vain de l'attraper et décida de remonter à la cuisine.

— Ces deux gougnafiers tiennent les bouteilles par le goulot pour verser le vin, merci, mon Dieu ! D'ailleurs, ils ont bu ce grand cru dans quoi ? Des gobelets en plastique ?

Surexcitée, elle grimpa l'escalier quatre à quatre et alla déposer la bouteille sur le billot. Avec la pointe d'un couteau, elle parvint à extraire la boule de sa cachette, puis entreprit de décortiquer délicatement le scotch à moitié fondu. Enfin elle arracha un minuscule morceau de papier de soie qui protégeait la pierre et découvrit le rubis. Elle le prit entre le pouce et l'index, l'éleva devant la lumière.

— Il est magnifique…

En forme de goutte et surmonté d'une bélière qui permettait de le porter en pendentif, il avait la couleur du sang, un rouge pourpre fascinant. Sans inclusion apparente, il semblait liquide tant il était pur. Quelle pouvait être sa valeur ? Anne n'envisageait pas un instant de le porter. Il représentait une sorte d'assurance pour l'avenir, un recours en cas de trop grosse difficulté. Une poire pour la soif, selon l'expression d'Ariane. Et sans la paresse de Jérôme, qui ne mettait même pas ses bouteilles vides à la poubelle, il aurait disparu ! Elle devait lui trouver une autre cachette, plus sûre cette fois. Serrant le bijou au creux de sa main, elle remonta dans sa chambre. Le cahier de moleskine était toujours ouvert sur son lit. Elle le ramassa, le referma et repartit jusqu'à son bureau. Après avoir glissé le rubis dans une enveloppe, elle mit les deux cahiers ensemble et le tout au fond d'un tiroir. Devait-elle louer un coffre à la banque ? Aller se renseigner auprès d'un joaillier ?

— Qu'est-ce que tu trafiques ? demanda Jérôme depuis le seuil.

Il portait un vieux jogging et avait les cheveux en bataille mais l'air parfaitement réveillé.

— Tu ne dormais pas ?

— Non, j'ai souvent des insomnies ces temps-ci. Je t'ai entendue aller et venir et je me demandais si tu n'étais pas malade. Tu as un problème ? Pourquoi es-tu debout au milieu de la nuit ?

Elle pouvait inventer n'importe quoi, ou plus simplement se passer d'explication, mais elle estima qu'ils étaient embarqués dans la même galère et qu'il devait savoir.

— Pourquoi bois-tu les bons vins en cachette ? demanda-t-elle.

— Oh… Tu as découvert ça ? J'aurais dû faire disparaître les cadavres.

— Sur ce point, tu as été bien inspiré. Mais tu ne m'as pas répondu.

— Nous n'avons commis ce crime que deux fois avec Ludovic. Je voulais lui faire goûter un grand cru, il n'en avait jamais eu l'occasion. C'est très égoïste, je sais ! Disons que c'était un soir où je me sentais d'humeur romantique, j'avais même descendu des bougies. On a savouré le nectar, fumé quelques cigarettes…

Il eut une moue désabusée puis haussa les épaules.

— Désolé, Anne. Maintenant, je ne comprends toujours pas pourquoi tu visites les caves la nuit.

— Je vais te le raconter, assieds-toi.

Un peu étonné, il s'installa en face d'elle et écouta son récit en silence. Elle mentionna l'existence des cahiers, mais sans révéler ce qui concernait leurs parents, se contentant de résumer les trois mariages d'Ariane et son acharnement pour racheter la maison.

— À part moi, personne ne venait la voir. Elle vivait dans ses souvenirs et elle tenait ce journal pour se distraire, en espérant que je le trouverais après sa mort.

— Tu me le feras lire ?

— Non, c'est trop personnel. Ce que je peux te dire est qu'elle aurait adoré ce que nous sommes en train de faire avec la maison.

En l'énonçant, elle réalisa que Jérôme était à coup sûr un Nogaro, et que vivre ici et restaurer la bastide de ses mains le mettait dans les pas de ses ancêtres. Elle lui sourit et acheva l'histoire par l'épisode du rubis. Bouche bée, il la regardait d'un air si incrédule qu'elle sortit l'enveloppe du tiroir, fit glisser le bijou dans sa main et le lui tendit.

— Putain de bordel, jura-t-il, on aurait pu le *perdre* ?

— Par ta faute, oui. Et là, ta soirée « romantique » nous aurait vraiment coûté cher !

Elle récupéra le rubis, le rangea tandis qu'il demandait :

— Qu'est-ce que tu vas en faire ? Le vendre ? Après tout, tu as le droit de le porter.

— Sûrement pas. J'ignore sa valeur, mais je suppose qu'il pourra nous aider en cas d'ennuis.

— Mais nous n'aurons pas d'ennuis, Anne ! Nos chambres d'hôtes vont marcher d'enfer, tu verras.

— Eh bien, on refera le toit avant qu'il ne nous tombe sur la tête !

Jérôme éclata de rire, égayé par ce qu'il venait d'apprendre.

— Ça m'enlève une épine du pied, avoua-t-il. Tu galères avec tes dossiers de comptabilité pour faire rentrer de l'argent, moi j'en suis incapable, et je commençais à me demander si on ne jouait pas un peu les funambules…

— Tu penses à ce genre de choses ?

— Oui, ironisa-t-il, je suis moins bête que ce qu'on imagine généralement.

— Moins indifférent ?

— Aussi.

— C'est parce que tu es amoureux.

Il ouvrit la bouche, la referma avec une grimace. Après quelques instants, il lâcha un long soupir.

— Il m'obsède, reconnut-il.

Elle hésita un peu puis demanda d'une voix douce :

— S'il avait trouvé le rubis en versant le romanée-conti, ne penses-tu pas qu'il l'aurait discrètement mis dans sa poche et gardé pour lui ?

— Je l'ignore. Il vaut sûrement mieux que ce que tu crois, et moins que ce que j'espère. Tu le détestes ?

— Il t'a menti, il m'a volée, il n'a eu aucune pitié pour Valère…

— Mais si ! Il pouvait se défaire de l'appareil photo dans l'heure, nous n'aurions jamais dû le retrouver. Tes chandeliers non plus.

— Il aurait eu des remords tardifs ?

— Peut-être.

— Écoute, dit-elle en se penchant au-dessus du bureau, tu ne choisis pas la facilité si tu t'obstines dans cette histoire.

— Je vais y aller prudemment. Pas à pas.

— Tu sauras ?

— J'essaierai. Promis !

Il réprima un bâillement puis se leva.

— Ce rubis, c'est un truc ébouriffant… Comme tout ce qui vient d'Ariane. Je ne peux vraiment pas lire son journal ?

— Non.

Le secret de leur mère ne le concernait pas.

— Et pour le bijou, bouche cousue ?

Elle réfléchit deux secondes avant de se mettre à rire.

— Ça m'est égal, Jérôme. Mais si tu le fais savoir, nous serons encore plus mal vus, et Ariane carrément maudite.

Elle n'était pas persuadée que son frère sache se taire, pourtant elle s'en moquait. Depuis qu'elle avait pris en main les rênes de la maison, et par conséquent celles de son destin, elle se sentait tout à fait libre.

✼

Abasourdi, Julien relut la lettre de Paul. Adressé à la clinique, et pas à son domicile, ce courrier prenait un caractère officiel. Paul avait fait ses comptes, il voulait récupérer son capital sans tarder. Se plaisant à Paris, il souhaitait cesser de se ruiner en loyers et comptait acheter un appartement, probablement du côté du bois de Vincennes pour être à proximité de Maisons-Alfort où il espérait être engagé après sa formation. Il avait rayé les Landes de sa vie et n'y remettrait jamais les pieds.

Dans ses phrases courtes on ne décelait aucune amitié, il s'adressait à son confrère en tant qu'associé et terminait par une formule toute faite.

— Le salaud…

Jamais les choses n'auraient dû s'achever de cette manière sordide. Paul était quelqu'un de *bien*, mais l'échec de son mariage l'avait rendu odieux. « Ça lui passera, malheureusement ce sera trop tard pour qu'on se réconcilie ! » pensa Julien avec amertume. L'allusion aux Landes dénotait beaucoup de rancœur, Anne devait sacrément lui manquer.

— Où vais-je trouver une somme pareille ?

Recommencer à s'endetter pour les dix prochaines années était une perspective décourageante.

— Vous parlez tout seul ?

Véronique avait passé la tête à la porte et lui souriait gentiment.

— Brigitte est partie déjeuner, ajouta-t-elle. On mange un croque-monsieur ensemble ? Mais je vous dérange, vous lisiez votre courrier.

— J'ai fini, dit-il en rangeant la lettre de Paul. Va pour le croque si on prend ma moto.

Il la précéda vers la salle d'attente et lui ouvrit la porte.

— Vous avez reçu de mauvaises nouvelles, Julien ? Vous n'avez pas l'air dans votre assiette.

— C'est quoi, mon assiette habituelle ? ironisa-t-il.

— La gaieté.

Il lui tendit un casque, mit le sien, démarra sa moto et attendit qu'elle prenne place derrière lui.

— Accrochez-vous ! lui cria-t-il.

Mais il n'avait pas envie de rouler vite, il réfléchissait toujours aux exigences de Paul. Il s'arrêta devant leur bistrot habituel après s'être offert quelques détours pour le plaisir de la balade.

— Je devrais m'acheter une de ces machines, c'est génial, dit-elle en mettant pied à terre.

— Passez le permis d'abord, ça ne se pilote pas comme un vélo.

— Vous, vous allez me raconter vos soucis parce que vous êtes carrément sinistre aujourd'hui.

En revanche, elle semblait d'humeur joyeuse. Elle n'habitait plus chez Brigitte et louait un appartement avec terrasse à deux pas de la clinique. Sociable, elle s'était déjà fait des amis et répétait chaque jour qu'elle se plaisait beaucoup à Castets. Ils s'attablèrent et commandèrent finalement des salades landaises, une bière pour lui et un Perrier pour elle.

— Julien, je voudrais savoir si vous êtes content de mon travail.

— Très. Les clients vous ont immédiatement adoptée, et vous avez un bon contact avec les animaux.

— Rien d'autre ?

Devant son air dépité, il se décida à sourire.

— Vous êtes douée, même si vous manquez encore d'expérience.

— Vous n'en aviez pas beaucoup plus quand vous vous êtes installé ici, non ?

— Admettons. Au début, on a un peu travaillé à l'instinct, Paul et moi. On comparait nos avis et on n'était pas toujours sûrs de bien faire. Il y avait des moments d'angoisse, mais on riait beaucoup.

— Vous regrettez toujours votre confrère ?

— Parfois. Sauf aujourd'hui !

Il l'observa durant quelques instants, essayant de deviner ses intentions.

— Vous comptez rester ici, Véronique ?

— Bien sûr. J'ai trouvé exactement ce que je cherchais.

— À savoir ?

— Un climat plus doux que celui de ma Bretagne natale, mais toujours l'océan. Je ne suis pas du tout citadine, la ville m'ennuie et m'attriste.

— Vous n'êtes pas plutôt venue pour vous remettre d'un gros chagrin ?

— Oh, je vois que Brigitte a bavardé…

Elle baissa les yeux vers son assiette, récupéra un petit morceau de magret. C'était vraiment une belle femme, il pensa qu'elle allait vite trouver des hommes pour la consoler.

— Je m'en suis remise, j'ai tourné la page. Je me sens bien à la clinique, bien avec vous.

Il eut peur qu'elle soit en train de lui faire du charme. Pourtant, il avait gardé ses distances, maintenu le vouvoiement qui limitait la familiarité, évité avec soin toute ambiguïté.

— Quand vous m'avez embauchée, vous m'aviez laissée entendre qu'une association serait éventuellement envisageable dans l'avenir si nous nous entendions bien. Est-ce d'actualité ou trop tôt pour vous prononcer ?

— Pourquoi me demandez-vous ça ?

— Eh bien, en ce qui me concerne, je serais partante ! Dès que vous aurez assez confiance en moi, dites-le-moi. Je suis prête à racheter les parts de votre ami Paul.

— Vous auriez les capitaux ? s'enquit-il avec un peu de méfiance.

— Mes parents peuvent m'aider sans problème, je leur en ai parlé. Et s'ils avaient refusé, ça m'aurait été bien égal de m'endetter, j'ai toute la vie devant moi.

Éberlué par sa proposition, il ne répondit pas tout de suite et elle insista, volubile :

— S'il vous plaît, Julien ! Ne cherchez pas d'autre associé que moi, je vous assure que je ne vous décevrai pas. Je suis quelqu'un de sérieux, vous l'avez vu. Je sais que vous préféreriez un homme, mais vos clients n'ont pas tiqué, vous venez de le dire. Votre clinique, c'est ce dont je rêvais quand je faisais mes études ! Et même si j'avais les moyens financiers, je ne m'installerais jamais toute seule, ça me fait trop peur, je…

— D'accord, d'accord, dit-il en levant la main pour l'arrêter. Mais qu'est-ce qui arrivera quand vous vous marierez, que vous aurez plein d'enfants ?

— Et alors ? J'adore ce métier, je ne le lâcherai jamais. Je n'ai pas travaillé comme une forcenée à l'école vétérinaire de Nantes pour me retrouver en train de tricoter près d'un berceau. Vous avez vu mes résultats ? J'étais une des meilleures de ma promo ! Nous ne sommes pas de la même génération vous et moi, c'est vrai, mais ainsi nous serons complémentaires. Allez, Julien, laissez-vous convaincre…

Il se mit à rire parce qu'elle avait parlé de « génération ». Comment avait-il pu s'imaginer qu'elle le draguait alors qu'elle le trouvait vieux ?

— Véronique, je crois qu'on va s'entendre.

Elle poussa un cri de joie et voulut absolument commander deux coupes de champagne pour fêter ça. Ils étaient en train de trinquer quand le portable de Julien sonna. En voyant s'afficher le numéro d'Anne, il s'empressa de prendre la communication.

— Je ne te dérange pas ? demanda-t-elle.

— Oh non, pas du tout !

— Tu as l'air tout guilleret.

— Je bois du champagne avec Véronique.

Il y eut un court silence, puis elle s'étonna :

— Ah bon ? Au milieu de la journée ?

— Nous avons un truc à fêter.

— Alors, je ne veux pas être indiscrète, déclara-t-elle sèchement. Je te rappellerai plus tard.

— Non, attends !

Adressant un signe d'excuse à Véronique, il se leva et sortit du bistrot tandis qu'Anne poursuivait :

— Ça n'a pas d'importance, je te laisse t'amuser en paix.

— Anne ! On ne s'amuse pas. Elle vient de me proposer de racheter les parts de Paul.

Un nouveau silence fut suivi d'une question posée sur un ton rageur et incrédule :

— Tu vas t'associer avec elle ?

Il était trop concerné par Anne pour ne pas s'apercevoir de sa contrariété.

— Est-ce que ça t'ennuie ?

— Non, ça me surprend, c'est tout. D'ailleurs, je n'ai pas mon mot à dire, c'est ton affaire. Mais je trouve que tu te précipites.

— Paul m'a envoyé une lettre, il commence à s'impatienter.

— Déjà ? Il est gonflé !

— Donc, l'offre de Véronique tombe à pic. En plus, elle est très professionnelle.

— Eh bien, tu seras décidément entouré de jolies filles ! Entre Brigitte et Véronique, tu…

— Anne ? Est-ce que, par le plus merveilleux des hasards, tu ne serais pas un peu…

Il retint le mot « jalouse » qui lui venait à l'esprit mais qui était bien trop présomptueux.

— Un peu quoi ? Désagréable ?

— Pas du tout, mais si ça t'agace qu'il y ait des jolies filles dans mon entourage, j'y vois un signe très encourageant.

Anne se tut assez longtemps pour qu'il s'inquiète.

— Tu es toujours là ?

— Oui… Bon, je suis contente que tu aies trouvé une solution.

Elle se forçait à le dire et conservait un ton acide. Il se sentit soudain très gai, son « assiette habituelle », ainsi que le prétendait Véronique.

— Est-ce que je peux passer te voir dimanche, qu'on regarde de près les chiffres de la cession de parts ?

— Viens donc déjeuner, proposa-t-elle plus gentiment.

— J'apporte le dessert.

En remettant son téléphone dans sa poche, il se mit à siffloter. Quelle formidable journée ! D'une certaine

335

façon, il la devait à Paul, qui ne se douterait jamais de ce qu'il avait provoqué avec son détestable courrier.

✱✱

Pierre Laborde semblait avoir vieilli en quelques mois. Il se tenait voûté, ses mains tremblaient légèrement et son regard s'était voilé.

— Je suis officiellement à la retraite, annonça-t-il, mais c'est un plaisir de vous recevoir, Anne. Comment allez-vous ? Comment va la maison ?

Elle s'installa dans le fauteuil qu'il lui désignait et déposa les deux cahiers de moleskine avec l'enveloppe sur un coin du bureau. Tout de suite, il parut hypnotisé par leur vue. Mais il était trop habile pour en parler le premier et il se contenta de déclarer :

— Je me souviens encore d'Ariane assise à votre place la première fois qu'elle est venue me consulter. Il y a, voyons… Enfin, c'est vraiment très loin ! Elle était jeune, belle, sûre d'elle et déterminée. Je l'ai reçue souvent par la suite, mais à partir du jour où elle s'est retrouvée dans sa bastide, elle n'a plus voulu se déplacer et il a fallu que j'aille la voir là-bas. Elle avait été tellement obnubilée par ce rachat qu'elle était comblée de revivre chez elle. L'obsession de toute une vie… Ça arrive à certains d'entre nous.

Anne comprit qu'il parlait pour lui. N'avait-il pas, en vain, discrètement courtisé sa cliente durant plusieurs décennies ? Rien qu'à l'entendre parler, à voir l'expression de son visage parcheminé, elle continuait de le hanter.

— Je n'ai pas pu entreprendre tout ce que j'aurais voulu pour retaper la bastide, déclara-t-elle, mais nos travaux sont presque terminés. Il ne reste qu'un peu de peinture et de décoration. Nous allons pouvoir accueillir nos premiers clients dès le mois prochain, avec l'arrivée du printemps.

— Ariane aurait été contente, affirma le notaire avec bienveillance.

— Ne l'aurait-elle pas vécu comme une intrusion ?

— Elle, sans doute. Néanmoins, son plus grand souhait était que la maison vive après elle. Vous l'ouvrez au monde, vous la mettez en valeur, vous la partagez, c'est magnifique. Et, surtout, vous la gardez.

— Je ne me vois plus vivre ailleurs, admit-elle en souriant. J'y ai trouvé beaucoup de choses et, mieux encore, je m'y suis trouvée moi-même. Je suppose qu'Ariane le savait.

— En effet, elle avait essayé de tout prévoir.

— Vous n'imaginez pas à quel point !

Elle prit l'enveloppe, en sortit le rubis qu'elle plaça devant lui sur le sous-main.

— Oh, s'exclama-t-il, le pendentif de Paul-Henri… Elle l'avait donc conservé ? Elle m'avait pourtant raconté ses visites successives chez les joailliers, leur vendant un à un tous ses bijoux pour augmenter son capital. J'étais persuadé qu'elle n'en avait plus aucun, à part ses copies en toc. Êtes-vous tombée dessus par hasard ?

— Non. C'est son ultime cadeau posthume. Vous aurez l'explication dans ces cahiers.

— Vous me les confiez ?

— Je vous laisse les lire puis les mettre en lieu sûr, avec le rubis.

— À l'étude ? Non, impossible. D'ailleurs, je vous l'ai dit, je ne viens quasiment plus. Louez donc un coffre dans une banque sérieuse. En attendant, j'en prendrai grand soin.

De nouveau, son regard se posa sur les cahiers. Qu'espérait-il ? Il allait apprendre qu'Ariane l'avait considéré comme un ami, son seul ami à la fin de sa vie, mais rien de plus.

— Il y a de drôles de secrets là-dedans, dit-elle prudemment.

— J'imagine.

— Des révélations qui pourraient heurter ma famille. Il vaut mieux que ça reste entre vous et moi.

— Je comprends. Vous savez, au fil de mes conversations avec votre tante, je n'ai pas acquis une haute estime de son entourage.

Il esquissa un petit sourire malin qui devint vite nostalgique.

— Ah, Ariane…, soupira-t-il. Quelle femme étonnante ! Elle me manque énormément.

S'aidant des accoudoirs de son fauteuil, il se leva, contourna le bureau.

— La succession est close, tout est bien à présent. Louez ce coffre et mettez-y le rubis. Il sera pour vous comme une poire…

— … pour la soif, je sais. Elle aimait cette expression.

Le sourire réapparut, complice cette fois, tandis qu'il la raccompagnait. Elle eut la certitude que, à peine la porte refermée, il allait se jeter sur les cahiers.

— Et Goliath ? demanda-t-il encore en lui serrant la main.

— Nous nous gardons mutuellement. Je l'aime beaucoup.

— Décidément, elle doit vous bénir de là-haut ! Prenez soin de vous, Anne.

Avant de quitter Dax, elle musarda un peu dans les rues du centre-ville, profita du soleil de fin d'hiver pour prendre un café à une terrasse. La neige de Noël semblait bien loin, presque improbable. La perspective de rentrer chez elle lui plaisait. *Chez elle*. Où bientôt les rosiers plantés par Suki fleuriraient.

En montant dans sa voiture, elle constata qu'elle n'avait pas pensé à Paul depuis un ou deux jours. La douleur de leur séparation commençait à s'estomper. Elle s'était trompée sur lui et sur elle-même. Il y avait eu un marché de dupes dans leur mariage, mais elle l'avait compris trop tard. C'était l'héritage d'Ariane qui avait montré la faille, elle ne le regrettait pas.

**

Triomphalement, Jérôme exhiba le panneau métal-lique bleu et vert qu'il venait de recevoir, celui des chambres d'hôtes à accrocher à l'entrée du chemin. Suki battit des mains, gagnée par l'enthousiasme de son beau-frère.

— Comme ça, nous serons plus faciles à trouver, affirma-t-il. Sinon, la plupart des gens passeraient devant le portail sans le voir.

— Vous ne risquez pas d'être sans cesse dérangés ?

— Nous ne sommes pas sur une route touristique, Suki ! Pour venir chez nous, il faut le vouloir, et ce sera un gage de tranquillité pour nos clients. Mais ils doivent tout de même pouvoir arriver jusqu'ici.

Il appuya le panneau au mur, prit un peu de recul pour le regarder.

— Ça a de la gueule, non ?

C'était la première fois de sa vie qu'il menait quelque chose à bien et il exultait. Jamais il n'aurait imaginé tirer un tel plaisir de son propre travail. Il le devait à sa sœur, dans une certaine mesure à la tante Ariane qu'il avait si mal connue et négligée, mais aussi à lui-même parce qu'il s'était enfin accroché. Les années de stupides galères à Londres lui paraissaient loin, il était devenu quelqu'un d'autre.

L'arrivée de Julien fut l'occasion de s'extasier encore une fois sur l'enseigne qui allait faire de la bastide une maison d'hôtes. Suki en profita pour jeter un coup d'œil dans la cocotte où cuisait un poulet, et Jérôme se souvint qu'il avait promis à sa sœur de préparer un bon dîner. Était-ce en l'honneur de Julien, pourtant un habitué de la maison ? Bon, il avait oublié la consigne et rien d'extraordinaire n'était prévu, tant pis.

— Tu as apporté des fleurs ? railla-t-il en débarrassant Julien de son bouquet. Comme c'est original !

— Elles ne sont pas pour toi, répliqua Julien du tac au tac.

— Donne, dit Suki, je vais les mettre dans un vase.

En quelques gestes précis, elle disposa les roses rouges qui étaient magnifiques.

— Anne n'est pas là ?

— Ah, je vois qu'on ne te suffit pas ! Rassure-toi, elle ne va pas tarder, elle avait quelqu'un à voir à Dax, ensuite elle récupérait Léo à la pension.

Julien eut l'air mal à l'aise, et Jérôme s'en voulut de son ironie. Si, comme il le croyait, le vétérinaire était amoureux d'Anne, la situation n'était pas évidente pour lui, autant ne pas l'embarrasser davantage.

— Tu bois quelque chose ? intervint Valère.

Toujours conciliant, il servit l'apéritif en racontant qu'il venait de décrocher deux reportages photo.

— La saison des mariages va recommencer, tant mieux, j'ai hâte de tester le Nikon en situation. Et puis nous allons emménager. À tous points de vue ce sera un nouveau départ.

— Mais il faut quitter cette maison qui a été notre refuge et qui nous a porté bonheur, murmura Suki.

Valère regarda attentivement sa femme, comme s'il s'attendait à ce qu'elle ajoute quelque chose, mais elle se tut et garda les yeux baissés.

— Nous voilà ! claironna Léo en ouvrant la porte à la volée.

Suivi d'Anne, il affichait un air béat. Jérôme avait la quasi-certitude que sa sœur ne lui avait pas parlé du rubis, donc il devait rapporter de bons résultats scolaires, ou bien il échafaudait un projet de vacances avec Charles.

— Le billard sera livré la semaine prochaine ! annonça l'adolescent avec emphase.

— On le met bien dans le petit salon ? s'inquiéta aussitôt Jérôme.

— Oui, c'était convenu, Léo est d'accord, intervint Anne.

Rassuré, Jérôme adressa un clin d'œil à son neveu en ajoutant :

— Et les clients pourront en profiter ! Parce que, à propos de nos hôtes à venir…

D'un geste théâtral, il désigna le panneau qu'Anne n'avait pas vu.

— Qu'en dis-tu ? Il a de l'allure, non ? Mais ce n'est pas tout, ma grande, le plus beau, c'est ça…

De sa poche il extirpa une feuille imprimée.

— Nous avons déjà quatre réservations pour le mois d'avril. Quatre, et ce n'est qu'un début ! Tout ça grâce au site Internet, mais j'envisage d'autres moyens de se faire connaître. Il y a des guides spécialisés, des annonces à insérer dans les journaux gratuits, les syndicats d'initiative, et j'en passe.

Anne ne l'écoutait que distraitement, ce qui le vexa.

— Si c'est tout l'effet que ça te fait…

Le regard de sa sœur se tourna vers Julien à qui elle sourit.

— On croirait du velours, ces roses ! Mais tu pouvais venir les mains vides.

Elle s'adressait à lui d'un ton particulier, comme s'ils venaient de se rencontrer alors qu'ils se voyaient depuis plus de dix ans. À l'évidence, leurs rapports étaient en train de changer, et Jérôme se sentit capable de s'en réjouir au lieu de s'amuser à semer la zizanie entre eux. Qu'Anne refasse un jour sa vie serait une bonne chose. Le frère et la sœur n'allaient pas rester éternellement en tête à tête dans cette grande maison, Jérôme tenait trop à sa liberté de mouvement. Même s'il n'était pas persuadé d'en avoir autant besoin qu'avant.

Ils dînèrent dans la cuisine, se régalant du poulet auquel Jérôme avait finalement ajouté de l'estragon, de la crème et des champignons. Léo évoquait les vacances de printemps, prêt à parier qu'il ferait assez chaud pour se baigner. Il obtint de Julien la promesse de quelques cours de surf supplémentaires, mais Anne lui rappela qu'il devrait également se rendre à Paris pour voir son père et ses grands-parents. Elle parvenait à en parler sans chagrin ni rancune, déterminée à ce que Léo souffre le moins possible du divorce. Elle ne prétendait pas remplacer Paul, Léo avait besoin de son père, et elle ferait son possible pour qu'ils restent proches l'un de l'autre malgré la distance.

Vers onze heures, Valère et Suki allèrent se coucher, Jérôme proposa une partie d'échecs à Léo. Aussitôt, Julien décida de partir, comme s'il ne voulait pas rester seul face à Anne, mais elle le retint.

— Prends une infusion avec moi, je voudrais qu'on bavarde.

Embarrassé, il acquiesça avec un sourire contraint. Anne se sentait aussi peu à l'aise que lui, mais elle était déterminée.

— On a des choses à se dire, Julien.

— Tout de suite ? Je crois au contraire que…

— … que c'est trop tôt ? Oui, mais nous sommes dans une situation très inconfortable et je préfère être franche avec toi. J'ai eu un petit pincement de jalousie, l'autre jour, en apprenant que tu sablais le champagne avec Véronique. Ça m'agace que tu t'intéresses à d'autres femmes et que tu fasses la fête sans moi alors que je devrais me réjouir pour toi, et ça m'agace de le constater.

— En ce qui me concerne, je suis ravi, répliqua-t-il avec un sourire désarmant.

— Non ! Rends-toi compte que nous ne pourrons même plus être des amis si…

— Aucune importance, on fera semblant en attendant. J'ai des trésors de patience, Anne. Et il va nous en falloir. Je suis persuadé qu'il y a des choses que tu ne supporterais pas d'entendre, même pas d'une petite voix insidieuse au fond de ta tête. Tu ne veux pas avoir à te dire que tu as bien vite remplacé Paul. Tu ne veux pas que ton fils le pense. Tu ne veux pas que les gens se mettent à parler à tort et à travers.

— Tu sais tout ça ?

— Je te connais, je connais ta famille. Les réflexions acides de ta mère, le cynisme de Jérôme, la jalousie de Lily… Pas question de t'infliger ce genre de commentaires. Il n'y a qu'en laissant passer du temps qu'on aura le droit d'être tranquilles.

Il prit sa main sur la table, la serra dans les siennes.

— Depuis des années, j'essaie d'ignorer que tu me plais. Une attirance indigne, occultée par respect pour

344

Paul et au nom de l'amitié. J'ai été sincèrement consterné de votre séparation. Vous étiez un couple de référence pour moi, et jamais je n'ai souhaité que ça se finisse par un divorce. Mais c'est le cas. Vous avez mis un terme à votre histoire et je n'y suis pour rien. Aujourd'hui, je me sens libre de tenter ma chance avec toi, sauf que ce n'est pas le moment. Tu viens de subir un choc et tu n'es pas prête. Jusqu'ici, tu m'as regardé comme un copain, comme l'associé de ton mari, et je voudrais que ton regard change, que tu voies Julien. Moi, à force de t'observer, je sais exactement tout ce qui me séduit chez toi. Tu es belle, mais pas seulement. Tu as un rayonnement particulier qui me chavire. Tu es gentille, loyale, drôle, organisée, et pourtant capable de sauter dans l'inconnu. Tu aimes les gens pour ce qu'ils sont sans vouloir les changer. Tu ne te voiles pas la face pour affronter les réalités. Tu es solide et courageuse. Tu…

— Arrête ! s'exclama-t-elle avec un rire gêné. C'est moi, tout ça ?

— Non, tu m'as interrompu, je n'avais pas fini. En fait, je pourrais te parler de toi toute la nuit. Mais je vais rentrer chez moi et penser à toi sous ma couette, je n'ai pas le choix. Sinon, on va tout gâcher.

Il lâcha enfin sa main, se leva et contourna la table. Penché au-dessus d'elle, il l'enlaça puis l'embrassa. Elle se souvenait du goût de sa bouche, de l'odeur de sa peau, elle avait souvent repensé à ce premier baiser sur les marches du perron. Comme ce jour-là, elle eut envie de lui, de faire l'amour avec lui, et quand il se redressa elle se sentit frustrée.

— Je t'appelle demain, murmura-t-il.

Déçue, elle allait le laisser partir lorsqu'elle se frappa le front.

— Attends ! Est-ce que tu as pensé à mon *Requiem* ?

— Je l'ai oublié dans la voiture, viens…

Ils sortirent ensemble, flanqués de Goliath.

— Cet enregistrement, sous la direction de Karl Böhm, est un des meilleurs, du moins à mon goût. Tu aimes Mozart ?

— Pas spécialement. Je suis beaucoup moins férue que toi de musique classique.

— Si tu en as envie, je te ferai découvrir des tas de choses et tu me diras ce que tu apprécies, ce qui te touche…

Il lui tendit le CD, effleura sa joue et se dépêcha de démarrer. Elle regarda ses feux arrière disparaître au bout du chemin, puis elle leva la tête vers le ciel étoilé. La nuit était claire, demain serait une belle journée.

Elle regagna la cuisine, négligea les reliefs du dîner et monta directement dans son bureau dont elle ferma la porte avec soin.

— Écoute ça, dit-elle au chien en introduisant le CD dans sa chaîne.

Après avoir sélectionné le *Lacrimosa*, elle prit un des albums de photos sur une étagère et s'assit à même le parquet. Tandis que s'élevaient les premières notes, si pathétiques, elle se mit à tourner les pages. Ariane bébé, avec son grand-père qui se prénommait Léonard, comme Léo. Ariane fillette, tenant son petit frère par la main. Ariane jeune fille, entre ses parents. La bastide avec des gens inconnus sur le perron. Un gemmeur posant devant sa barrique pleine de résine. Des clichés jaunis, ou même sépia. Tout le passé des Nogaro qu'Anne avait appris à connaître. Qu'elle soit leur descendante ou pas ne changeait rien, cette famille était la sienne, cette maison était la sienne, elle avait repris le flambeau et le tenait solidement dans ses mains.

Elle referma l'album, appuya sa tête contre le mur et écouta le morceau jusqu'à la fin. Un ultime remerciement à Ariane, comme un gage de fidélité. Les deux cahiers de moleskine et leurs secrets étaient en sûreté, le rubis déposé à la banque où elle s'était rendue après avoir quitté Pierre Laborde. Un an plus tôt, dans cette même étude, alors qu'elle prenait place devant le notaire, elle ignorait encore tout du testament qui allait bouleverser sa vie. Était-elle aujourd'hui la même femme que la petite Anne écoutant, éberluée, les dernières volontés de sa tante ?

Un claquement sec annonçant la fin du CD fit tressaillir Goliath endormi. Anne se releva et alla ouvrir la fenêtre. Au-delà de la clairière, les silhouettes des arbres formaient une masse noire sous le ciel bleu nuit. Le silence accentuait l'impression de sérénité, de plénitude, et la douceur de l'air annonçait le printemps. Anne eut la certitude qu'elle serait heureuse ici et qu'elle ne devait plus regarder en arrière. Les deux coudes sur la rambarde, le menton dans les mains, elle inspira à fond pour percevoir l'odeur des pins. Il était plus de minuit et à cette heure-ci Paul devait dormir dans son studio, à Paris, un livre ouvert tombé sur les draps. Il avait choisi sa route, elle aussi, et ce n'était plus la même. Mais en jetant l'ancre ici, contre l'avis de tout le monde, elle avait réussi le paradoxe de réunir les siens sous son toit. Valère et Suki allaient repartir du bon pied. Jérôme s'était rendu indispensable, et peut-être avait-il gagné assez de maturité pour gérer sa première histoire d'amour si chaotique avec Ludovic. Lily elle-même était venue chercher de l'aide auprès de sa sœur. L'avenir était plein de promesses dans la bastide Nogaro, et ceux qui l'avaient désignée comme un cadeau empoisonné s'étaient lourdement trompés.

Un oiseau de nuit poussa un cri rauque à l'instant où Anne avait une pensée pour sa mère. Avec le temps, n'aurait-elle pas pu aimer un peu son enfant innocente ? Chasser de sa mémoire l'épisode honteux, s'accorder le bénéfice du doute à défaut d'absolution ? Mais non, Estelle n'oubliait rien, ni rancune ni haine, rien, sauf ses dettes. Anne n'avait pas envie d'y songer. Cette page-là aussi était tournée. À en croire la pleine lune et les étoiles, demain serait décidément une belle journée.

Dans la poche de son jean, son téléphone vibra. Elle afficha le message qu'elle venait de recevoir et lut :

Comme prévu, je pense à toi.

En fermant la fenêtre, elle souriait aux anges.

Composé par Facompo
à Lisieux (Calvados)

Imprimé en France par

MAURY IMPRIMEUR
à Malesherbes (Loiret)
en mars 2013

POCKET – 12, avenue d'Italie – 75627 Paris Cedex 13

N° d'impression : 180552
Dépôt légal : avril 2013
S22706/01